JN041214

やさしく学ぶ Jw_cad 8

デラックス版

マイペースで学ぶニャ

本書をご購入・ご利用になる前に必ずお読みください

- 本書の内容は、執筆時点（2023年11月）の情報に基づいて制作されています。これ以降に製品、サービス、その他の情報の内容が変更されている可能性があります。また、ソフトウェアに関する記述も執筆時点の最新バージョンを基にしています。これ以降にソフトウェアがバージョンアップされ、本書の内容と異なる場合があります。
- 本書の利用に当たっては、「Jw_cad」がインストールされている必要があります。
- 「Jw_cad」は無償のフリーソフトです。そのため「Jw_cad」について、作者、著作権者、ならびに株式会社エクスナレッジはサポートを行っておりません。また、ダウンロードやインストールについてのお問合せも受け付けておりません。
- 本書は、パソコンやWindows、インターネットの基本操作ができる方を対象としています。
- 本書は、Windows 11/10がインストールされたパソコンで「Jw_cad Version 8.25a」（以降「Jw_cadバージョン8.25a」と表記）を使用して解説を行っています。そのため、ご使用のOSやアプリケーションのバージョンによって、画面や操作方法が本書と異なる場合がございます。
- 本書および付録CD-ROMは、Windows 11/10に対応しています。なお、Microsoft社がWindows 8.1以前のサポートを終了しているため、本書はWindows 8.1以前での使用は保証しておりません。
- 本書に記入された内容をはじめ、付録CD-ROM、およびダウンロードしたデータに収録された教材データ、プログラムなどを利用したことによるいかなる損害に対しても、データ提供者（開発元・販売元・作者等）、著作権者、ならびに株式会社エクスナレッジでは、いっさいの責任を負いかねます。個人の責任においてご使用ください。
- 本書に直接関係のない「このようなことがしたい」「このようなときはどうすればよいか」など特定の操作方法や問題解決方法、パソコンやWindowsの基本的な使い方、ご使用の環境固有の設定や機器に関するお問合せは受け付けておりません。本書の説明内容に関するご質問に限り、p.343のFAX質問シートにて受け付けております。

以上の注意事項をご承諾いただいたうえで本書をご利用ください。ご承諾いただけずお問合せをいただいても、株式会社エクスナレッジおよび著作権者はご対応いたしかねます。あらかじめご了承ください。

Jw_cadについて

Jw_cadは無料で使用できるフリーソフトです。そのため当社、著作権者、データの提供者（開発元・販売元）はいっさいの責任を負いかねます。個人の責任で使用してください。Jw_cadバージョン8.25aはWindows 11/10上で動作します。本書の内容についてはWindows 11での動作を確認しており、その操作画面を掲載しています。また、Microsoft社がWindows 8のサポートを終了しているため、本書はWindows 8での使用は前提にしていません。ご了承ください。

◉ Jw_cadバージョン8.25aの動作環境

Jw_cadバージョン8.25aは以下のパソコン環境でのみ正常に動作します。

OS（基本ソフト）：上記に記入 ／ 内部メモリ容量：64MB以上 ／ ハードディスクの使用時空き容量：5MB以上 ／
ディスプレイ（モニタ）解像度：800×600以上 ／マウス：2ボタンタイプ（ホイールボタン付き3ボタンタイプを推奨）

- Jw_cadの付録CD-ROMへの収録と操作画面の本書への掲載につきましては、Jw_cadの著作権者である清水治郎氏と田中善文氏の許諾をいただいております。
- 本書中に登場する会社名や商品、サービス名は、一般に各社の登録商標または商標です。本書では、®およびTMマークは表記を省略しております。

カバーデザイン	会津 勝久	Special Thanks	清水 治郎 ＋ 田中 善文
編集協力	鈴木 健二（中央編集舎）＋ 阿部真里奈	協力	株式会社LIXIL
イラスト	板垣 可奈子	印刷	図書印刷株式会社

はじめに

本書は、Jw_cadをこれから始める方のためのJw_cad入門テキスト「やさしく学ぶJw_cad8」の増補改訂版です。最新のバージョン8.25aに対応したほか、「デラックス」版ということで、通常の入門書ではあまり扱うことのない応用的な使い方を紹介した「CHAPTER 4」や、付録に添景や人物、家具などの無料で使えるCAD素材データ（図形ファイル）を追加しています。

最初に、付録CD-ROM収録のJw_cadバージョン8.25aと本書の教材データをインストールし、Jw_cadをこれから使ううえで必要な表示設定と基本設定を行います。

「CHAPTER 1　基本操作を学ぶ」では、線を描く・消すことから始め、図面を保存する、印刷する、文字や寸法を記入するなどの基本的な操作を習得します。作図練習を通して、CAD特有の作図手順に慣れていきましょう。

「CHAPTER 2　RC造1F・2F平面図を作図する」では、CAD特有の概念であるレイヤを使い分け、より実践的な図面を作図します。CHAPTER 1で習得した基本的な操作に加え、レイヤ機能やJw_cad特有のクロックメニューなどを利用して、事務所ビルの1階平面図と2階平面図を作図しましょう。

「CHAPTER 3　敷地図と日影図を作図する」では、あらかじめ用意されている図面枠に測量座標による敷地図を作図し、その面積表を自動作成します。また、平面外形図に高さ情報を定義した建物ブロックを作成し、それを敷地図にコピーして日影図を作図します。作図練習を通して、図寸固定での縮尺変更、座標ファイルによる敷地図作図、軸角の設定、他図面の一部のコピーなどの応用的な操作を学習しましょう。

「CHAPTER 4　その他の作図テクニック」では、JPEG画像の挿入や、レイヤグループを利用して1枚の用紙に縮尺の異なる図を作図する方法など、通常の入門書ではあまり紹介されることのない応用的な操作を学習します。

「CHAPTER 5　Q&A」では、本書の解説書どおりにいかない場合の原因と対処方法を掲載しています。

本書が、皆様方のJw_cadのはじめの一歩の手助けになることを願っています。

Obra Club

Jw_cat
（ジェイダブリューキャット）

本書のポイントやヒントに登場するボディがデラックスな茶トラネコ。額の「JW」模様がチャームポイント。

内容も付録も"デラックス"な本書が、Jw_cadの習得をお手伝いするニャ。

CONTENTS

CHAPTER 1　基本操作を学ぶ …………………… 19

CHAPTER 2　RC造1F・2F平面図を作図する ……… 123

本書の表記と凡例について

▶ マウスの操作の表記

Jw_cadは、マウスの左右ボタンの使い分けや、ボタンを押したままマウスを移動する「ドラッグ操作」に特徴があります。マウスからの指示を下記のように表記します。

クリック

🖱 **クリック**：左ボタンをクリック

🖱 **右クリック**：右ボタンをクリック

ダブルクリック

🖱🖱 **ダブルクリック**：左ボタンを続けて2回クリック

🖱🖱 **右ダブルクリック**：右ボタンを続けて2回クリック

ドラッグ

ドラッグ操作により、押すボタンとマウスを移動する方向を組み合わせ、以下のように表記します。

🖱↘ **両ドラッグ**：左右両方のボタンを押したまま矢印方向にマウスを移動し、ボタンをはなす

🖱→ **左ドラッグ**：左ボタンを押したまま矢印方向にマウスを移動し、ボタンをはなす

🖱← **右ドラッグ**：右ボタンを押したまま矢印方向にマウスを移動し、ボタンをはなす

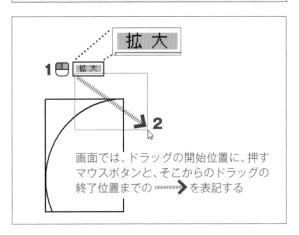

キーボードのキーを押したままクリックする場合は「押すキー＋押すマウスボタン」で表記する

画面では、ドラッグの開始位置に、押すマウスボタンと、そこからのドラッグの終了位置までの ➡ を表記する

▶ 凡例

POINT 必ず覚えておきたい重要なポイントや操作上の注意事項

確実に理解しておきたい最重要ポイント
重要なPOINT

❓ 本書の説明どおりにできない場合の原因と対処方法の参照ページ

知っておきたい関連知識や操作方法
HINT

参考：以前に学習した機能の詳しい操作などを解説した参照ページ

できれば習得したい一歩進んだ概念や操作方法
POINT LESSON

▶ キーボードのキー入力による指示の表記

キーボードからの指示は、「Escキーを押す」のように、□付きで押すキーの名称を表記します。
以下に本書で表記する主なキーの表記例とキーボードの位置を記入します（図はWindowsパソコンの標準
的な製品例で、ノートパソコンなどによってはキーの表記や配列が図とは異なります）。

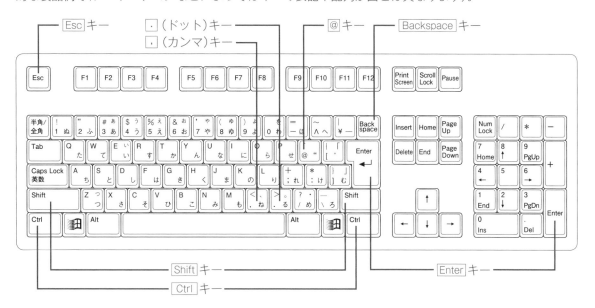

▶ 数値や文字の入力の表記

寸法や角度などの数値を指定する場合や文字を記入する場合は、次のように表記します。

表記例：コントロールバー「寸法」ボックスに「700」を入力する。

入力操作は、所定の入力ボックスを🖰して入力状態（ボックス内で入力ポインタが点滅）にしたうえで、キー
ボードから数値や文字を入力します。Jw_cadでは数値入力後にEnterキーを押す必要はありません。

すでに入力ボックスで入力ポインタが点滅している場合や、入力ボックスに表示されている数値・文字が
色反転している場合は、入力ボックスを🖰しないで、キーボードから直接、入力できます。

付録CD-ROMについて

本書の付録CD-ROMには、Jw_cadと本書で利用する教材データ、無料で使えるCAD素材データ（図形データ）などが収録されています。次の事項をよくお読みになり、ご承知いただけた場合のみCD-ROMをご使用ください。

なお、付録CD-ROMのデータを、インターネットを使って本書のWebページからダウンロードすることも可能です。その場合は、p.328の「教材データのダウンロードについて」をご参照ください。

付録CD-ROMを使用する前に必ずお読みください

● 付録CD-ROMは、Windows 11/10で読み込み可能です。それ以外のOSでも使用できる場合がありますが、動作は保証しておりません。

● 使用しているコンピュータ、ハードウェア、ソフトウェア、ネットワークなどの環境によっては、動作条件を満たしていても動作しないまたはインストールできない場合があります。あらかじめご了承ください。

● 収録されたデータを使用したことによるいかなる損害についても、当社ならびに著作権者、データの提供者（開発元・販売元）は、いっさいの責任を負いかねます。個人の自己責任の範囲において使用してください。

● 本書の説明内容に関するご質問に限り、p.343に掲載した本書専用のFAX質問シートにて受け付けております（詳細はp.343をご覧ください）。なお、OSやパソコンの基本操作、記事に直接関係のない操作方法、ご使用の環境固有の設定や特定の機器向けの設定といった質問は受け付けておりません。

付録CD-ROMの内容

jww825a（jww825a.exe）
Jw_cadバージョン8.25a

jww825a.exe

インストール方法→p.9

iftwic21（iftwic21.zip）
WIC Susie Plug-in
バージョン2.1

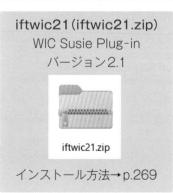

iftwic21.zip

インストール方法→p.269

「jww8_D」フォルダー
教材データ・CAD素材データを収録したフォルダー

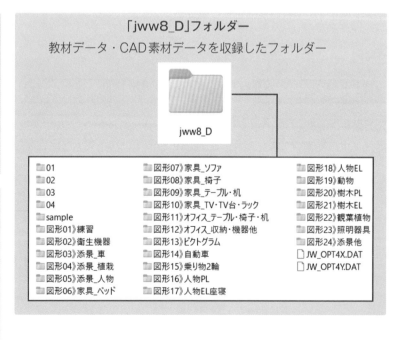

jww8_D

01	図形07》家具_ソファ	図形18》人物EL
02	図形08》家具_椅子	図形19》動物
03	図形09》家具_テーブル・机	図形20》樹木PL
04	図形10》家具_TV・TV台・ラック	図形21》樹木EL
sample	図形11》オフィス_テーブル・椅子・机	図形22》観葉植物
図形01》練習	図形12》オフィス_収納・機器他	図形23》照明器具
図形02》衛生機器	図形13》ピクトグラム	図形24》添景他
図形03》添景_車	図形14》自動車	JW_OPT4X.DAT
図形04》添景_植栽	図形15》乗り物2輪	JW_OPT4Y.DAT
図形05》添景_人物	図形16》人物PL	
図形06》家具_ベッド	図形17》人物EL座寝	

Jw_cadのインストールと教材データのコピー

付録CD−ROMに収録されているJw_cadバージョン8.25aと教材データ・CAD素材データをパソコンにインストールしましょう。なお、無料で使えるCAD素材データ（図形ファイル）の使い方についてはp.84の「STEP 8　図形を読み込み、作図する」を、CAD素材データの内容については、p.330「付録の図形ファイル（CAD素材データ）一覧」をご参照ください。

 Jw_cadは無料で使用できるフリーソフトです。そのため当社、著作権者、データの提供者（開発元・販売元）はいっさいの責任を負いかねます。個人の責任で使用してください。Jw_cadバージョン8.25aはWindows 11/10/8上で動作します。本書の内容についてはWindows 11での動作を確認しており、その操作画面を掲載しています。ただし、Microsoft社がWindows 8.1以前のサポートを終了しているため、本書はWindows 8.1以前での使用は前提にしていません。ご了承ください。

STEP 1 Jw_cadをインストールする

◉Jw_cadをインストールしましょう。

1 パソコンのCD/DVDドライブに付録CD−ROMを挿入し、CD−ROMを開く。

> ❓ CD−ROMを開くには→p.312　Q 01

> ❓ パソコンにCD/DVDドライブがないのでインターネットからダウンロードしたい → p.328

表示されるアイコンの大きさや見た目は、パソコンの設定によって異なります。右図と違ってもインストールに支障ありません。

2 CD−ROMに収録されているjww825a（.exe）のアイコンにマウスポインタを合わせて🖱🖱。

3 「ユーザーアカウント制御」ウィンドウの「はい」ボタンを🖱。

> ❓ 「ユーザーアカウント制御」ウィンドウのメッセージが右図とは異なる→p.312　Q 02

> ➡ 「Jw_cad バージョン8.25.1.0セットアップ」ウィンドウが開く。

4 「使用許諾契約書の同意」を必ず読み、同意したら「同意する」を🖱。

5 「次へ」ボタンを🖱。

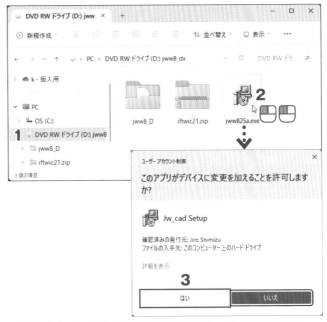

6 「次へ」ボタンを🖱。

7 「次へ」ボタンを🖱。

8 「デスクトップ上にアイコンを作成する」
にチェックを付ける。

9 「次へ」ボタンを🖱。

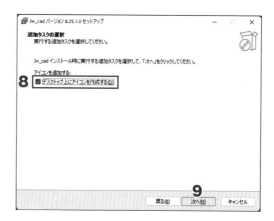

10「インストール」ボタンを🖱。

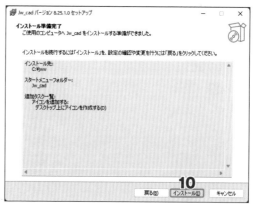

11 「完了」ボタンを🖱。

以上でインストールは完了です。
続けて、教材データ・CAD素材データをパソコンにコピーしましょう。

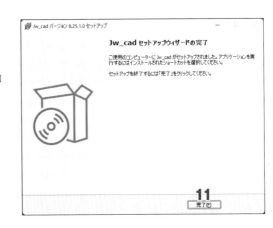

STEP 2 教材データ・CAD素材データをコピーする

◉続けて、教材データ・CAD素材データを「jww8_D」フォルダーごと、パソコンのCドライブにコピーしましょう。

1 付録CD-ROMウィンドウの「jww8_D」フォルダーを🖱。

2 ショートカットメニューの「コピー」を🖱。

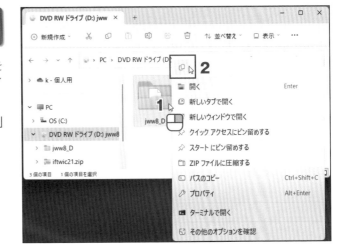

3 フォルダーツリーで「Cドライブ」を🖱。

4 ショートカットメニューの「貼り付け」を🖱。

以上で、教材データ・CAD素材データのコピーは完了です。

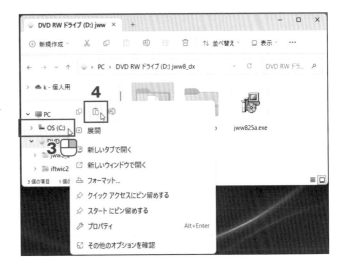

Jw_cad画面の各部名称

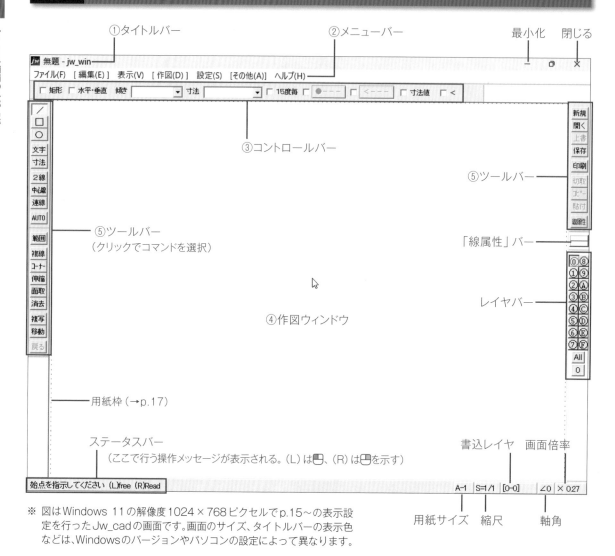

①タイトルバー ②メニューバー 最小化 閉じる

③コントロールバー

⑤ツールバー

⑤ツールバー
（クリックでコマンドを選択）

「線属性」バー

レイヤバー

④作図ウィンドウ

用紙枠（→p.17）

ステータスバー
（ここで行う操作メッセージが表示される。(L)は🖱️、(R)は🖱️を示す）

書込レイヤ 画面倍率

始点を指示してください (L)free (R)Read

A-1 | S=1/1 | [0-0] | ∠0 | × 0.27

用紙サイズ 縮尺 軸角

※ 図はWindows 11の解像度1024×768ピクセルでp.15〜の表示設
定を行ったJw_cadの画面です。画面のサイズ、タイトルバーの表示色
などは、Windowsのバージョンやパソコンの設定によって異なります。

① タイトルバー

[−jw_win] の前に作図中の図面ファイル名が表示される。未保存の場合は [無題] と表示される。

② メニューバー

各コマンドがカテゴリー別に収録されている。🖱️して表示されるプルダウンメニューからコマンドを選択する。

③ コントロールバー

選択コマンドの副次的なメニューが表示される。項目にチェックを付けたり数値を入力することで指定する。

④ 作図ウィンドウ

図面を作図する領域。p.17の**5**のチェックを付けると、用紙範囲を示すピンクの点線の用紙枠が表示される。

⑤ ツールバー

各コマンドの選択ボタンが配置されている。選択中のコマンドは凹状態で表示される。

コマンドの選択

コマンドはツールバーまたはメニューバーから選択します。以下に、「○」(円弧) コマンドを選択する例で、ツールバーから選択する方法と、メニューバーから選択する方法を説明します。

方法 1

1 「○」(円弧) コマンドを🖱。

→ 🖱したコマンドボタンが凹状態になる。

> **POINT** ツールバーに青文字で表示されている
> コマンドは、他のコマンド選択時に一時的に割
> 込使用をするコマンドのため、🖱しても凹状態
> にはなりません。

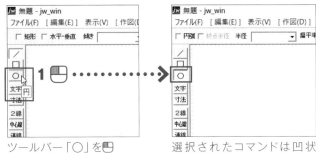

ツールバー「○」を🖱　　選択されたコマンドは凹状態になる

方法 2

1 メニューバー [作図] −「円弧」を🖱。

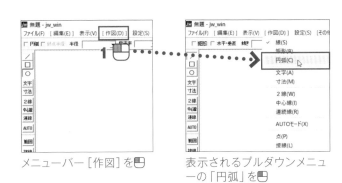

メニューバー [作図] を🖱　　表示されるプルダウンメニューの「円弧」を🖱

本書では、前ページのJw_cad画面の両端に配置されているツールバーのコマンドを🖱で選択する前提で説明しています。なお、ツールバーに配置されていないコマンドは、メニューバーから選択します。

Jw_cadの起動と各設定

STEP 1 **Jw_cadを起動する**

◉Jw_cadは、デスクトップに作成したショートカットアイコンを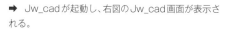することで起動します。Jw_cadを起動しましょう。

1 デスクトップのJw_cadのショートカットアイコンを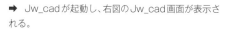。

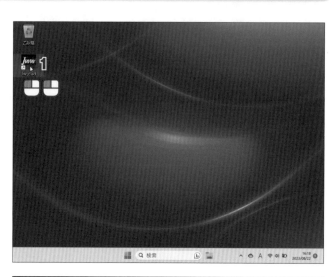

➡ Jw_cadが起動し、右図のJw_cad画面が表示される。

ディスプレイの解像度によっては、Jw_cad画面の左右のツールバーの配置が右図とは異なる場合があります。その場合も、次ページの「STEP 2　表示設定を変更する」を行うことで、本書と同じ画面に設定できます。

◉Jw_cad画面をディスプレイの画面全体に表示しましょう。

2 Jw_cadのタイトルバーの右から2番目の□（最大化）を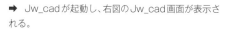。

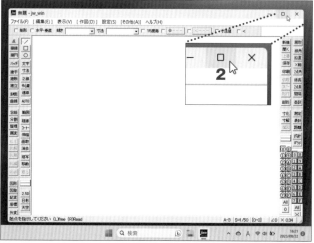

➡ Jw_cadの画面が最大化され、ディスプレイ画面全体に表示される。

POINT 本書では、右図のような1024×768の解像度の画面で解説します。1280×800などのワイド画面では、下図のように横長の画面になります。

STEP 2 表示設定を変更する

●表示メニューの「Direct2D」の設定を無効にしましょう。「Direct2D」は、大容量データを扱うときに有効な設定ですが、ここでは不要なためチェックを外します。

1 メニューバー[表示]を🖱。

2 表示されるプルダウンメニューでチェックが付いている「Direct2D」を🖱。

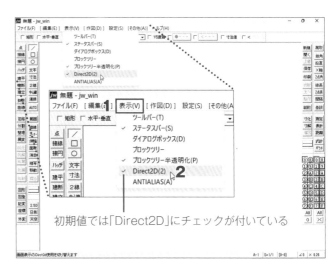

初期値では「Direct2D」にチェックが付いている

●よく使用するコマンドのツールバーだけを表示するように、設定を変更しましょう。

3 メニューバーの[表示]を🖱。

4 プルダウンメニューの「ツールバー」を🖱。

→ 「ツールバーの表示」ダイアログが開く。

POINT 「ツールバーの表示」ダイアログでチェックが付いている項目が、現在画面に表示されているツールバーです。項目のチェックボックスを🖱で、チェックを外したり、付けたりすることができます。

5 「編集（2）」のチェックボックスを🖱し、チェックを外す。

6 同様に、「作図（2）」「設定」「その他（11）」「その他（12）」「その他（21）」「その他（22）」「レイヤグループ」「線属性（1）」のチェックボックスを🖱し、チェックを外す（「線属性（2）」にチェックがない場合は🖱し、チェックを付ける）。

POINT 「線属性（1）」と「線属性（2）」は同じものです。2カ所に配置したい場合、両方にチェックを付けます。

7 右図の5つの項目にチェックが付いた状態にし、「OK」ボタンを🖱。

→ ツールバーの表示設定が確定し、ダイアログが閉じる。チェックを付けたツールバーのみがJw_cad画面の両側に表示される。

❓「線属性」バーが作図ウィンドウにとび出している
→次ページ のPOINT

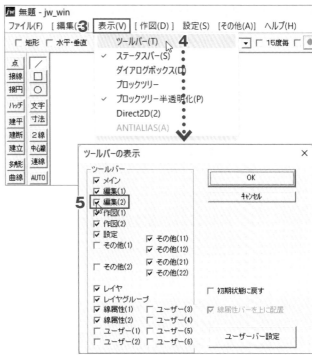

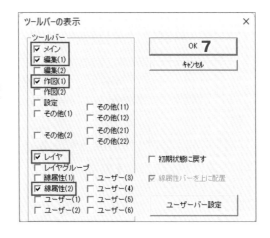

◉作図ウィンドウ右のツールバー「線属性」コマンド下の2カ所の隙間は、今後の作図操作に影響しませんが、以下の**8〜9**の操作で隙間をつめることができます。

8 「線属性」バーの上の区切り線にマウスポインタを合わせて🖱↑（ドラッグ＝左ボタンを押したまま上方向に移動）し、「線属性」コマンド下の区切り線付近でボタンをはなす。

線属性バー

➡ ドラッグした「線属性」バーが「線属性」コマンドボタンの下に移動する。

9 その下の「レイヤ」バー上の区切り線から🖱↑し、「線属性」バーの下の区切り線付近でボタンをはなす。

➡ ドラッグした「レイヤ」バーが「線属性」バーの下に移動する。

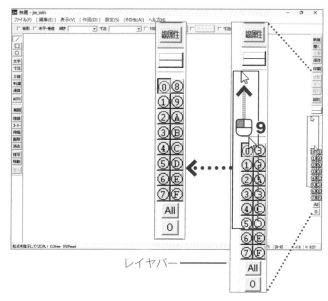

レイヤバー

POINT 「線属性」バーが作図ウィンドウにとび出している場合 ―――――――――
以下の手順で右のツールバーに入れてください。

1 「線属性（2）」バーの幅が広い場合は、左端にマウスポインタを合わせ、カーソル形状が←→に変わった時点で🖱→（ドラッグ：左ボタンを押したまま右方向に移動）し、「線属性（2）」バーの表示幅を半分にする。

2 「線属性（2）」バーのタイトル部を🖱→（ドラッグ）し、「線属性」コマンドと「レイヤ」バーの区切線上でボタンをはなす。

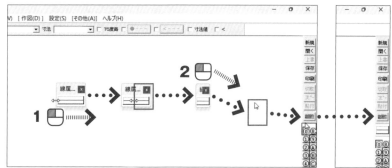

STEP 3 Jw_cadの基本的な設定をする

●これからJw_cadを使うにあたって必要な基本設定を行いましょう。

1 メニューバーの［設定］を🖱し、プルダウンメニューの「基本設定」を🖱で選択する。

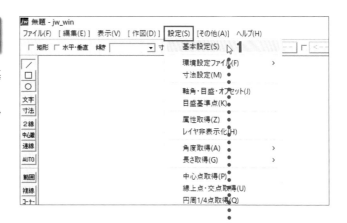

➡ 基本設定を行う「jw_win」ダイアログが開く。

2 「一般（1）」タブの「クロックメニューを使用しない」のチェックボックスを🖱し、チェックを付ける。

> **POINT** 「jw_win」ダイアログの上の「一般（1）」「一般（2）」「色・画面」…の部分を「タブ」と呼びます。タブを🖱することで、「一般（1）」「一般（2）」「色・画面」…それぞれの設定項目が表示されます。

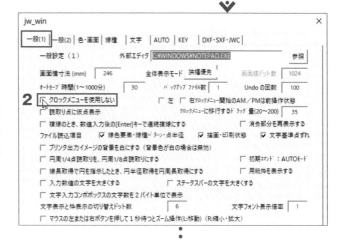

3 「消去部分を再表示する」を🖱し、チェックを付ける。

4 「ファイル読込項目」の3項目にチェックが付いていることを確認する。付いていない場合は🖱し、チェックを付ける。

5 「用紙枠を表示する」にチェックを付ける。

6 「入力数値の文字を大きくする」と「ステータスバーの文字を大きくする」にチェックを付ける。

7 「新規ファイルのときレイヤ名・状態を初期化…」にチェックを付ける。

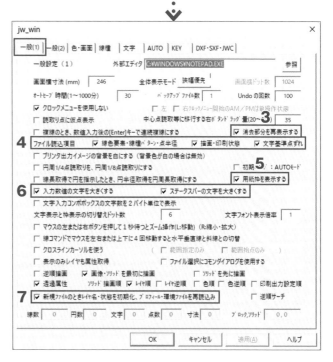

8 「色・画面」タブを🖱。

➡ 「色・画面」タブの設定項目が表示される。

9 「選択色」ボタンを🖱。

POINT 「選択色」は、Jw_cadの画面上で選択された要素（線・円・文字など）を示すための表示色です。初期値の紫色は、選択されていない要素と見分けにくい場合があるため、オレンジ色に変更します。

➡ 「色の設定」ダイアログが開く。

10 「色の設定」ダイアログで右図の「オレンジ色」を🖱で選択する。

11 「色の設定」ダイアログの「OK」ボタンを🖱。

➡ 「色の設定」ダイアログが閉じ、「選択色」が紫色からオレンジ色に変更される。

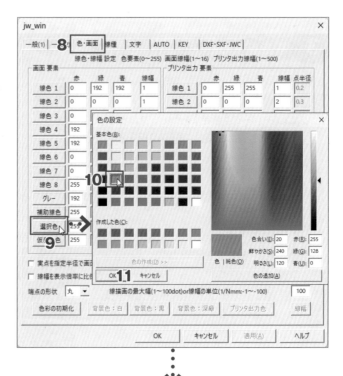

以上で設定は完了です。ここまでの設定を確定しましょう。

12 「jw_win」ダイアログの「OK」ボタンを🖱。

「選択色」の表示色を示す数値が変化する

➡ 設定項目が確定し、ダイアログが閉じる。

POINT ワイド画面の場合、**5**で指定した用紙枠が作図ウィンドウにピンク色の点線で表示されるのが確認できます（→p.30 POINT）。ウィンドウサイズによっては、用紙枠がツールバーなどの枠と重なり見えない場合もあります。

●ここでいったん、Jw_cadを終了しましょう。

13 メニューバー［ファイル］－「Jw_cadの終了」を🖱で選択する。

➡ Jw_cadが終了する。

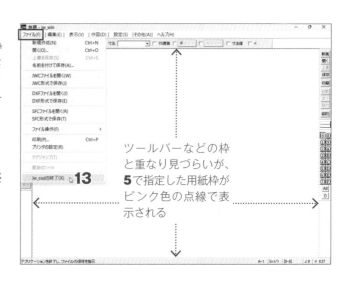

ツールバーなどの枠と重なり見づらいが、**5**で指定した用紙枠がピンク色の点線で表示される

CHAPTER 1
基本操作を学ぶ

LESSON 1　線・円の作図と消去

LESSON 1では、線や円をかく、消すなどの操作を通して、Jw_cadのマウス操作に慣れましょう。

線をかくには「／」(線)コマンドを、円をかくには「○」(円弧)コマンドを、線・円・弧を消すには「消去」コマンドを、はじめに選択します。コマンド選択やコントロールバーの項目指示は、マウスの左ボタンをクリック(🖱)することで行います。

また、Jw_cadでは選択コマンドや操作対象によって、🖱(左ボタンをクリック)と🖱(右ボタンをクリック)を使い分けます。その使い分けについても学習していきます。

コントロールバーには、選択コマンドで指定できる項目が表示される

ツールバーのコマンドボタンを🖱でコマンドを選択する

現在選択されているコマンドはボタンが凹状態になる

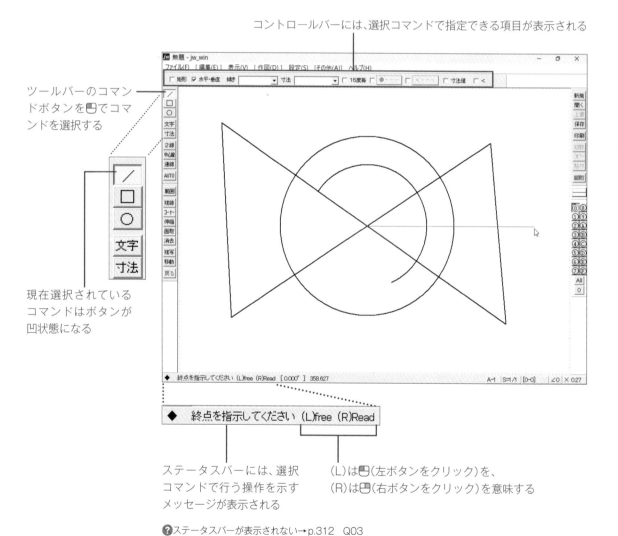

ステータスバーには、選択コマンドで行う操作を示すメッセージが表示される

(L)は🖱(左ボタンをクリック)を、(R)は🖱(右ボタンをクリック)を意味する

◆　終点を指示してください (L)free (R)Read

❓ステータスバーが表示されない→p.312　Q03

STEP 1 線を作図する

●作図ウィンドウの左下から右上へ斜線を作図しましょう。線は「／」(線) コマンドを選択し、作図ウィンドウ上で2点 (始点と終点) をクリックして指示することで作図します。

1 ツールバー「／」コマンドが選択されていることを確認する。

> **POINT** Jw_cad を起動すると「／」コマンドが選択された状態になり、画面下のステータスバーには「始点を指示してください」と、ここで行う操作を示すメッセージが表示されます。

2 始点として、右図の位置で🖱。

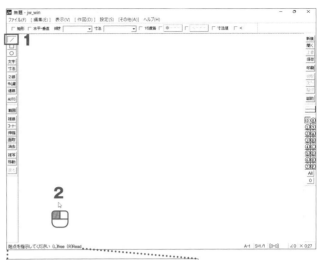

始点を指示してください (L)free (R)Read

3 マウスポインタを右上へ移動する。

> **POINT** 押したボタンをはなしてからマウスポインタを動かしてください。ボタンを押したままマウスポインタを動かすと、クリックではなくドラッグ操作になります。

➡ **2**の位置からマウスポインタまで赤い仮線が表示される。ステータスバーの操作メッセージは「終点を指示してください」になる。

❓ 仮線が表示されない→p.313　Q04

❓ 仮線が上下左右にしか動かない→p.313　Q05

4 終点として、右図の位置で🖱。

仮線

◆　終点を指示してください (L)free (R)Read

➡ **2**から**4**の位置までの線が作図される。ステータスバーの操作メッセージは、「始点を指示してください」になる。

> **POINT** 他のコマンドを選択するまでは、続けて始点を指示することで、次の線を作図できます。

●左上から右下に斜線を作図しましょう。

5 次の線の始点として、右図の位置で🖱。

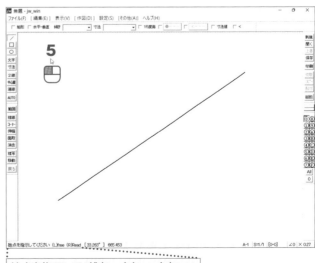

始点を指示してください (L)free (R)Read

→ **5**の位置からマウスポインタまで仮線が表示される。操作メッセージは「終点を指示してください」になる。

6 マウスポインタを右下へ移動し、終点として右図の位置で🖱。

→ **5**から**6**の位置までの線が作図される。

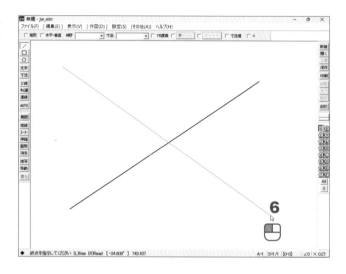

STEP 2 線の端を結ぶ線を作図する

●2本の斜線の右端を結ぶ線を作図しましょう。線の始点・終点指示時に既存線（作図済みの線）の端にマウスポインタを合わせて🖱（右ボタンをクリック）することで、その線の端を始点・終点として線を作図できます。

1 始点として、右図の線の端にマウスポインタを合わせて🖱（右ボタンをクリック）。

> **POINT** ステータスバーの操作メッセージの後ろに「（L）free 　（R）Read」と表示されています。（L）は🖱、（R）は🖱のことです。「（R）Read」は、既存の点にマウスポインタを合わせて🖱することで、その点を読み取り、線の始点（または終点）として利用することを意味します。作図済みの線の両端には、🖱で読み取りできる「端点」があります。

→ 🖱した端点を始点とした線がマウスポインタまで仮表示される。操作メッセージは「終点を指示してください（L）free（R）Read」になる。

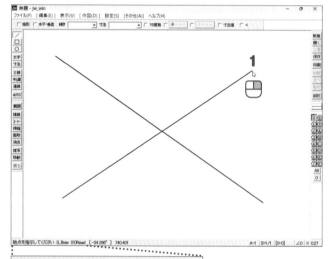

始点を指示してください (L)free (R)Read

2 終点として、右図の線の端点にマウスポインタを合わせて🖱（Read）。

> ❓ 点がありません と表示される→p.313 Q06

→ 端点**1**と端点**2**を結ぶ線が作図される。

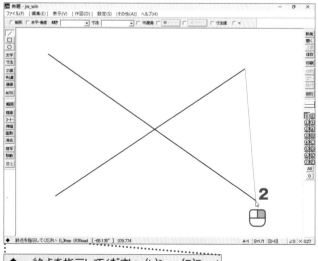

◆ 終点を指示してください (L)free (R)Read

●同様に、斜線の左側の端点どうしを結ぶ線を作図しましょう。

3 始点として、右図の端点にマウスポインタを合わせて🖰 (Read)。

➡ 🖰した端点を始点とした線がマウスポインタまで仮表示される。

4 終点として、右図の端点にマウスポインタを合わせて🖰 (Read)。

❓ 誤って🖰した→p.313 Q07

➡ 端点**3**と端点**4**を結ぶ線が作図される。

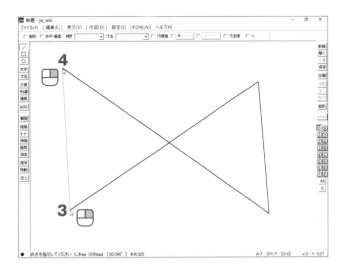

STEP 3 円を作図する

●斜線の交差する位置を中心とした円を作図しましょう。円は「○」(円弧) コマンドを選択し、円の中心位置と大きさ (半径) を決める位置を指示して作図します。

1 ツールバー「○」コマンドにマウスポインタを合わせて🖰。

➡ 「○」コマンドが選択され、ステータスバーの操作メッセージは「中心点を指示してください (L)free (R)Read」になる。

2 円の中心点として、斜線の交差する位置にマウスポインタを合わせて🖰 (Read)。

POINT ステータスバーの操作メッセージの後ろに「(L)free (R)Read」が表示されているときは、🖰で既存点を読み取れます。線と線が交差した位置には、🖰で読み取りできる「交点」があります。

➡ 円の中心点が決まり、マウスポインタを移動すると、**2**の交点を中心とした赤い円がマウスポインタまで仮表示される。操作メッセージは「円位置を指示してください (L)free (R)Read」になる。

3 円位置 (円の大きさを決める位置) として、右図の位置で🖰 (free)。

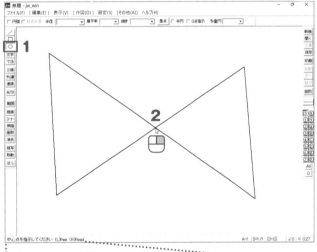

中心点を指示してください (L)free (R)Read

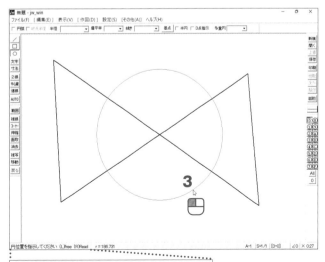

円位置を指示してください (L)free (R)Read

➡ **2**の交点を中心とし、**3**で🖱した位置を通る円が作図される。作図された円の半径は、クリック指示した**2**ー**3**間の長さである。

POINT ステータスバーの操作メッセージは「中心点を指示してください」になり、続けて中心点を指示することで次の円を作図できます。操作メッセージの後ろには「r=***」と、作図した円の半径が表示されます。適当にかいた円でも、CADはその円の半径を数値（単位：mm）として常に把握しています。

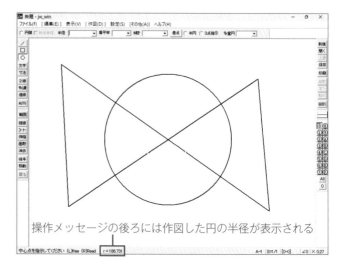

操作メッセージの後ろには作図した円の半径が表示される

STEP 4　円弧を作図する

◉円と中心を同じくする円弧を作図しましょう。円弧は「○」コマンドのコントロールバー「円弧」にチェックを付け、円の中心点⇒始点⇒終点を順に指示して作図します。

1　「○」コマンドのコントロールバー「円弧」を🖱し、チェックを付ける。

2　円弧の中心点として、右図の交点を🖱。

　➡ **2**を中心とした円がマウスポインタまで仮表示され、操作メッセージは「円弧の始点を指示してください」になる。

3　円弧の始点として、右図の位置で🖱（free）。

　➡ **2**ー**3**間を半径として**3**を始点とする円弧がマウスポインタまで仮表示され、操作メッセージは「終点を指示してください」になる。その後ろには仮表示の円弧の半径が表示される。

4　マウスポインタを左回りに移動し、円弧の終点として斜線の左上端点を🖱。

　➡ 中心点**2**ー始点**3**間の長さを半径とし、中心点と終点**4**を結んだ線上までの円弧が作図される。

　POINT 円弧の始点指示は、円弧の始点を決めるとともに円弧の半径を確定します。終点指示は、円中心から見た円弧の作図角度を決めます。円弧上での始点・終点は左回り（反時計回り）で指示することが基本ですが、円弧作図に限り、始点・終点指示を左回り・右回りのいずれでも行えます。

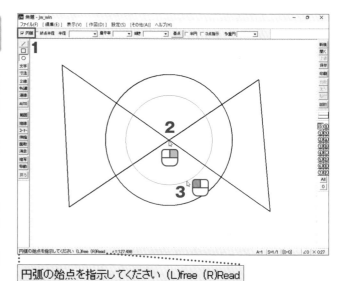

円弧の始点を指示してください (L)free (R)Read

◆　終点を指示してください (L)free (R)Read　r＝127.498

STEP 5　水平線・垂直線を作図する

●中央の交点から右に水平線を作図しましょう。「／」コマンドのコントロールバー「水平・垂直」にチェックを付けることで、水平線、垂直線が作図できます。

1　「／」コマンドを🖱で選択し、コントロールバー「水平・垂直」を🖱してチェックを付ける。

2　始点として、中央の交点を🖱（Read）。

> **POINT**　「／」コマンドのコントロールバー「水平・垂直」にチェックを付けることで、作図線の角度が90°ごと（0°⇒90°⇒180°⇒270°）に固定されます。始点指示後マウスポインタを始点の左右に移動すると水平線、上下に移動すると垂直線が仮表示されます。また、ステータスバーの操作メッセージの後ろには、仮線の角度と長さ（単位：mm）が表示されます。適当にかいた線でも、CADはその角度と長さを数値として常に把握しています。

3　マウスポインタを右へ移動する。

➡ **2**の交点を始点とした水平線がマウスポインタまで仮表示される。

4　終点として、右図の位置で🖱。

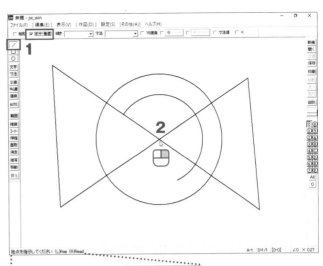

始点を指示してください　(L)free　(R)Read

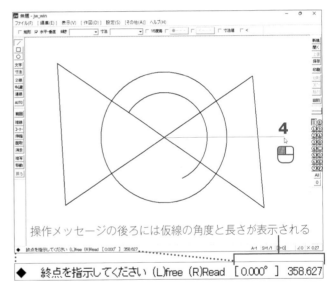

操作メッセージの後ろには仮線の角度と長さが表示される

◆　終点を指示してください　(L)free　(R)Read　[0.000°]　358.627

➡ **2**から**4**の位置までの水平線が作図される。操作メッセージの後ろには、作図した線の角度[0.000°]と長さ（単位：mm）が表示される。

●中央の交点から上へ垂直線を作図しましょう。

5　始点として、中央の交点を🖱（Read）。

6　マウスポインタを上に移動する。

➡ **5**を始点とした垂直線がマウスポインタまで仮表示される。

7　終点として、右図の位置で🖱。

➡ **5**から**7**の位置までの垂直線が作図される。

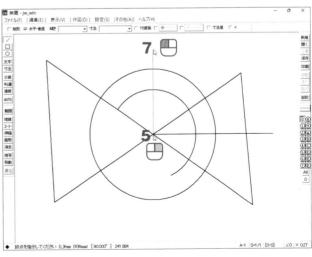

STEP 6　線・円・弧を消去する

◉中央で交差する2本の斜線を消しましょう。線や円を消すには、「消去」コマンドを選択し、消去対象の線・円を📲します。

1　「消去」コマンドを📲で選択する。

➡　ステータスバーの操作メッセージは「線・円マウス(L)部分消し　図形マウス(R)消去」になる。

POINT　「消去」コマンドでは📲で指示することで線・円・弧の消去を、📲で指示することで線・円・弧の一部分の消去(部分消し)を行います。

2　消去対象として、右図の斜線を📲。

➡　📲した線が消去される。

❓ 線が消去されずに色が変わる→p.313　Q08

3　消去対象として、右図の斜線を📲。

POINT　消去する線や円・弧を確実に指示できるよう、複数の線や円・弧が交差する付近は避け、他の線と明瞭に区別できる位置で📲してください。

➡　📲した線が消去される。

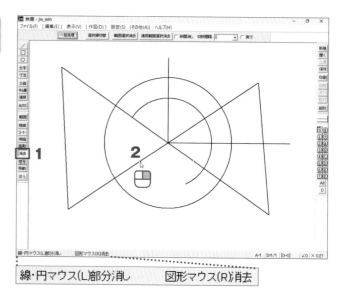

線・円マウス(L)部分消し　図形マウス(R)消去

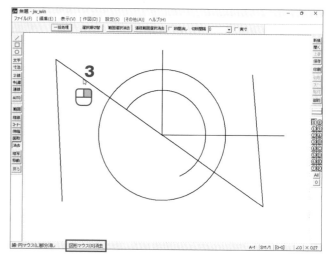

◉円・弧を消しましょう。

4　消去対象として、円弧を📲。

➡　📲した円弧が消去される。

5　消去対象として、円を📲。

➡　📲した円が消去される。

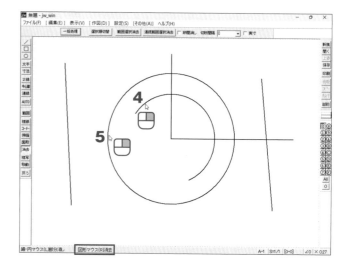

STEP 7　直前の操作を取り消す

◉円を消す前の状態に戻しましょう。操作を間違った場合、1つ前の操作を取り消し、操作を行う前の状態に戻すことができます。

1　「戻る」コマンドを🖰。

POINT 「戻る」コマンドは、作図操作を1つ前に戻す指示です。「戻る」コマンドを🖰する代わりに Esc キーを押しても同じ働きをします。

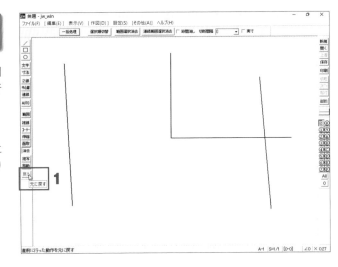

➡　直前の「円を消す」操作が取り消され、円を消す前の状態に戻る。

POINT 「戻る」コマンドを🖰することで、🖰した回数分、操作を取り消し、操作前の状態に戻すことができます。「戻る」コマンドを余分に🖰して戻しすぎた場合は、メニューバー［編集］を🖰し、プルダウンメニューの「進む」を🖰で選択してください。「戻る」コマンドを🖰する前の状態に復帰できます。

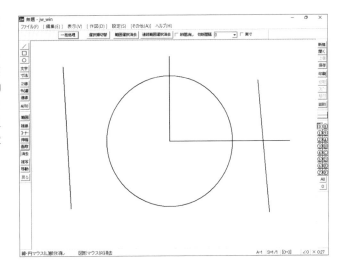

STEP 8　左右の線を消去する

◉左右の2本の線を消しましょう。「戻る」コマンドを🖰して操作を取り消した後も、その前に使用していた「消去」コマンドが選択されたままです。

1　「消去」コマンドが選択されていることを確認し、消去対象として左の線を🖰。

➡　🖰した線が消去される。

2　消去対象として、右の線を🖰。

➡　🖰した線が消去される。

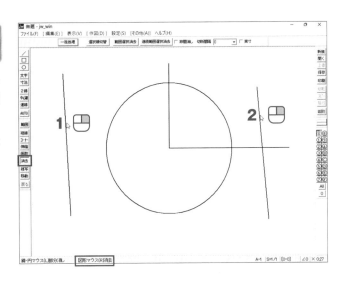

STEP 9 水平線・垂直線を作図する

◉中央の交点から左に水平線、下に垂直線を作図しましょう。

1 「／」コマンドを選択し、コントロールバー「水平・垂直」にチェックが付いていることを確認する。

2 始点として中央の交点を🖰し、マウスポインタを左に移動して水平線を作図する。

3 始点として中央の交点を🖰し、マウスポインタを下に移動して垂直線を作図する。

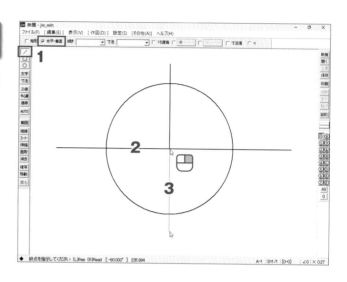

STEP 10 端点を結ぶ線を作図する

◉水平線と垂直線の端点を結ぶ斜線を作図しましょう。

1 「／」コマンドのコントロールバー「水平・垂直」を🖰し、チェックを外す。

2 始点として、垂直線の下端点を🖰。

3 終点として、水平線の右端点を🖰。
　➡ 2と3の端点を結ぶ線が作図される。

4 次の始点として、3の端点を🖰。

5 終点として、垂直線の上端点を🖰。

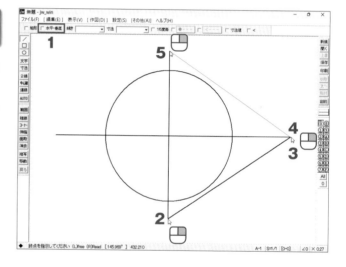

やってみよう

続けて、水平線と垂直線の端点、円と水平線・垂直線の交点を結ぶ線を右図のように作図しましょう。

> **POINT** 点がありません のメッセージが表示されても、「戻る」コマンドを🖰して直前の操作を取り消さないでください。このメッセージは🖰した付近に読み取りできる点がないことを知らせるもので、操作の誤りを指摘するものではありません。あらためて読み取る点に正確にマウスポインタを合わせて🖰してください。

❓ 始点、終点指示時に誤って🖰した→p.313 Q07

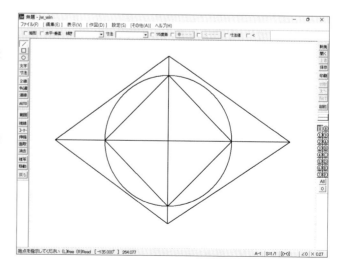

CHAPTER 1 基本操作を学ぶ

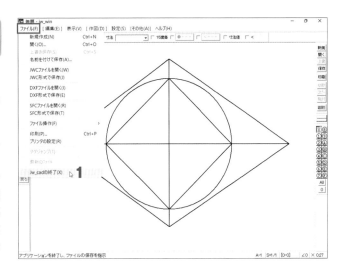

STEP 11 Jw_cadを終了する

◉Jw_cadを終了しましょう。

1 メニューバー［ファイル］－「Jw_cad の
終了」を🖱。

➡ 「無題への変更を保存しますか?」というメッセージのウィンドウが開く。

> **POINT** このまま終了すると、作図ウィンドウの図は破棄されます。作図ウィンドウの図を残しておくには図面ファイルとして保存する必要があります。図面ファイルとして保存せずに終了しようとしているため、保存するか否かを確認するメッセージが表示されます。

2 ここでは図を残さないため、「いいえ」ボタンを🖱。

➡ 作図ウィンドウの図を破棄してJw_cadが終了する。

🖱で読み取りできる点

Jw_cad で正確な図面を描くために、絶対外せない超重要ポイント!

CADで作図した線は、始点と終点の2つの座標点（X,Y）により構成されています。線の端には🖱で読み取りできる「端点」が存在し、線や円・弧が交差する位置には🖱で読み取りできる「交点」が存在します。

Jw_cadでは、線の始点・終点、円の中心点などの点を指示するとき、操作メッセージに「(L) free (R)Read」が表示されます。

「(R)Read」は、既存の端点や交点を🖱することで、その座標点（X,Y）を読み取り、指示点として利用することを意味します。

「(L) free」は、🖱した位置に新しく座標点（X,Y）を作成し、指示点とすることを意味します。

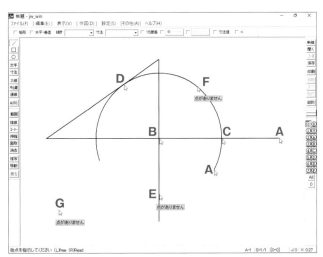

上図の端点**A**、交点**B**（線と線が交わる点）、交点**C**（線と円・弧が交わる点）、接点**D**（線と円・弧の接する点）は、🖱で読み取りできる。
点が存在しない線上**E**や円周上**F**、何もない位置**G**は、🖱しても読み取る点がないため「点がありません」と表示され、点指示できない。

LESSON 2

寸法の決まった図の作図と図面保存

CADで長さを指定して図を作図する場合、その寸法は縮尺にかかわりなく実寸で指定します。用紙サイズをA4、縮尺を1/10に設定し、下図を作図しましょう。作図した図はLESSON 3でも利用します。作図した図を必要なときに利用できるよう、図面ファイルとして保存しましょう。

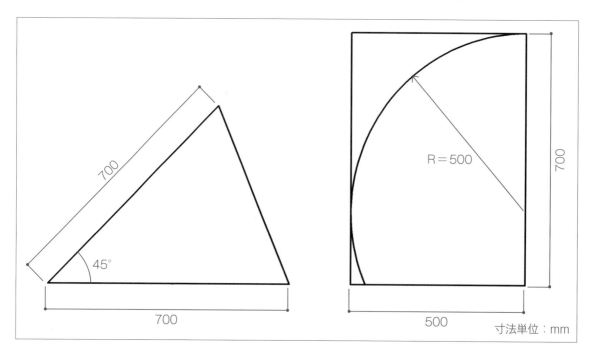

R＝500

700

45°

700

500

寸法単位：mm

POINT　用紙サイズと用紙枠

ステータスバーの「用紙サイズ」ボタンに現在の用紙サイズが表示されています。「基本設定」コマンドの「用紙枠を表示する」（p.17の**5**）にチェックを付けることで、用紙の範囲を示す用紙枠が作図ウィンドウにピンク色の点線で表示されます。本書で掲載している1024×768の解像度の画面では、用紙枠はツールバーに重なり目立ちません（画面を縮小表示すると見える）が、1280×800などのワイド画面では、左右の枠が右図のように表示されます。図面は、この用紙枠の内側に作図してください。

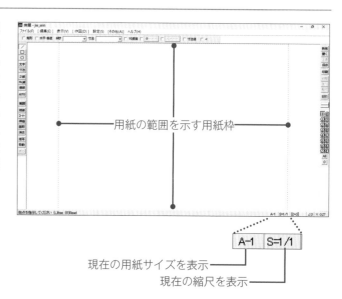

用紙の範囲を示す用紙枠

A-1　S=1/1

現在の用紙サイズを表示

現在の縮尺を表示

STEP 1　用紙サイズを設定する

◉ステータスバーの「用紙サイズ」ボタンの表示は、前回 Jw_cad を終了したときの「A-1」です。用紙サイズを「A-4」に変更しましょう。

1 ステータスバー「用紙サイズ」ボタンを🖰。

2 表示されるリストの「A-4」を🖰で選択する。

→ 作図ウィンドウの用紙枠の範囲が A4 用紙に設定される。

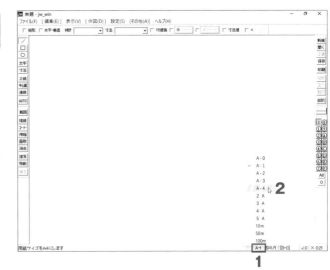

STEP 2　縮尺を設定する

◉ステータスバーの「縮尺」ボタンの表示は、前回 Jw_cad を終了したときの縮尺「1/1」です。縮尺を 1/10 に変更しましょう。

1 ステータスバー「縮尺」ボタンを🖰。

→ 「縮尺・読取　設定」ダイアログが開く。

POINT ダイアログの「縮尺」欄の「分母」ボックスの数値「1」は色反転しています。入力ボックスの数値が色反転しているときは、そのままキーボードの数字キーを押すことで、色反転している数値が消え、押した数字キーの数値が入力されます。

2 縮尺「分母」入力ボックスにキーボードから「10」を入力する。

POINT Jw_cad では、数値入力後に Enter キーを押して入力数値を確定する必要はありません。この縮尺指定で Enter キーを押すと、「OK」ボタンを🖰したことになり、ダイアログが閉じます。

3 「OK」ボタンを🖰。

→ ダイアログが閉じ、縮尺が 1/10 に変更される。

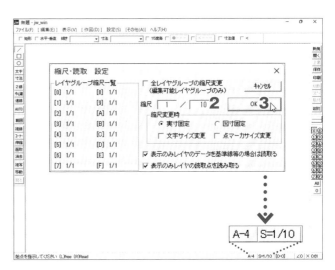

STEP 3　指定長さの線を作図する

●三角形の底辺となる長さ700mmの水平線を作図しましょう。決まった長さの線を作図するには、「／」コマンドのコントロールバー「寸法」ボックスに長さを指定します。

1 「／」コマンドを選択し、コントロールバー「寸法」ボックスを🖱。

➡ 「寸法」ボックスが入力状態になり、入力ポインタが点滅する。

2 キーボードから「700」を入力する。

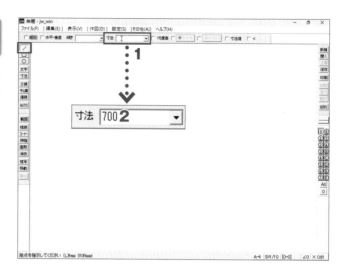

3 コントロールバー「水平・垂直」を🖱し、チェックを付ける。

4 始点として、右図の位置で🖱。

➡ **4**の位置からマウスポインタの側に長さ700mmの水平線（または垂直線）が仮表示される。ステータスバーの操作メッセージの後ろには、仮線の角度と長さ（700mm）が表示される。

5 マウスポインタを右へ移動し、長さ700mmの水平線を仮表示した状態で終点を🖱。

➡ **4**の位置から右へ長さ700mmの水平線が作図される。

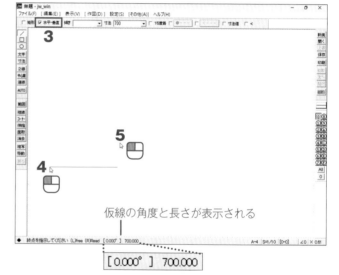

仮線の角度と長さが表示される

[0.000°]　700.000

STEP 4　指定角度の線を作図する

●水平線の左端点から角度45°、長さ700mmの線を作図しましょう。作図する線の角度は、「／」コマンドのコントロールバー「傾き」ボックスに指定します。

1 「／」コマンドのコントロールバー「水平・垂直」を🖱し、チェックを外す。

2 コントロールバー「寸法」ボックスに「700」が入力された状態で、「傾き」ボックスを🖱し、キーボードから「45」を入力する。

3 始点として、水平線の左端点を🖱。

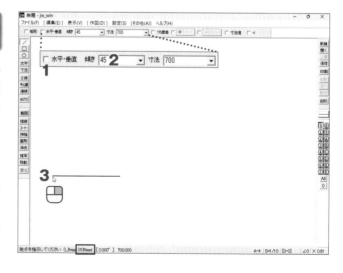

➡ **3**の端点からマウスポインタの側に角度45°、長さ700mmの線が仮表示される。操作メッセージの後ろには、仮線の角度（45°）と長さ（700mm）が表示される。

4 マウスポインタを右上へ移動し、右図のように仮線を表示した状態で終点を🖱。

➡ **3**の端点から角度45°、長さ700mmの線が作図される。

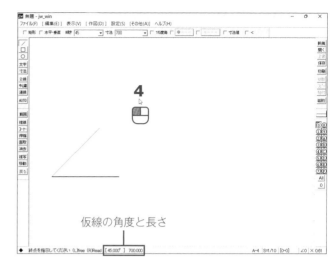

仮線の角度と長さ

STEP 5 角度・長さの指定を解除して線を作図する

◉コントロールバー「傾き」「寸法」ボックスに「45」「700」が入力されたままでは、45°、700mmに固定された線しか作図できません。角度と長さの指定を解除し、水平線と斜線の端点を結ぶ線を作図しましょう。

1 コントロールバー「傾き」ボックスの▾を🖱し、表示される履歴リストから「（無指定）」を🖱で選択する。

> **POINT** 履歴リストには、過去に入力した数値や、はじめから用意されている数値が表示されます。一番上の「（無指定）」を選択することで、数値入力ボックスに何も入力しない（空白）指定にします。**1**の操作の代わりに、「傾き」ボックスの数値を Delete キーで消しても同じです。

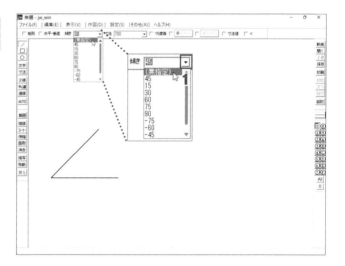

2 コントロールバー「寸法」ボックスの▾を🖱し、履歴リストから「（無指定）」を🖱で選択する。

3 始点として、水平線の右端点を🖱。

4 終点として、斜線の上端点を🖱。

➡ **3**と**4**の端点を結ぶ線が作図される。

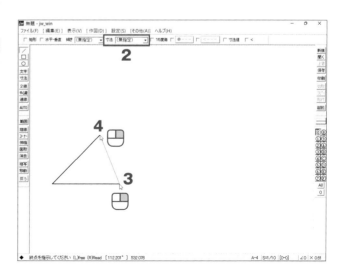

STEP 6 長方形の底辺と左辺を作図する

●三角形と底辺を揃えて長方形を作図するため、三角形の右下角から長方形の底辺となる水平線を作図しましょう。

1 「／」コマンドのコントロールバー「水平・垂直」にチェックを付ける。

2 始点として、三角形の右下角を🖱。

3 マウスポインタを右へ移動し、右図の位置で🖱。

　➡ **2**の点から**3**の位置まで水平線が作図される。

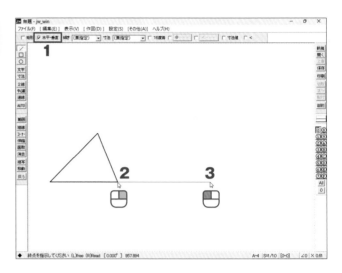

●長方形の左辺となる垂直線を水平線と交差するように作図しましょう。LESSON 3で、さらに右に図形をかき加えるため、用紙のほぼ中央に長方形を作図するつもりで左辺となる垂直線を作図してください。

4 始点として、右図の位置で🖱。

5 終点として、右図の位置で🖱。

　➡ **4**から**5**までの垂直線が作図される。

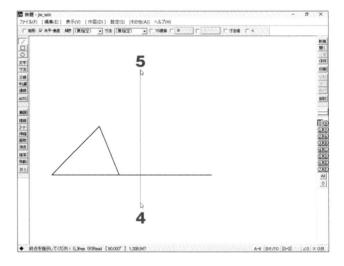

STEP 7 線の一部を消去する

●長方形の左下角を作るため、水平線と垂直線の交点から左と下の部分を消します。線の一部分を消すには、「消去」コマンドで対象線を🖱し、消す範囲を指示します。水平線の交点から左を消しましょう。

1 「消去」コマンドを選択する。

2 部分消しの対象線として、右図の水平線を🖱（部分消し）。

> **POINT** 線や円・弧の一部を消すには、「消去」コマンドで、はじめに一部を消す線や円・弧を🖱し、次にどこからどこまでを消すか、指示します。

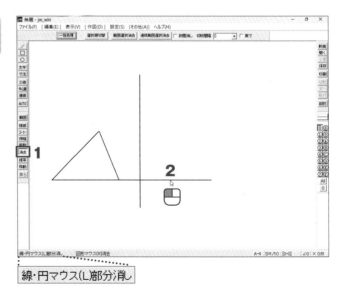

➡ 🖱した線が部分消しの対象線として選択色になる。操作メッセージは「線部分消し　始点指示（L）free（R）Read」になる。

3 消し始めの位置（部分消しの始点）として、水平線の左端点を🖱（Read）。

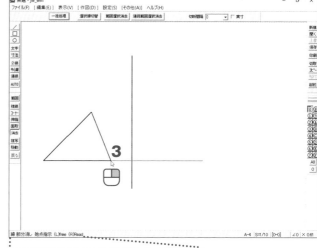

線 部分消し 始点指示（L）free（R）Read

➡ 🖱した位置が部分消しの始点になり、赤い○が仮表示される。操作メッセージは「線部分消し　終点指示（L）free（R）Read」になる。

4 消し終わりの位置（部分消しの終点）として、垂直線との交点を🖱（Read）。

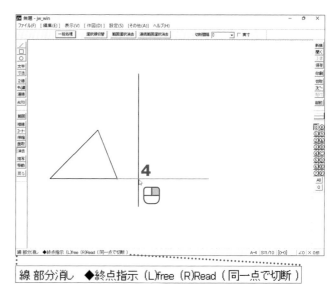

線 部分消し ◆終点指示（L）free（R）Read（同一点で切断）

➡ 選択色で表示されていた水平線の**3**−**4**間が消去され、元の色（黒）に戻る。

◉続けて垂直線の交点から下を消しましょう。

5 部分消しの対象線として、垂直線を🖱（部分消し）。

➡ 🖱した垂直線が、部分消しの対象線として選択色になる。

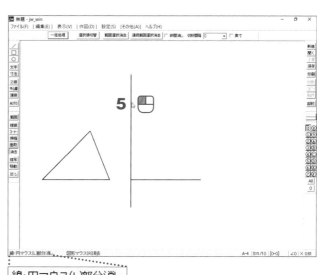

線・円マウス(L)部分消し

6 部分消しの始点として、水平線との交点
を🖱。

➡ 🖱した点が部分消しの始点になり、赤い○が仮表
示される。操作メッセージは「線部分消し　終点指示
(L)free (R)Read」になる。

7 部分消しの終点として、垂直線の下端点
を🖱。

➡ 選択色で表示されていた垂直線の**6**－**7**間が消
去される。

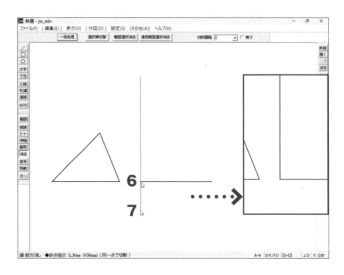

STEP 8　水平線・垂直線を平行複写する

●垂直線を500mm右に、水平線を700mm上に
平行複写することで、長方形の右辺、上辺を作図
します。線の平行複写は「複線」コマンドで、複写
の間隔を指定して行います。垂直線を500mm右
に平行複写しましょう。

1 「複線」コマンドを選択する。

2 コントロールバー「複線間隔」ボックス
に「500」を入力する。

> **POINT**「複線間隔」ボックスの数値は色反転し
> ているため、入力ボックスを🖱せずに直接キー
> ボードから「500」を入力できます。「複線」コマ
> ンドでは、指示した線（基準線）をコントロール
> バー「複線間隔」ボックスで指定の間隔で平行
> 複写します。操作メッセージの「複線にする図
> 形を選択してください　マウス(L)　前回値
> 　マウス(R)」の「前回値」とは、コントロール
> バー「複線間隔」ボックスの数値を指します。

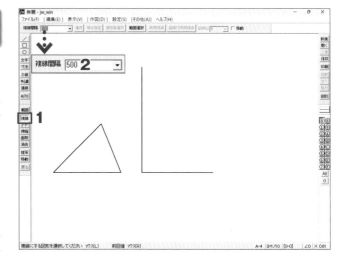

3 平行複写の基準線（複写元の線）として、
垂直線を🖱。

> ❓ 誤って🖱した→p.314 Q09

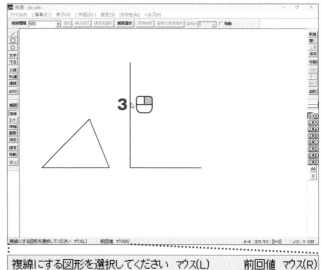

複線にする図形を選択してください　マウス(L)　　前回値　マウス(R)

➡ 🖱した垂直線が複線の基準線として選択色になり、基準線から500mm離れた位置に平行線が仮表示される。操作メッセージは「作図する方向を指示してください」になる。

❓ 平行線が仮表示されない→p.314 Q10

POINT この段階で、**3**で指示した基準線の左右にマウスポインタを移動すると、平行線がマウスポインタの側に仮表示されます。次の**4**の操作で、平行線を基準線の左右どちら側に作図するかを指示します。

4 マウスポインタを右へ移動し、基準線の右側に平行線が仮表示された状態で🖱。

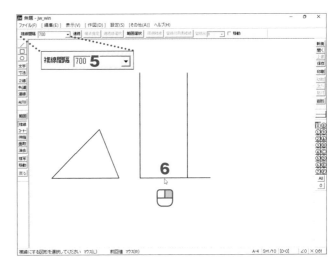

➡ 作図方向が確定し、基準線とした垂直線から500mm右に垂直線が平行複写される。

◉ 水平線を700mm上に平行複写しましょう。

5 コントロールバー「複線間隔」ボックスに「700」を入力する。

6 平行複写の基準線として、水平線を🖱。

➡ 🖱した基準線から700mm離れた位置に平行線が仮表示され、操作メッセージは「複線方向を指示マウス(L)…」になる。

7 マウスポインタを上へ移動し、基準線の上側に平行線が仮表示された状態で🖱。

➡ 作図方向が確定し、基準線とした水平線から700mm上に水平線が平行複写される。

POINT 以降、平行複写された線を「複線」と呼びます。

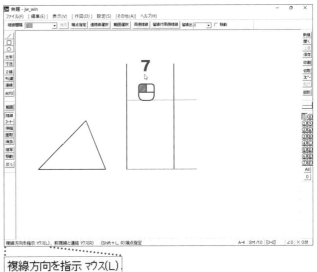

STEP 9 線の一部を消して角を作る

●長方形の左上の角を作るため、左の垂直線の水平線から突き出た部分を、「消去」コマンドで部分消ししましょう。

1 「消去」コマンドを選択する。

2 部分消しの対象線として、左の垂直線を🖱。

→ **2**の線が部分消しの対象線として選択色になる。

3 部分消しの始点として、水平線との交点を🖱。

4 部分消しの終点として、垂直線の上端点を🖱。

→ **2**の線の**3**-**4**間が消去される。

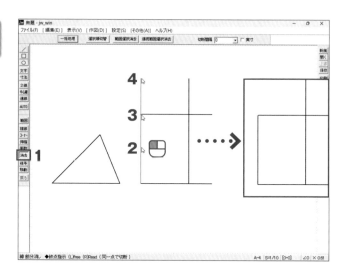

STEP 10 コーナーコマンドで線の交点に角を作る

●右上の角は「コーナー」コマンドで作りましょう。「コーナー」コマンドは2本の線を指示することで、その交点に角を作ります。

1 「コーナー」コマンドを選択する。

2 線（A）として、水平線を右図の位置で🖱。

→ 🖱した線が選択色になり、🖱位置に水色の○が仮表示される。

3 線【B】として、垂直線を右図の位置で🖱。

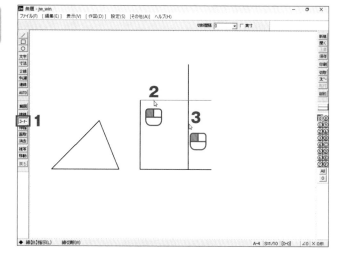

→ 指示した2本の線の交点に、右図のように角が作られる。

●右下の角も作りましょう。

4 線（A）として、垂直線を🖱。

→ 🖱した線が選択色になり、🖱位置に水色の○が仮表示される。

5 線【B】として、水平線を右図の位置で🖱。

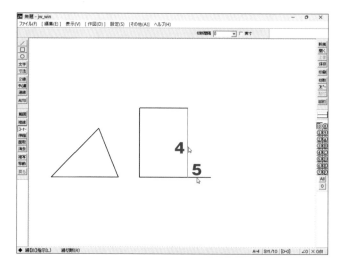

➡ 2本の線の交点に対し、🖰した側の線を残して右図のように角が作られる。

POINT 「コーナー」コマンドでは、2本の線の交点に対し、🖰した側の線を残して角（コーナー）を作ります。交差する2本の線を指示するとき、その交点に対し、線を残す側で🖰してください。

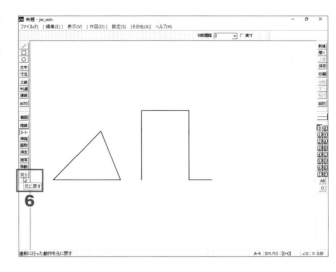

●角の作成操作を取り消し、元に戻しましょう。

6 「戻る」コマンドを🖰。

➡ **4、5**の操作前に戻る。

●交点に対し残す側で線を🖰し、右下の角を作りましょう。

7 線（A）として、垂直線を🖰。

➡ 🖰した線が選択色になり、🖰位置に水色の〇が仮表示される。

8 線【B】として、水平線を交点より左側で🖰。

➡ 結果の図のように右下の角が作られ、長方形になる。

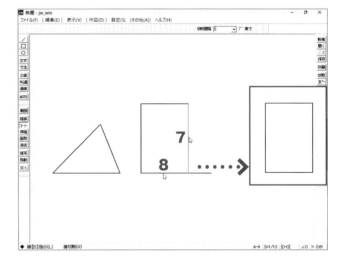

STEP **11** 指定半径の円を作図する

●半径500mmの円を作図しましょう。

1 「〇」コマンドを選択し、コントロールバー「半径」ボックスに「500」を入力する。

➡ マウスポインタに円中心を合わせて半径500mmの円が仮表示され、操作メッセージは「円位置を指示してください」になる。

POINT 仮表示の円に対するマウスポインタの位置を「基点」と呼びます。コントロールバー「基点」ボタンを🖰するたび、左回りで右図の9カ所に変更されます。

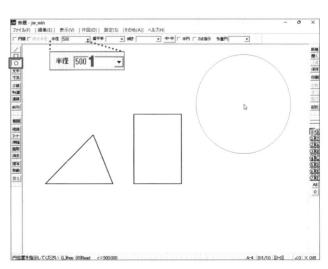

2 コントロールバー「中・中」（基点）ボタンを🖱。

  ➡ ボタンの表記が「左・上」になり、マウスポインタの位置（基点）が仮表示円の左上になる。

3 円位置（作図する円の基点を合わせてる位置）として、長方形の左上角を🖱（Read）。

  ➡ **3** に左上を合わせて半径500mmの円が作図される。マウスポインタには半径500mmの円が仮表示されたままであり、さらに円の作図位置を指示することで、続けて同じ大きさの円を作図できる。

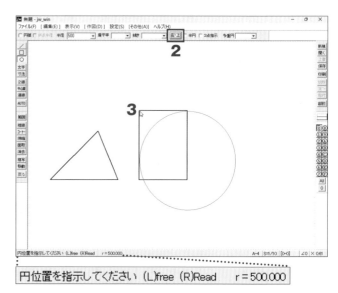

円位置を指示してください　(L)free　(R)Read　　r＝500.000

STEP 12　円の一部を消去する

◉長方形からはみ出した部分を消去しましょう。線の場合と同様に「消去」コマンドの部分消しで行います。

1 「消去」コマンドを選択する。

2 部分消しの対象として、円を🖱。

  ➡ 部分消しの対象として **2** の円が選択色になる。円を指示したため、操作メッセージは「円部分消し（左回り）始点指示」と表示される。

  POINT 円・弧の部分消しは、始点→終点の指示を左回りで行います。

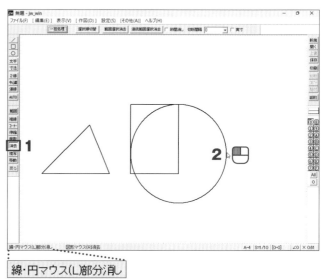

線・円マウス(L)部分消し

3 部分消しの始点として、下の交点を🖱。

4 部分消しの終点として、上の交点を🖱。

  ➡ 結果の図のように部分消しされる。

  ❓ 残したい部分が消えた→p.315 Q11

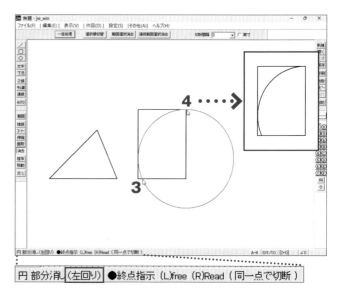

円 部分消し(左回り)　●終点指示　(L)free　(R)Read（同一点で切断）

STEP 13　円弧の端点付近を拡大表示する

◉円弧の端点が、線や角からはみ出して見える場合があります。その部分を拡大表示して確認しましょう。拡大表示は、マウスの両ボタンドラッグで行います。

1　拡大する範囲の左上にマウスポインタをおいて 🖱↘（マウスの左右両方のボタンを押したまま右下方向へマウスを移動）。

　➡　拡大 と **1** の位置を対角とする拡大枠がマウスポインタまで表示される。

2　拡大する部分を、拡大枠で右図のように囲み、マウスボタンをはなす。

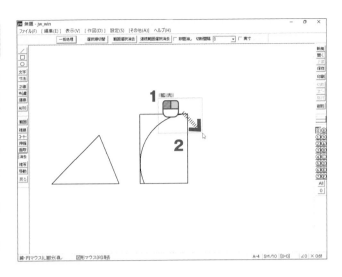

　➡　拡大枠で囲んだ部分が作図ウィンドウに拡大表示される。

❓ 拡大枠が表示されずに図が移動する、または図が消えてしまう→p.315 Q12

POINT 画面の表示倍率によって、円弧と直線の交点が正確に表示されないことがあります。そのような場合は、交点付近を拡大表示することで正しい状態を確認してください。

❓ 拡大しても円弧の端点がはみ出す→p.315 Q13

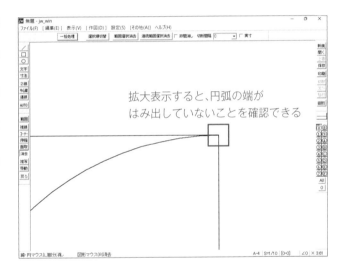

拡大表示すると、円弧の端がはみ出していないことを確認できる

STEP 14　用紙全体を表示する

◉円弧の端点がはみ出していないことを確認したら、作図ウィンドウを用紙全体表示に戻しましょう。

1　作図ウィンドウにマウスポインタをおい 🖱↗（右上方向へ両ボタンドラッグ）し、全体 が表示されたらボタンをはなす。

　➡　作図ウィンドウに用紙全体が表示される。コマンドは、前項で拡大表示したときに選択されていた「消去」コマンドのままである。

POINT 拡大表示 🖱↘ 拡大 や用紙全体表示 🖱↗ 全体 は、選択コマンドの操作途中、いつでも行えます。

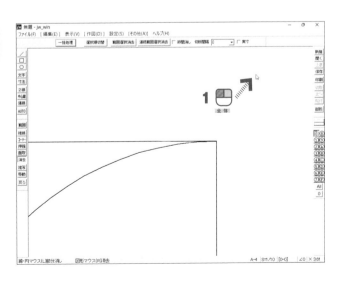

図面ファイルとして保存する

無題 - jw_win ─── 図面を保存していない場合、タイトルバーに「無題 - jw_win」と表示される

◉このままJw_cadを終了すると、これまで作図した図は破棄されてしまいます。作図した図を必要なときに利用できるよう、図面ファイルとして保存しましょう。図面ファイルとして保存するには保存場所を指定し、図面に名前を付けます。保存場所をCドライブの「jww8_D」フォルダー内の「01」フォルダーとし、名前「001」を付けて保存しましょう。

1 「保存」コマンドを🖰。

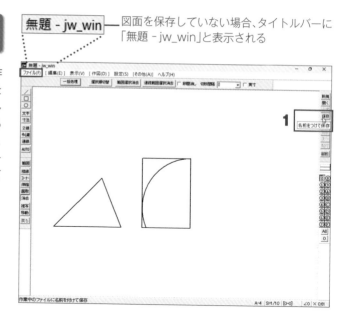

➡ 「ファイル選択」ダイアログが開く。左側のフォルダーツリーでは「C」ドライブ下にツリー表示されている「jww」フォルダーが開いており、「jww」フォルダー内の図面ファイルが右側に一覧表示される。

❓ 右図とは違う「名前を付けて保存」ダイアログが開く→次ページ下のHINTを参照。

◉保存場所としてCドライブの「jww8_D」フォルダー内の「01」フォルダーを指定しましょう。

2 フォルダーツリーで、「C」ドライブ下にツリー表示されている「jww8_D」フォルダーを🖰🖰。

❓ 「jww8_D」フォルダーがない→p.316 Q14

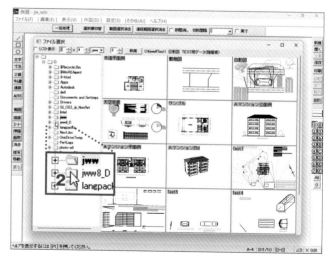

➡ 「jww8_D」フォルダー下に「jww8_D」フォルダー内のフォルダーが表示される。

3 保存先として、「jww8_D」フォルダー下の「01」フォルダーを🖰で選択する。

➡ 「01」フォルダーが開き、右側には「01」フォルダー内の図面ファイルが一覧表示される。

4 「新規」ボタンを🖰。

➡ 「新規作成」ダイアログが開く。

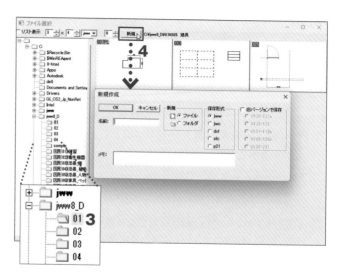

5 キーボードから図面の名前（ファイル名）「001」を入力する。

> **POINT** 名前の入力後に|Enter|キーを押す必要はありません。|Enter|キーを押すと「OK」ボタンを🖱したことになり、ダイアログが閉じ、図面が保存されます。

6 「OK」ボタンを🖱。

> ➡ 「新規作成」ダイアログが閉じ、ここまで作図した図面が「jww8_D」フォルダー内の「01」フォルダーに「001.jww」というファイル名で保存される。

> **POINT** Jw_cadの図面ファイルは、名前の後ろに拡張子「.jww」が付きます。この「.jww」からJw_cadの図面ファイルを「JWWファイル」や「JWW形式のファイル」と呼びます。

● Jw_cadを終了しましょう。

7 タイトルバー右の☒（閉じる）を🖱。

> **POINT** メニューバー［ファイル］－「Jw_cadの終了」を選択する以外に、タイトルバー右の☒(閉じる)を🖱することでも終了できます。

> ➡ Jw_cadが終了する。

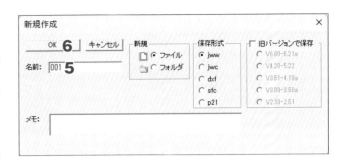

タイトルバーの表示は新規保存したファイル名「001 - jw_win」（または「001.jww-jw_win」）に変わる

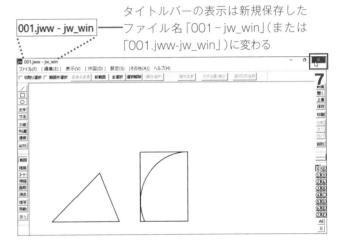

（右端縦書き）LESSON 2 寸法の決まった図の作図と図面保存

HINT Jw_cad 特有の「ファイル選択」ダイアログのフォルダーツリーには、「デスクトップ」や「ネットワーク」は表示されません。「デスクトップ」やネットワーク上のフォルダーに保存するのであれば、Windows標準のコモンダイアログを使うように設定を変更する必要があります。設定変更の方法は、p.316のQ15を参照してください。

Jw_cad特有の「ファイル選択」ダイアログ

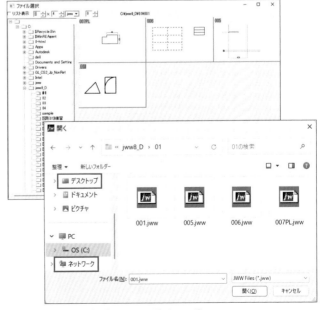

Windows標準のコモンダイアログ

LESSON 3 図面を開き、かき加えて印刷

LESSON 2で名前を付けて保存した図面ファイル「001」を開き、用紙の右の余白に下図右の図形をかき加え、上書き保存します。また、図面をA4用紙に印刷しましょう。

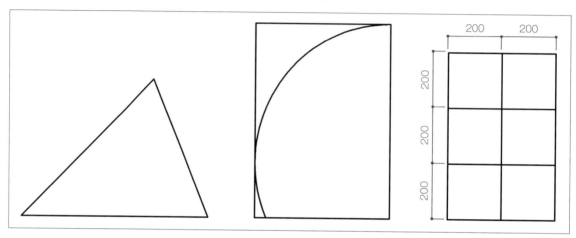

拡大表示と全体表示

LESSON 2で学習した「拡大表示」と「全体表示」はJw_cadで図面を描くうえで必須のズーム操作です。ここからは、拡大表示を指示されなくても、必要に応じて拡大表示、全体表示にして、その操作を確実に身に付けてください。

重要なPOINT

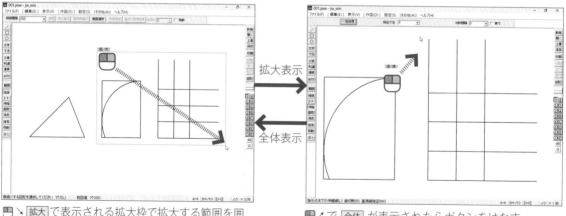

拡大 で表示される拡大枠で拡大する範囲を囲みボタンをはなす

↗ で 全体 が表示されたらボタンをはなす

STEP 1 図面ファイルを開く

◉LESSON 2で保存した図面ファイル「001」を開きましょう。

1 メニューバー［ファイル］－「開く」を選択する。

> **POINT** メニューバー［ファイル］を🖱で表示されるプルダウンメニューの下方には、1つ前に保存（または開いた）図面ファイルの保存場所とファイル名が履歴として表示されています。この履歴を🖱することでも、その図面ファイルを開くことができます。ただし、過去に保存（または開いた）場所から図面ファイルを移動・削除した場合やファイル名を変更した場合には、履歴からは開けません。

> ➡ 図面ファイルを選択するための「ファイル選択」ダイアログが開く。左のフォルダーツリーでは、前回「ファイル選択」ダイアログで指定したフォルダーが開いている。ここでは、Cドライブの「jww8_D」フォルダー下の「01」フォルダーが開き、右側に「01」フォルダー内の図面ファイルが一覧表示される。

> ❓ ファイル名が小さくて見づらい→p.317 Q16

2 図面ファイル「001」の枠内にマウスポインタをおいて🖱🖱。

> ❓ 保存したはずの図面ファイル「001」がない
> → p.317 Q17

> ➡ 図面ファイル「001」が開く。

保存（または開いた）図面の履歴

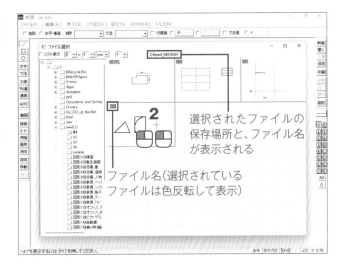

選択されたファイルの保存場所と、ファイル名が表示される

ファイル名（選択されているファイルは色反転して表示）

STEP 2 図形の底辺と左辺を作図して左下の角を作る

◉開いた図面の右の余白に、既存の長方形と底辺を揃えて図形をかき加えます。はじめに、底辺となる水平線、左辺となる垂直線を交差せずに作図しましょう。

1 「／」コマンドを選択し、コントロールバー「水平・垂直」にチェックを付ける。

2 長方形の右下角を始点として、右図のように水平線を作図する。

3 始点として、水平線より上で🖱。

4 終点として、右図の位置で🖱。

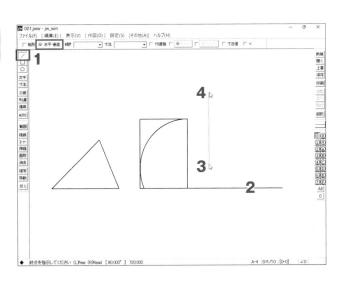

◉水平線と垂直線で長方形の左下の角を作りましょう。「コーナー」コマンドでは、2本の線が交差していない場合にも角を作れます。

5 「コーナー」コマンドを選択する。

6 線（A）として、垂直線を🖱。

7 線【B】として、水平線を右図の位置で🖱。

> **POINT** 交差していない2本の線を指示する場合も、2本の線の延長上の交点（仮想交点）に対し、線を残す側で🖱します。

➡ 結果の図のように角が作られる。

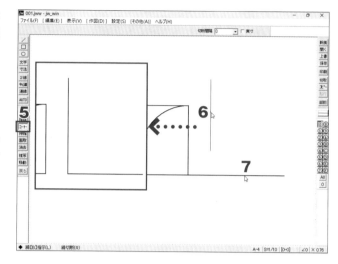

STEP 3 同じ間隔で複数の複線を作図する

◉垂直線から200mm右に複線を作図しましょう。

1 「複線」コマンドを選択する。

2 コントロールバー「複線間隔」ボックスに「200」を入力する。

3 基準線として、垂直線を🖱。

> ❓ 誤って🖱した→p.314 Q09

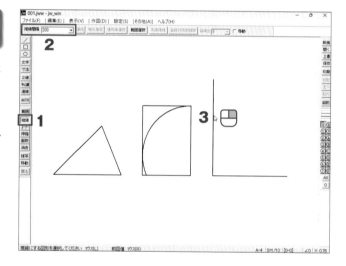

➡ 🖱した垂直線が基準線として選択色になり、200mm離れた位置に複線が仮表示される。操作メッセージは「作図する方向を指示してください」になる。

4 マウスポインタを右に移動し、基準線の右側に複線が仮表示された状態で作図方向を決める🖱。

➡ 基準線の垂直線から200mm右に複線が作図される。

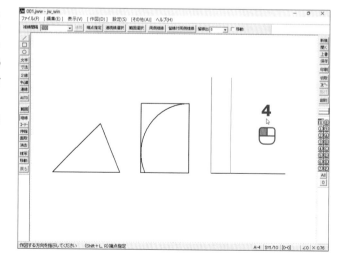

●**4**で作図した複線から同間隔（200mm）で、右
側にもう1本複線を作図しましょう。

5 基準線として、**4**で作図した複線を🖱。

> ➡ 🖱した線が基準線として選択色になり、200mm
> 離れた位置に複線が仮表示される。

6 基準線の右側に複線を仮表示した状態で
作図方向を決める🖱。

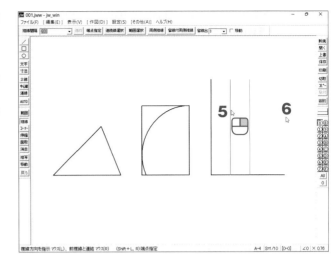

●水平線から200mm上に複線を作図しましょ
う。

7 基準線として、水平線を🖱。

> ➡ 🖱した水平線が基準線として選択色になり、
> 200mm離れた位置に複線が仮表示される。

8 マウスポインタを上へ移動し、基準線の
上側に複線が仮表示された状態で作図方
向を決める🖱。

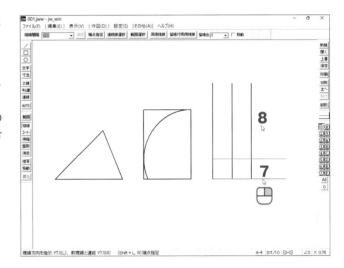

●前回と同じ間隔で同じ方向に、さらに2本の複
線を作図しましょう。ここではコントロールバー
「連続」ボタンを使います。

9 コントロールバー「連続」ボタンを🖱。

> **POINT** コントロールバー「連続」ボタンを🖱す
> ることで、直前に作図した複線と同じ間隔で同
> じ方向に、🖱した回数分の複線を作図します。

> ➡ 次ページ**10**の図のように、**8**で作図した水平線
> から200mm上に複線が作図される。

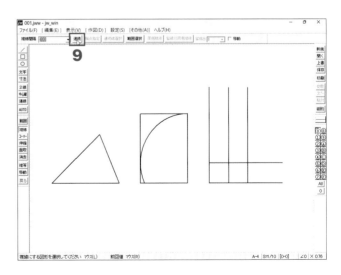

10 コントロールバー「連続」ボタンを🖱。

➡ 結果の図のように、**9**で作図した水平線から200mm上にさらに複線が作図される。

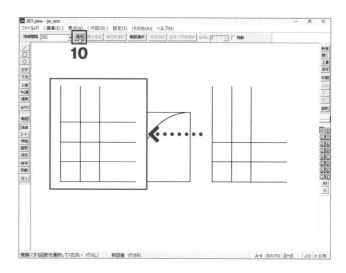

STEP 4 線を基準線まで縮める

◉これから操作を行う右の2つの図形を拡大表示しましょう。

1 右図の位置から🖱↘ 拡大 し、表示される拡大枠で右図のように囲み、ボタンをはなす。

➡ 拡大枠で囲んだ範囲が拡大表示される。

❓ 拡大枠が表示されずに図が移動する、または図が消えてしまう→p.315 Q12

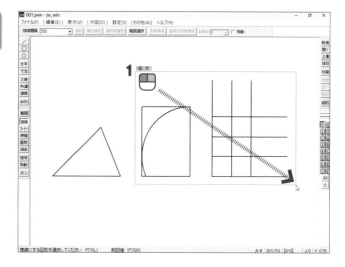

◉4本の水平線を右の垂直線まで縮めましょう。「伸縮」コマンドを選択し、はじめに伸縮の基準線を指定します。

2 「伸縮」コマンドを選択する。

3 伸縮の基準線として、右の垂直線を🖱🖱（基準線指定）。

> **POINT** 操作メッセージの「基準線指定（RR）」の（RR）は🖱🖱（右ボタンのダブルクリック）のことです。🖱と🖱の間にマウスポインタを動かさないように注意してください。マウスポインタが動くと、🖱（線切断）を2回指示したことになり、その位置で線が切断されます。

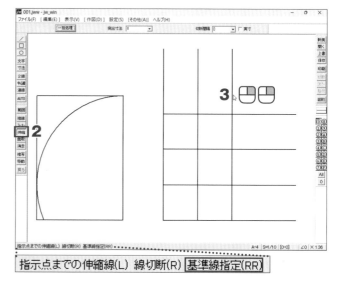

指示点までの伸縮線(L) 線切断(R) 基準線指定(RR)

➡ 🖰🖰した垂直線が伸縮の基準線として選択色になる。操作メッセージは「基準線までの伸縮線（L）…」になる。

❓ 線の表示色が変わらず、線上に赤い○が表示される→p.317 Q18

◉基準線まで縮める線を指示しましょう。

4 基準線まで縮める線（伸縮線）として、上の水平線を基準線の左側で🖰。

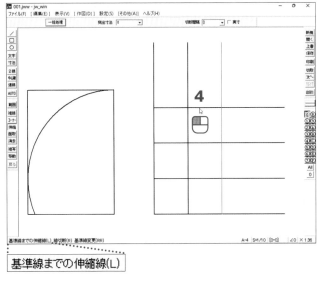

基準線までの伸縮線(L)

➡ 🖰した線が右図のように基準線まで縮む。

POINT 伸縮基準線を変更するか、他のコマンドを選択するまでは、伸縮する線を🖰することで、続けて同じ基準線まで伸縮できます。

5 基準線までの伸縮線として、次の水平線を基準線の右側で🖰。

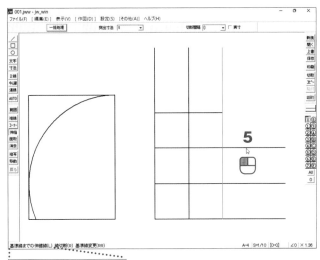

基準線までの伸縮線(L)

➡ 右図のように基準線の右側を残して縮む。

POINT 選択色で表示されている基準線に対し、伸縮線の🖰した側を残して縮みます。伸縮線の指示は、必ず基準線に対して残す側を🖰してください。

◉伸縮操作を取り消し、元に戻しましょう。

6 「戻る」コマンドを🖰。

➡ **5**の操作前の状態に戻る。

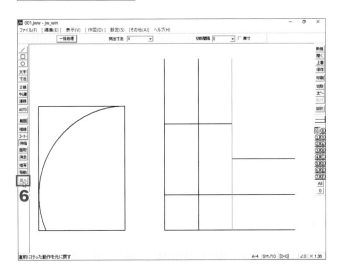

●伸縮の基準線に対し、左側を残して縮むように正しい位置で指示しましょう。

7 基準線までの伸縮線として、基準線の左側で水平線を🖱。

➡ 基準線に対し、**7**で🖱した左側を残して縮む。

●残り2本の水平線も基準線に対し、左側を残して縮めましょう。

8 伸縮線として、次の水平線を基準線の左側で🖱。

9 伸縮線として、次の水平線を基準線の左側で🖱。

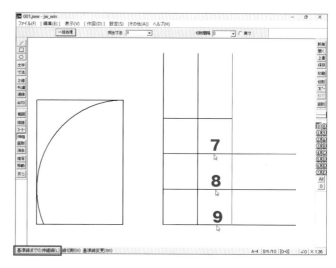

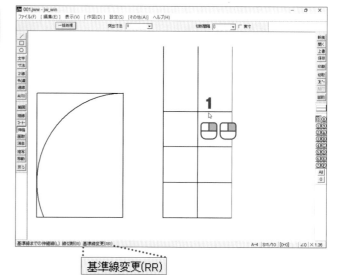

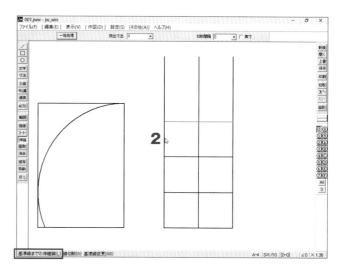

STEP 5 基準線を変更して伸縮する

●上の水平線を基準線に変更し、垂直線を縮めましょう。

1 基準線として、上の水平線を🖱🖱（基準線変更）。

> **POINT** 操作メッセージに「基準線変更（RR）」と表示されているように、次に基準線にする線・円・弧を🖱🖱することで基準線を変更できます。

基準線変更(RR)

➡ 🖱🖱した線が基準線として選択色になり、その前の基準線（右の垂直線）は元の色（黒）になる。

2 基準線までの伸縮線として、左の垂直線を基準線の下側で🖱。

➡ **2**の線が、🖱した側を残して基準線まで縮む。

3 伸縮線として、中央の垂直線を基準線の
下側で🖲。

4 同様に、右の垂直線を基準線の下側で🖲。

➡ 結果の図のように、**3**と**4**の線が基準線まで縮む。

> **POINT** 選択色の基準線は、他のコマンドを選択すると元の色に戻ります。

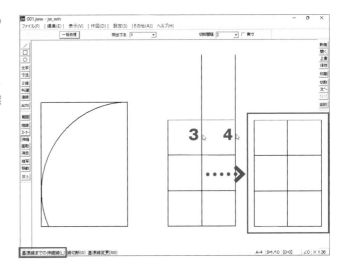

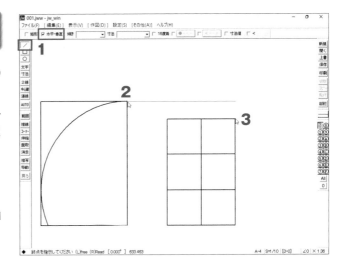

STEP 6 水平線を作図する

◉中央の長方形の右上角から、右の図形の右辺の
位置まで水平線を作図しましょう。

1 「／」コマンドを選択し、コントロールバー
「水平・垂直」にチェックが付いていること
を確認する。

2 始点として、中央の長方形の右上角を🖲。

3 終点として、右の図形の右上角を🖲。

➡ **2**の点から**3**で🖲した位置までの水平線が作図
される。

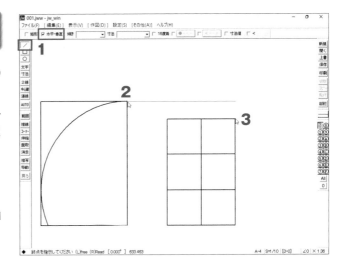

STEP 7 線を指定点まで縮める

◉作図した水平線の左端を、右の図形の左辺の位
置まで縮めましょう。

1 「伸縮」コマンドを選択する。

2 伸縮の対象線（指示点までの伸縮線）と
して、水平線を右図の位置で🖲。

> **POINT** 「伸縮」コマンドでは、伸縮線とその伸
> 縮位置を指示することでも線を伸縮できます。
> この方法で線を縮める場合、次に指示する伸縮
> 位置に対し、伸縮線を残す側で🖲します。

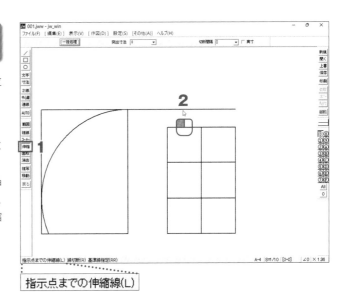

指示点までの伸縮線(L)

➡ 🖰した位置に水色の〇が仮表示され、操作メッセージは「伸縮点指示」になる。

3 伸縮する位置（伸縮点）として、右の図形の左上角を🖰（Read）。

> **POINT** 縮める線は水平線であるため、**3**で左下角や他の水平線の左端点（左辺上の点）を🖰しても同じ結果になります。

➡ 結果の図のように、水平線の左端が**3**の位置（左辺の延長上）まで縮む。ステータスバーには「伸縮」コマンド選択時の操作メッセージが表示される。

❓ 反対側が伸縮されて残った→p.318 Q19

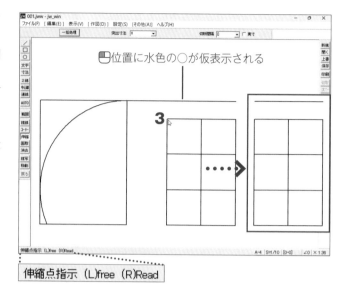

伸縮点指示 (L)free (R)Read
伸縮点指示 (L)free (R)Read

8 線を指定点まで伸ばす

● STEP **8** 線を指定点まで伸ばす

●右の図形（水平線と長方形）をさらに拡大表示し、前項と同じ方法で、垂直線を1本ずつ上の水平線まで伸ばしましょう。

1 右の図形（水平線と長方形）をさらに拡大表示する。

参考：拡大表示→p.44

2 指示点までの伸縮線として、左の垂直線を🖰。

➡ 🖰した位置に水色の〇が仮表示され、操作メッセージは「伸縮点指示」になる。

3 伸縮点として、上の水平線の端点を🖰（Read）。

➡ **2**で🖰した線が**3**の位置まで伸びる。

4 指示点までの伸縮線として、中央の垂直線を🖰。

5 伸縮点として、上の水平線の端点を🖰（Read）。

➡ **4**の線が**5**の位置まで伸びる。

6 同様の手順（**4 ～ 5**）で、右の垂直線も上の水平線まで伸ばす。

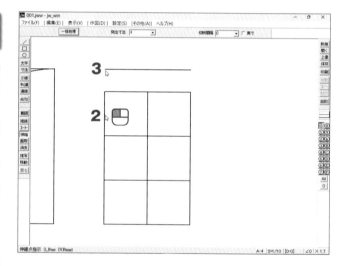

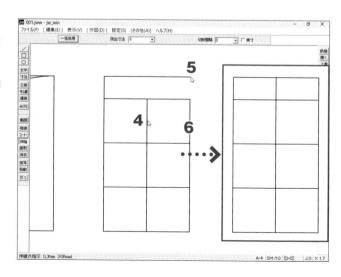

基本操作を学ぶ

CHAPTER 1 基本操作を学ぶ

やってみよう

中央の垂直線を伸縮の基準線として右図のように水平線を互い違いに伸縮しましょう。

参考：基準線までの伸縮→p.48

基準線の選択色は、「／」コマンドなどの他のコマンドを選択することで元の色に戻ります。

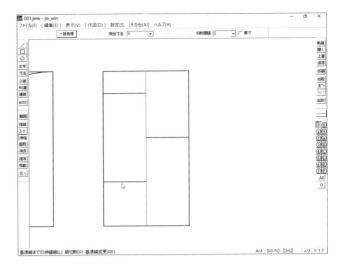

POINT LESSON

「消去」コマンドの「節間消し」

「やってみよう」では「伸縮」コマンドによる基準線までの伸縮操作を練習しましたが、「消去」コマンドの「節間消し」でも同じ形状の図形を作れます。「節間消し」は覚えておくと便利な機能なので、「やってみよう」の操作結果を「戻る」コマンドで元に戻し、以下の操作も試してみてください。

1　「消去」コマンドを選択する。

2　コントロールバー「節間消し」にチェックを付ける。

3　右図の位置で水平線を🖰。

> POINT 「節間消し」にチェックを付けて線や円・弧を🖰すると、その🖰位置の両側の点間の線や円・弧を部分的に消します。🖰した線や円・弧の上に点がない場合は、線や円・弧を丸ごと消去します。

4　次の水平線の消去部分を🖰。

5　次の水平線の消去部分を🖰。

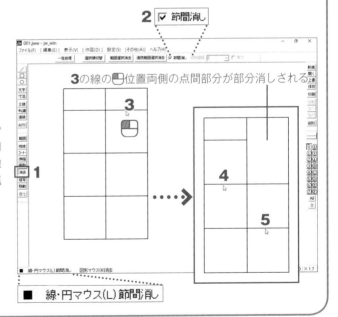

■ 線・円マウス(L)節間消し

STEP 9 図面をA4用紙に印刷する

●図面をA4用紙に印刷しましょう。

1 「印刷」コマンドを選択する。

2 「プリンターの設定」ダイアログの「プリンター名」を確認または変更する。

3 「用紙」欄の「サイズ」ボックスの▼を🖱し、リストから「A4」を🖱で選択する。

4 用紙の向き「横」を🖱で選択する。

5 「OK」ボタンを🖱。

➡ ダイアログが閉じ、現在設定されているプリンターの用紙のサイズ・向きで赤い印刷枠が表示される。

POINT 印刷枠は、**2**で確認したプリンターの印刷可能な範囲を示します。指定用紙サイズよりひと回り小さく、プリンター機種によっても、その大きさは異なります。

6 A4・横の印刷枠に図面全体が入ることを確認し、コントロールバー「印刷」ボタン🖱。

❓ 印刷枠の片側に図面が寄っている→p.318 Q20

➡ 図面が印刷される。印刷完了後も「印刷」コマンドのままである。

POINT 再度コントロールバー「印刷」ボタンを🖱すると、もう1枚図面を印刷します。コントロールバー「印刷(L)」「範囲変更(R)」の表記(L)(R)は🖱🖱を示します。「印刷(L)」ボタンを🖱せずに作図ウィンドウで🖱しても、図面が印刷されます。

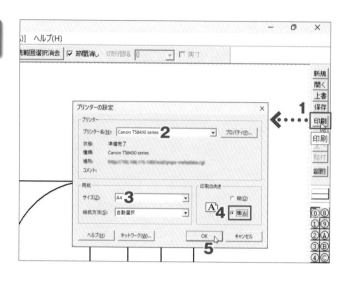

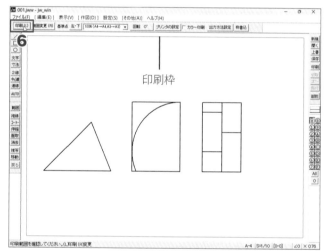

印刷枠

重要なPOINT

印刷される線の太さ（印刷幅）は、線色で決まる！

図面の線がすべて同じ太さで印刷されるのは、どの線も同じ線色2（黒）で作図しているからです。

Jw_cadには8色の標準線色があり、線色ごとに印刷する線の太さを指定します。
それら8色の線色を使い分けることで、細線・中線・太線など8種類の線の太さを表現できます。

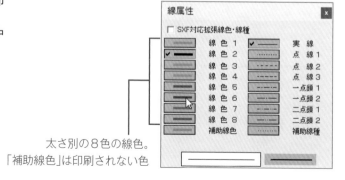

太さ別の8色の線色。
「補助線色」は印刷されない色

STEP 10　書込線の線色・線種を変更する

●これから作図する線（書込線と呼ぶ）を「線色6
（青）・一点鎖2」に変更しましょう。

1 「印刷」コマンドを終了するため、「／」
コマンドを選択する。

2 右のツールバーの「線属性」コマンドを
🖰で選択する。

　➡「線色2（黒）」と「実線」が選択された（チェック付
きの凹状態）「線属性」ダイアログが開く。

3 書込線色として、「線色6」ボタンを🖰。

　➡「線色6」が書込線色になり、ボタンにチェックが
付いて、凹状態になる。

4 書込線種として、「一点鎖2」ボタンを🖰。

　➡「一点鎖2」が書込線種になり、ボタンにチェック
が付いて、凹状態になる。

5 「線色6」と「一点鎖2」が選択されてい
る（チェック付きの凹状態になっている）
ことを確認し、「Ok」ボタンを🖰。

　➡ ダイアログが閉じる。書込線が「線色6・一点鎖2」
になり、ツールバー「線属性」コマンド下の「線属性」
バーに表示される線が「線色6（青）・一点鎖2」にな
る。

> **POINT**「線属性」バーには、書込線（線色・線種）
> の線が表示されます。「線属性」コマンドと「線
> 属性」バーのどちらを🖰しても「線属性」ダイア
> ログが開き、書込線の線色・線種を変更できま
> す。

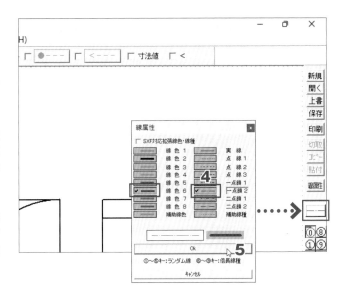

STEP 11　対角線を作図する

●「線色6（青）・一点鎖2」の書込線で中央の長
方形に対角線を作図しましょう。

1 「／」コマンドのコントロールバー「水平・
垂直」のチェックを外す。

2 始点として、右下角を🖰。

　➡ **2**の点からマウスポインタまで赤い一点鎖線が仮
表示される。

3 終点として、左上角を🖰。

　➡ **2**－**3**を結ぶ線が書込線の「線色6・一点鎖2」で
作図される。

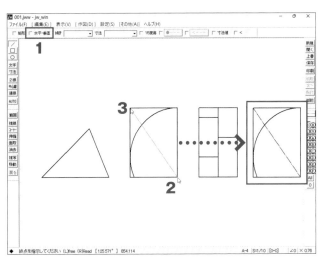

STEP 12　印刷時の線の太さを設定して印刷する

●この図面で使い分けた線色2、線色6の印刷時の線の太さ（印刷線幅）を、それぞれ0.8mm、0.2mmに設定しましょう。

1 メニューバー［設定］－「基本設定」を選択する。

2 「jw_win」ダイアログの「色・画面」タブを🖱し、「線幅を1/100mm単位とする」にチェックを付ける。

> **POINT** 「色・画面」タブの右「プリンタ出力要素」欄で線色ごとに印刷線幅やカラー印刷時の印刷色を指定します。印刷線幅をmm単位で指定するには「線幅を1/100mm単位とする」にチェックを付け、各線色の「線幅」ボックスに「印刷時の線幅×100」の数値を入力します（0.1mmで印刷するには「10」を入力）。

3 「線色2」の「線幅」ボックスを🖱し、既存の数値を削除して「80」を入力する。

4 「線色6」の「線幅」ボックスを🖱し、数値を「20」に変更する。

5 「OK」ボタンを🖱。

> ➡ 印刷線幅が確定し、ダイアログが閉じる。
>
> **POINT** ここで指定した印刷線幅は、図面とともに保存されます。

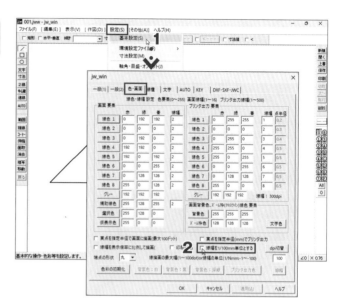

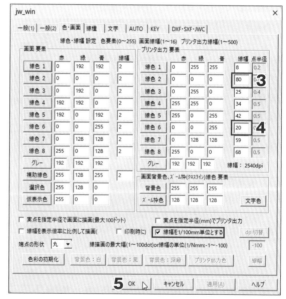

●図面を印刷しましょう。

6 「印刷」コマンドを選択し、印刷する。

参考：印刷→p.54

> **POINT** 「印刷」コマンドでは印刷色および印刷線幅を反映して図面が表示されるため、コントロールバー「カラー印刷」にチェックが付いていない状態では、すべての線が黒で表示・印刷されます。

❓ 印刷した鎖線のピッチが細かい→p.319 Q21

7 印刷が完了したら、「印刷」コマンドを終了するため、「／」コマンドを選択する。

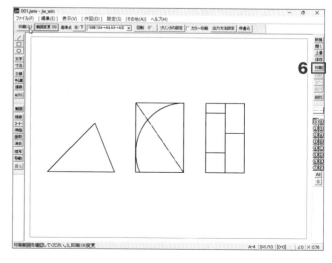

STEP 13　図面を上書き保存する

●図面ファイル「001」に上書き保存しましょう。

1 「上書」コマンドを🖱。

→ 図面ファイル「001」に上書き保存される。

POINT 上書き保存することで、作図ウィンドウ上の図が図面ファイル「001」になります。上書き保存前の図（p.45で開いた図）は破棄されます。

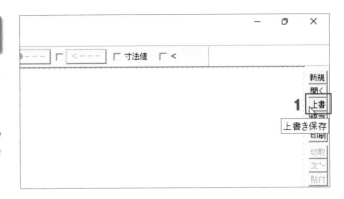

STEP 14　新規の図面にする

●次に「自主作図課題①」を作図するため、作図ウィンドウの図面を閉じ、新しく図面を作図する状態にしましょう。

1 「新規」コマンドを🖱。

→ 開いていた図面が閉じ、新規図面「無題」になり、新しく図面を作図する状態になる。

✎ 自主作図課題 ①

用紙サイズをA4、縮尺を1/50に設定し、以下の図面を作図しましょう。実線部は線色2・実線で、一点鎖線は線色6・一点鎖2で作図してください。下図の寸法は目安なので、寸法部分を作図する必要はありません。ただし、この図面は、p.108　LESSON 7の寸法の記入練習に使用するため、図と図の間は寸法が記入できるぐらい空けてください。作図した図面は、Cドライブ「jww8_D」フォルダー内の「01」フォルダーに名前「002」として保存しましょう。

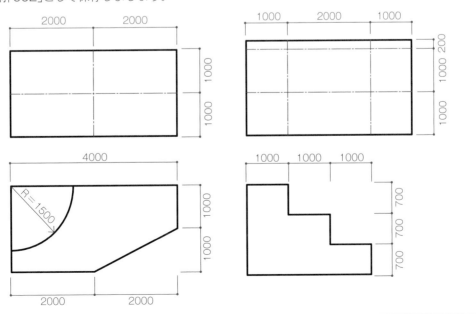

LESSON 4 ▶ 家具の平面図の作図

Jw_cadには、印刷時の線の太さをかき分けるための8色の標準線色と、実線、点線、一点鎖線などの8種類の標準線種が用意されています。

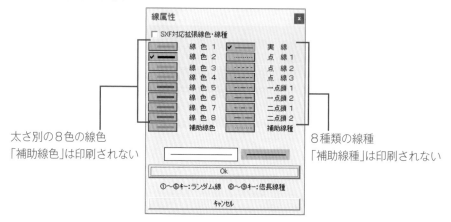

太さ別の8色の線色
「補助線色」は印刷されない

8種類の線種
「補助線種」は印刷されない

LESSON 4では、用紙サイズをA4、縮尺を1/30に設定し、円弧・楕円の作図練習を行った後、線色・線種を使い分けて、下図の家具平面図を作図します。

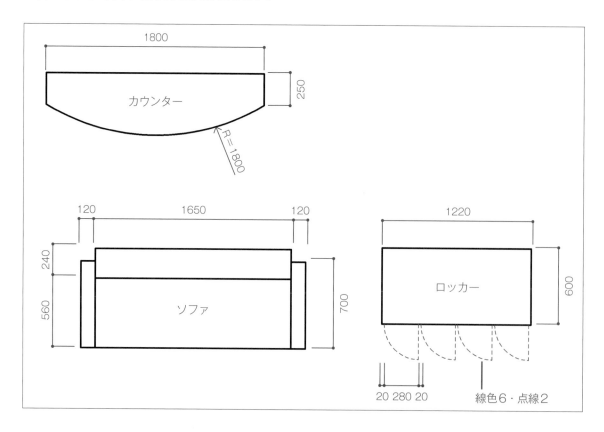

STEP 1 用紙サイズ・縮尺を設定する

◉用紙サイズをA4に、縮尺を1/30に設定しましょう。

1 ステータスバー「用紙サイズ」を「A‐4」にする。

2 ステータスバー「縮尺」ボタンを🖱。

3 「縮尺・読取　設定」ダイアログの「分母」ボックスに「30」を入力し、「OK」ボタンを🖱。

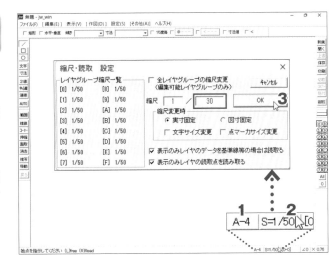

STEP 2 印刷されない線を作図する

◉印刷されない線をこれから作図するため、書込線を「線色2(黒)・補助線種」にしましょう。

1 「線属性」コマンドを選択する。

➡ 「線属性」ダイアログが開く。

2 「補助線種」ボタンを🖱。

POINT 作図補助のための線種である「補助線種」で作図された線は、印刷されません。

3 「線色2」と「補助線種」が選択されていることを確認し、「Ok」ボタンを🖱。

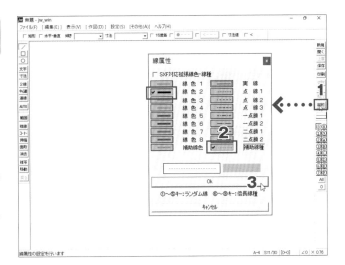

➡ ダイアログが閉じ、書込線が「線色2(黒)・補助線種」になる。

◉作図補助のための線を作図しましょう。

4 「/」コマンドを選択し、コントロールバー「水平・垂直」のチェックを付ける。

5 作図ウィンドウの上半分と左下に、右図のように交差した水平線と垂直線を作図する。

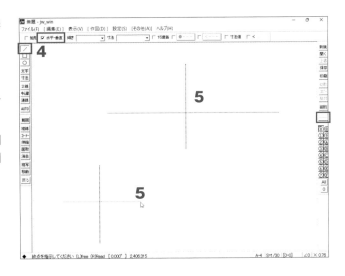

STEP 3 3点を通る円弧を作図する

◉円弧は「線色2・実線」で作図するため、書込線の線種を実線に変更しましょう。

1 「線属性」コマンドを選択する。

2 「線属性」ダイアログの「実線」ボタンを 🖱 し、「Ok」ボタンを 🖱。

> ➡ 書込線種が「実線」になり、ツールバー「線属性」バーの表示も「線色2(黒)・実線」になる。

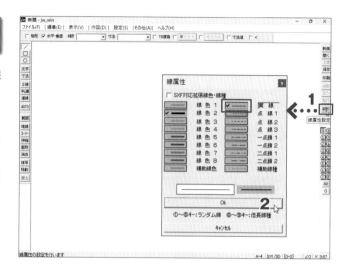

◉円弧の両端点と円弧上の点を指示することで円弧を作図しましょう。

3 「○」コマンドを選択し、コントロールバー「円弧」と「3点指示」にチェックを付ける。

> **POINT** 「円弧」にチェックを付けずに「3点指示」にチェックを付けた場合には、指示する3点を通る円を作図します。

4 円弧の1点目（始点）として、水平線の左端点を 🖱。

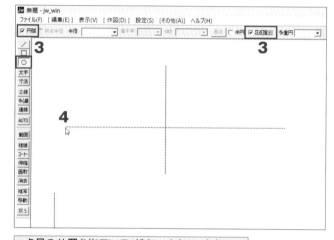

5 2点目（終点）として、水平線の右端点を 🖱。

> ➡ 4、5を両端点とする円弧がマウスポインタまで仮表示される。操作メッセージは「3点目の位置を指示してください」になり、その後ろに仮表示の円弧の半径寸法が表示される。

6 3点目（通過点）として、垂直線の上端点を 🖱。

> ➡ 4、5を両端点として6を通る円弧が作図される。

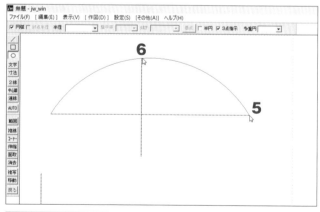

STEP 4 楕円を作図する

◉楕円は、「○」コマンドのコントロールバー「扁平率」ボックスに扁平率を入力することで作図できます。扁平率60%の楕円を作図しましょう。

1 「○」コマンドのコントロールバー「円弧」と「3点指示」のチェックを外す。

2 コントロールバー「扁平率」ボックスを🖱し、「60」を入力する。

> **POINT** 「扁平率」ボックスに「短軸径÷長軸径×100」を入力することで楕円（または楕円弧）の作図になります。

3 中心点として、右図の交点を🖱。

> ➡ **3**を中心点とした扁平率60%の楕円がマウスポインタまで仮表示される。

4 円位置として、右図の位置で🖱。

> ➡ **3**を中心点として**4**の位置を通る扁平率60%の楕円が作図される。

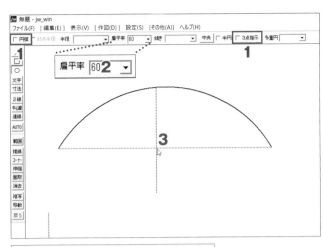

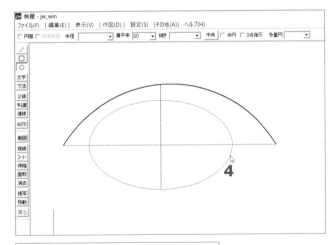

STEP 5 左下の水平線・垂直線を拡大表示する

◉ソファを作図するため、補助線種で作図した左下の水平線・垂直線を拡大表示しましょう。

1 拡大する範囲の左上から🖱＼ 拡大 し、拡大枠で右図のように水平線・垂直線を囲み、ボタンをはなす。

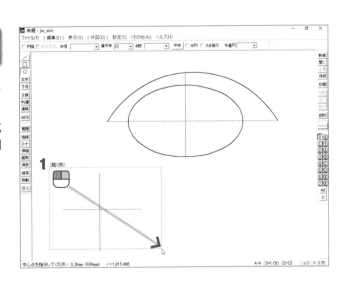

指定寸法の長方形を作図する

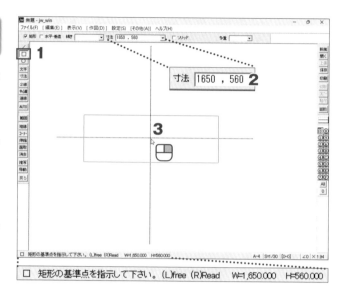

◉ソファの座面として横1650mm、縦560mmの長方形（矩形）を作図しましょう。

1 「□」（矩形）コマンドを選択する。

2 コントロールバー「寸法」ボックスに「1650,560」を入力する。

> **POINT** 「寸法」ボックスには「横, 縦」の順に「,」（カンマ）で区切った2つの数値を入力します。

➡ 横1650mm、縦560mmの矩形が、その中心にマウスポインタを合わせて仮表示され、操作メッセージは「矩形の基準点を指示して下さい」になる。

3 矩形の基準点として、補助線交点を🖱。

➡ 操作メッセージは「矩形の位置を指示して下さい」になる。

> □ 矩形の基準点を指示して下さい。 (L)free (R)Read　W=1,650.000　H=560.000

4 マウスポインタを右下へ移動する。

➡ 矩形の仮表示も右下に移動し、右図のように**3**の交点に矩形の左上角を合わせた状態になる。

5 さらにマウスポインタを上下左右に移動し、仮表示の矩形の位置の変化を確認する。

> **POINT** 「□」コマンドでは、矩形の基準点を指示後、マウスポインタを移動することで、仮表示の矩形の下図9カ所のいずれかを指示した基準点に合わせて作図します。

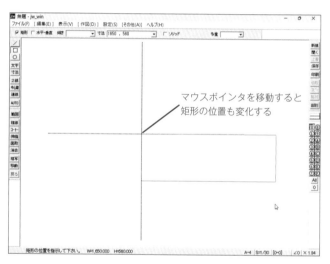

マウスポインタを移動すると
矩形の位置も変化する

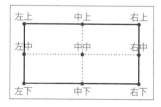

6 マウスポインタを移動し、**3**で指示した基準点に仮表示の矩形の中上を合わせ、作図位置を決める🖱。

➡ **3**で指示した交点にその中上を合わせ、1650mm×560mmの矩形が作図される。マウスポインタには同サイズの矩形が仮表示され、次の基準点を指示することで、続けて同サイズの矩形を作図できる。

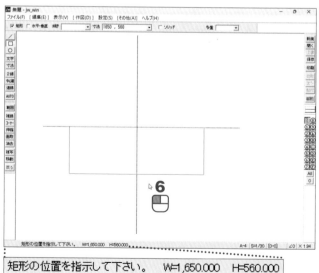

> 矩形の位置を指示して下さい。　W=1,650.000　H=560.000

◉ソファの背もたれとして1650mm×240mm
の矩形の右下角を、ソファ座面の右上角に合わせ
て作図しましょう。

7 コントロールバー「寸法」ボックスに
「1650,240」を入力する。

> **POINT** 「1650,240」の「,」の代わりに「.」（ドッ
> ト）を2回押して、「1650..240」と入力するこ
> とでも代用できます。

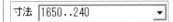

> ➡ 1650mm×240mmの矩形が、その中心にマウ
> スポインタを合わせて仮表示され、操作メッセージは
> 「矩形の基準点を指示して下さい」になる。

8 矩形の基準点として、ソファ座面の右上
角を🖱。

9 マウスポインタを移動し、**8**で指示した
基準点に仮表示の矩形の右下を合わせ、
作図位置を決める🖱。

> ➡ **8**で指示した座面の右上角にその右下を合わせ、
> 1650mm×240mmの矩形が作図される。

> **POINT** 上記**9**の操作で、1650mm×560mm
> の長方形の上辺に1650mm×240mmの長方
> 形の下辺が重なって作図されます。この重複し
> た線を1本に整理する機能（→p.89）があるた
> め、重なることを気にせずに作図できます。

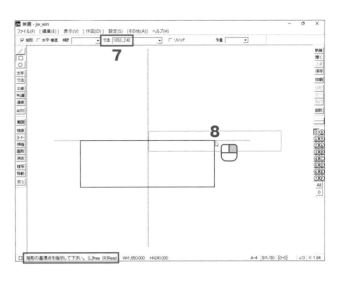

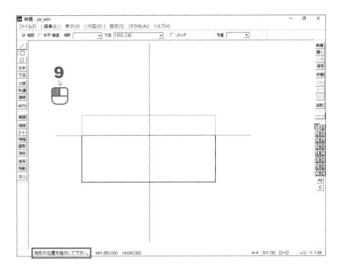

◉ソファの肘掛として120mm×700mmの矩
形を座面の両側に作図しましょう。

10 コントロールバー「寸法」ボックスに
「120,700」を入力する。

> ➡ 120mm×700mmの矩形が、その中心にマウス
> ポインタを合わせて仮表示され、操作メッセージは
> 「矩形の基準点を指示して下さい」になる。

11 矩形の基準点として、座面の左下角を🖱。

> ➡ 操作メッセージは「矩形の位置を指示して下さ
> い」になる。

12 マウスポインタを移動し、基準点に仮表示
の矩形の右下を合わせ、作図位置を決め
る🖱。

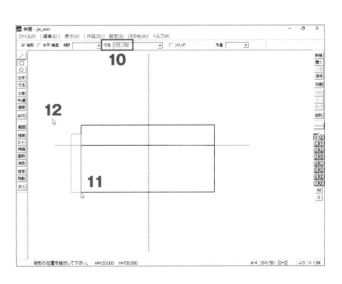

13 同様に、右側の肘掛も右図のように作図する。

●用紙全体を表示しましょう。

14 🖱 ↗ 全体 で、用紙全体の表示にする。

以降、拡大表示、全体表示の操作指示は記述しません。適宜、拡大表示・全体表示を行ってください。

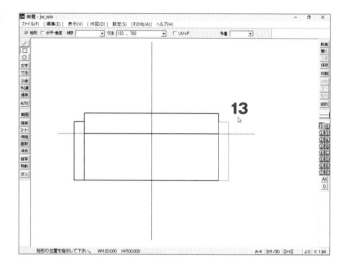

STEP 7 図面ファイルとして保存する

●ここまで作図した図面を、Cドライブの「jww8_D」フォルダー内の「01」フォルダーに名前「003」として保存しましょう。

1 「保存」コマンドを選択する。

2 「ファイル選択」ダイアログで保存先として、Cドライブの「jww8_D」フォルダー内の「01」フォルダーが開いていることを確認し、「新規」ボタンを🖱。

3 「新規作成」ダイアログの「名前」ボックスに「003」を入力し、「OK」ボタンを🖱。

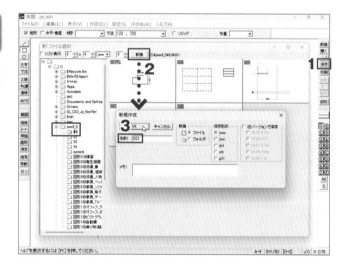

STEP 8 1220×600の長方形を作図する

●ロッカーの外形として1220mm×600mmの長方形を用紙右下の余白に作図しましょう。

1 「□」コマンドを選択し、コントロールバー「寸法」ボックスに「1220,600」を入力する。

2 矩形の基準点として、右図の位置で🖱。

3 右図の位置で作図位置を決める🖱。

> **POINT** 点の存在しない位置に矩形を作図する場合も、「矩形の基準点指示の🖱」と「作図位置指示の🖱」が必要です。

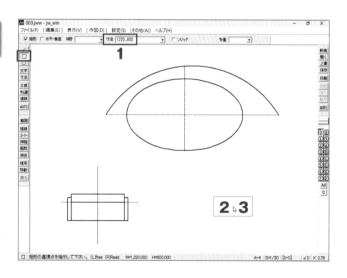

STEP 9 ロッカー扉の開閉表示記号を作図する

●前項で作図した矩形に、ロッカー扉の位置を示す補助線を作図しましょう。

1 「線属性」コマンドを選択し、書込線を「線色2・補助線種」にする。

2 「複線」コマンドを選択する。

3 ロッカー外形の左辺から右に20mm、さらに280mmの間隔で、右図のように2本の複線を作図する。

参考：「複線」コマンド→p.38

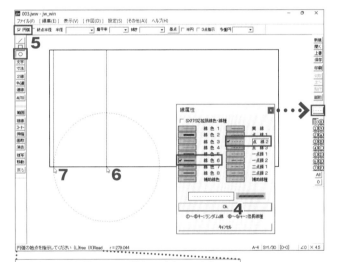

●開閉表示記号の点線はロッカー外形線より細い線にするため、書込線の線色を「線色6（青）」、線種を「点線2」にしましょう。

4 「線属性」コマンドを選択し、書込線を「線色6（青）・点線2」にする。

●開閉表示記号の円弧部分を作図しましょう。

5 「○」コマンドを選択し、コントロールバー「円弧」にチェックを付ける。

6 円弧の中心点として、右図の交点を⊕。

➡ **6**を中心点とした円がマウスポインタまで仮表示され、操作メッセージは「円弧の始点を指示してください」になる。

7 円弧の始点として、右図の交点を⊕。

➡ **6**－**7**間を半径、**7**を始点とする円弧がマウスポインタまで仮表示され、操作メッセージは「終点を指示してください」になる。

8 円弧の終点として、右図の位置で⊕。

➡ **6**－**7**間を半径とした**7**から**8**までの円弧が書込線（線色6（青）・点線2）で作図される。

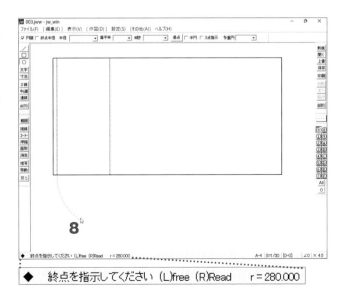

LESSON 4 家具の平面図の作図

●開閉表示記号の直線部分を作図しましょう。

9 「／」コマンドを選択し、コントロールバー「水平・垂直」にチェックを付ける。

10 始点として、右図の交点を🖱。

11 終点として、右図の位置で🖱。

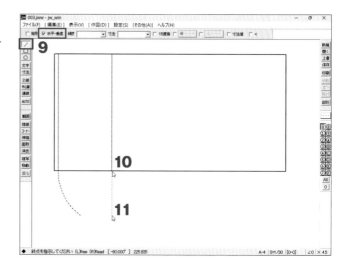

●「コーナー」コマンドで、線と円弧の角を作りましょう。

12 「コーナー」コマンドを選択する。

13 線（A）として、線を🖱。

14 線【B】として、円弧を🖱。

> **POINT** 「コーナー」コマンドでは、線と円弧や円弧どうしの角も作れます。角を作る交点に対し、線・円弧を残す側で🖱してください。右図のように角を作る交点に円弧が達していない場合は、円弧の半分よりも角を作る端点側で🖱してください。

➡ 結果の図のように線と円弧の角が作られる。

❓ 右図とは違う形になった→p.319 Q22

STEP 10 作図した開閉表示記号を複写する

●残り3つは、前項で作図した開閉表示記号を複写しましょう。

1 「複写」コマンドを選択する。

➡ 操作メッセージは、「選択範囲の始点をマウス（L）で…指示してください」と表示される。

> **POINT** 「複写」コマンドでは、はじめに複写対象を選択範囲枠で囲むことで指定します。

2 選択範囲の始点として、右図の位置で🖱。

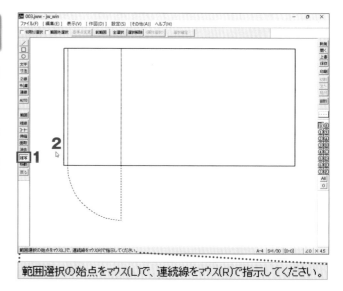

範囲選択の始点をマウス(L)で、連続線をマウス(R)で指示してください。

CHAPTER 1　基本操作を学ぶ

➡ **2**の位置を対角とする選択範囲枠がマウスポインタまで表示され、操作メッセージは「選択範囲の終点を指示して下さい」になる。

3 選択範囲枠で右図のように複写対象の開閉表示記号を囲み、終点を🖱。

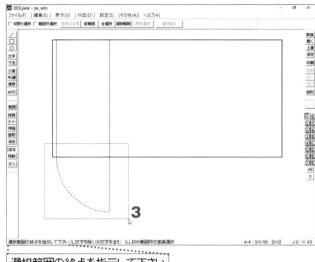

選択範囲の終点を指示して下さい

➡ 選択範囲枠に全体が入る線・円弧が複写対象として選択色になる。

POINT 選択範囲枠に全体が入る線・円・弧などの要素が、複写対象として選択色で表示されます。選択範囲枠から一部がはみ出した要素は選択されません。

●選択色で表示されている要素を複写対象として確定しましょう。

4 複写する開閉表示記号の線と円弧が選択色で表示されていることを確認し、コントロールバー「選択確定」ボタンを🖱。

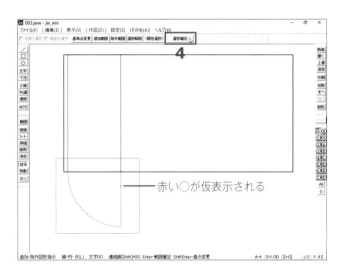

赤い○が仮表示される

➡ 複写対象が確定し、右図のようにマウスポインタに複写の基準点を合わせ、複写要素が仮表示される。

POINT **4**の「選択確定」ボタンを🖱する段階で、作図ウィンドウに仮表示されている赤い○の位置が、自動的に複写の基準点になります。

●現在の基準点では、開閉表示記号を正確な位置に複写できません。正確な位置に複写するために、複写の基準点をロッカー外形の左下角に変更しましょう。

5 コントロールバー「基点変更」ボタンを🖱。

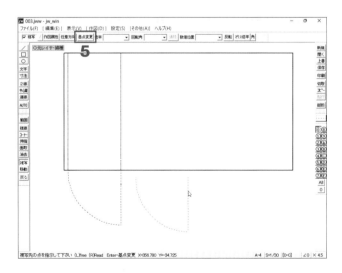

➡ 操作メッセージは「基準点を指示して下さい」に
なる。

6 複写の基準点として、ロッカー外形の左
下角を🖰。

> **POINT** 複写先としてどの点を🖰するかを想定
> したうえで、基準点を決めてください。選択色
> で表示されている複写対象以外の点も、複写の
> 基準点として指示できます。

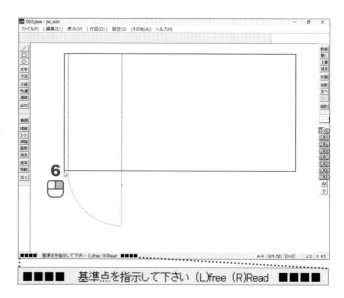

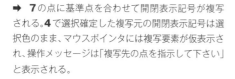

➡ **6**の位置を基準点として複写要素が仮表示され、
操作メッセージは「複写先の点を指示して下さい」に
なる。

7 複写先の点として、右図の交点（開閉表
示記号の吊元）を🖰。

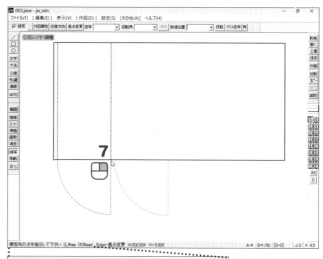

➡ **7**の点に基準点を合わせて開閉表示記号が複写
される。**4**で選択確定した複写元の開閉表示記号は選
択色のまま、マウスポインタには複写要素が仮表示さ
れ、操作メッセージは「複写先の点を指示して下さい」
と表示される。

> **POINT** 他のコマンドを選択するまでは、次の
> 複写先を指示することで同じ複写要素（選択色
> で表示されている要素）を続けて複写できま
> す。

●開閉表示記号をあと2つ複写しましょう。

8 次の複写先の点として、**7**で複写した開
閉表示記号の吊元を🖰。

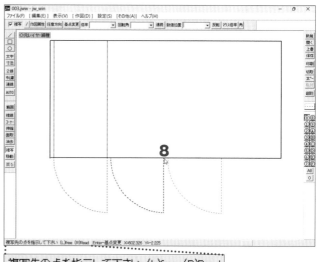

CHAPTER 1 基本操作を学ぶ

➡ **8**の点に基準点を合わせて扉が複写される。マウスポインタには複写要素が仮表示され、操作メッセージは「複写先の点を指示して下さい」と表示される。

9 次の複写先として、**8**で複写した開閉表示記号の吊元を🖱。

➡ **9**の点に基準点を合わせて開閉表示記号が複写される。マウスポインタには複写要素が仮表示され、操作メッセージは「複写先の点を指示して下さい」と表示される。

POINT **8**〜**9**で複写先を🖱する代わりにコントロールバー「連続」ボタンを🖱することでも、同じ複写要素を同じ方向、同じ距離に、🖱した回数分、連続して複写できます。

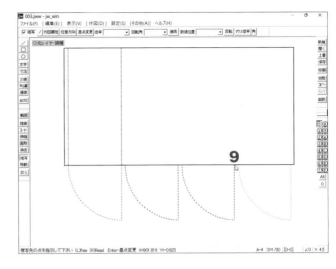

●他のコマンドを選択することで、「複写」コマンドを終了しましょう。

10 「／」コマンドを選択する。

➡ 「複写」コマンドが終了し、選択色で表示されていた複写元の要素は元の色(線色6の青)に戻る。

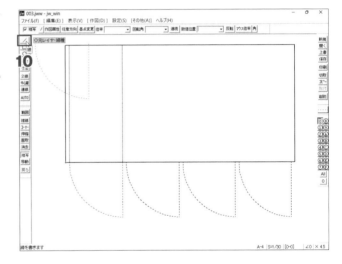

STEP 11 不要な図をまとめて消す

●用紙の上部にかいた作図練習の図をまとめて消しましょう。

1 「消去」コマンドを選択する。

2 コントロールバー「範囲選択消去」ボタンを🖱。

POINT 「範囲選択消去」では、消去する要素を選択範囲枠で囲むことで指定し、まとめて消去します。このように操作対象を選択範囲枠で囲んで指定することを、「範囲選択」と呼びます。

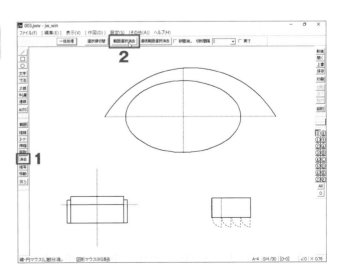

3 選択範囲の始点として、右図の位置で🖲。

➡ **3**の位置を対角とする選択範囲枠がマウスポインタまで表示され、操作メッセージは「選択範囲の終点を指示して下さい」になる。

4 消去する補助線・楕円・弧要素全体が選択範囲枠に入るように囲み、選択範囲の終点を🖲。

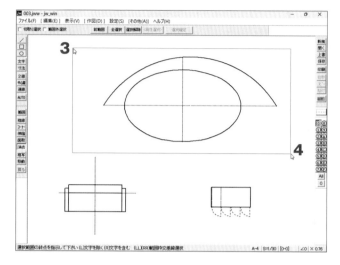

➡ 選択範囲枠に全体が入る線・円・弧要素が選択色になる。

> **POINT** 選択範囲枠に全体が入る線・円・弧などの要素が消去対象として選択され、選択色で表示されます。選択範囲枠から一部でもはみ出した要素は選択されません。

◉選択色で表示された要素を消去対象として確定し、消しましょう。

5 コントロールバー「選択確定」ボタンを🖲。

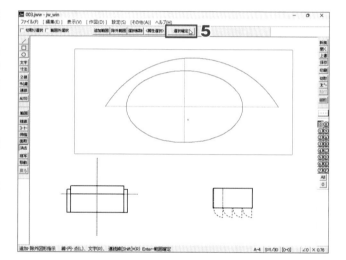

➡ 選択色で表示されていた要素が消去される。操作メッセージは、「消去」コマンド選択直後の「線・円マウス(L)部分消し　図形マウス(R)消去」になる。

◉ソファ、ロッカーの作図に利用した補助線を1本ずつ消しましょう。

> **POINT** 補助線種は印刷されませんが、作図操作の妨げになる場合があります。不要になった時点で消すようにしましょう。

6 ソファの作図に利用した補助線を🖲で消す。

7 ロッカー部分を🖲、拡大 で拡大表示し、開閉表示記号の作図に利用した補助線2本を🖲で消す。

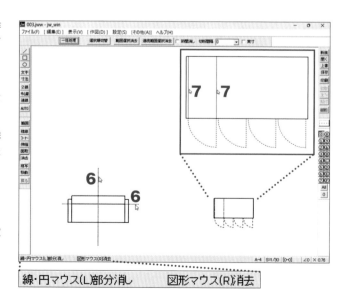

線・円マウス(L)部分消し　　図形マウス(R)消去

STEP 12　カウンターを作図する

◉用紙上部の余白に1800mm×250mmの長方形を「線色2・実線」で作図しましょう。

1　書込線を「線色2・実線」にする。

2　「□」コマンドを選択し、コントロールバー「寸法」ボックスに「1800,250」を入力する。

3　上部の余白に長方形を作図する。

参考：長方形(矩形)の作図→p.62

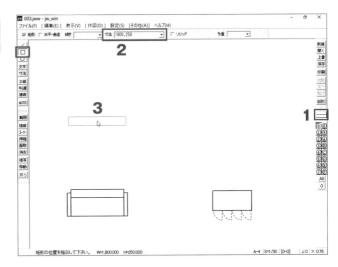

◉半径1800mmの円弧部分を作図しましょう。

4　「○」コマンドを選択し、コントロールバー「円弧」にチェックを付ける。

5　コントロールバー「3点指示」にチェックを付ける。

6　コントロールバー「半径」ボックスに「1800」を入力する。

7　1点目(始点)として、長方形の左下角を🖱。

8　2点目(終点)として、長方形の右下角を🖱。

➡　**7**と**8**を両端点とする半径1800mmの円弧が複数仮表示され、操作メッセージは「必要な円弧を指示してください」になる。この場合、候補は4つある。

POINT 点線で仮表示されている候補の円弧にマウスポインタを近づけると、円弧が実線の仮表示になります。その状態で🖱することで、その円弧を選択し、作図します。

9　右図の円弧のそばにマウスポインタを近づけ、実線で仮表示された状態で🖱。

➡　**9**で選択した円弧が作図される。

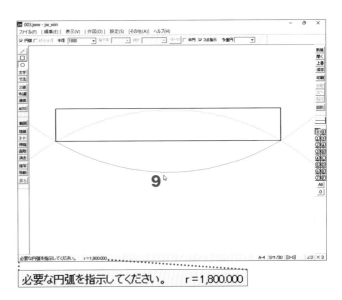

必要な円弧を指示してください。　　r＝1,800.000

●不要な線を消しましょう。

10 「消去」コマンドを選択する。

11 右図の線を🖱️で消す。

●図面を上書き保存しましょう。

12 「上書」コマンドを🖱️。

➡ 図面ファイルが上書き保存される。

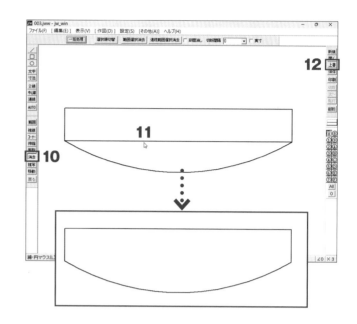

自主作図課題 ②

図面「003」の空いているスペースに、線色2・実線で下図をかき加え、上書き保存しましょう。寸法は目安なので、寸法部分を作図する必要はありません。下図のソファとテーブルをかき加えた図面「003」は、LESSON 5で使用します。

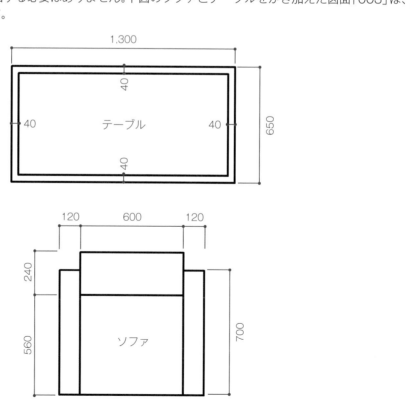

作図した家具の寸法は合っている？　～距離の測定～

POINT LESSON

寸法が合っているかを調べるには、以下のように「測定」コマンドで距離を測定します。測定結果が違う場合は、数値入力を間違えたか、🖰すべきところを🖰したか、のいずれかです。その場合は、該当部分を消して（→ p.69 STEP 11）、かきなおしましょう。

●図面「003」に作図した家具の寸法を測定しましょう。

1 メニューバー［その他］－「測定」を選択する。

➡ 「測定」コマンドのコントロールバー「距離測定」ボタンが選択された状態になる。

2 コントロールバー「mm/【m】」（測定単位m）ボタンを🖰し、「【mm】/m」（測定単位mm）にする。

3 距離を測定する始点を🖰。

4 次の点を🖰。

➡ ステータスバーに**3**－**4**間の距離がmm単位で表示される。

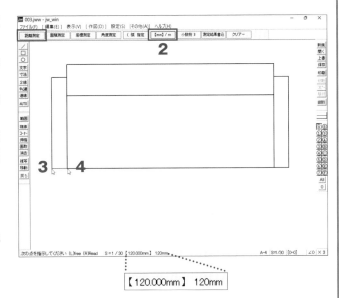

【 120.000mm 】　120mm

5 次の点を🖰。

➡ ステータスバーに**3**－**4**－**5**の累計距離（【 】内）と**4**－**5**の距離がmm単位で表示される。

POINT 別の個所を測定するには、コントロールバー「クリアー」ボタンを🖰し、現在の測定結果を消去したうえで測定します。また、コントロールバー「小数桁」ボタンを🖰することで、ステータスバーに表示される測定結果の数値の小数点以下の桁数を0、1～4桁、F（有効桁）に切り替えできます。

❓ 線と線の間隔を測定するには→p.320 Q25

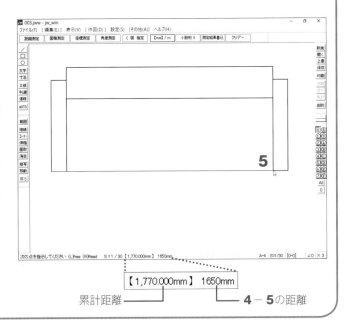

【 1,770.000mm 】　1650mm

累計距離 ──────　　　　　**4**－**5**の距離

LESSON 5 ▶ 部屋の平面図の作図

用紙サイズをA4、縮尺を1/50に設定し、線色2、線色3、線色5、線色6を使い分けて、以下の平面図を作図しましょう。建具や事務机は、あらかじめ用意されている図形を読み込むことで作図します。また、LESSON 4で作図して保存した図面ファイル「003」を開き、ロッカー、ソファなどの家具を図形登録し、その図形を平面図に読み込んで作図します。作図完了後、各線色の太さを設定して印刷しましょう。

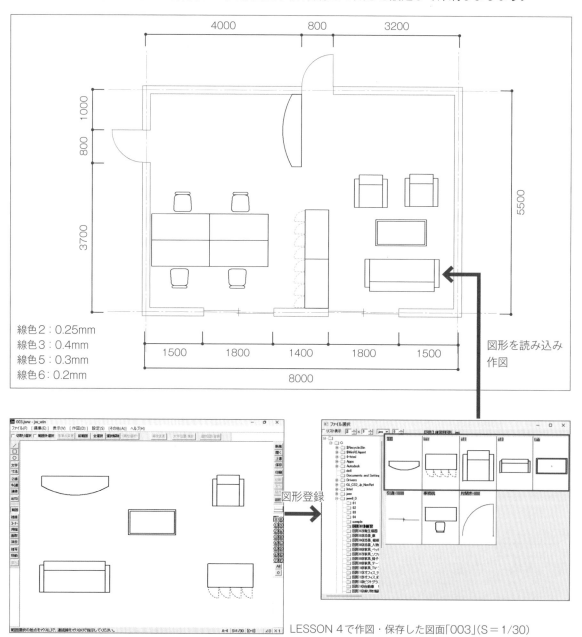

線色2：0.25mm
線色3：0.4mm
線色5：0.3mm
線色6：0.2mm

図形を読み込み作図

図形登録

LESSON 4で作図・保存した図面「003」(S＝1/30)

STEP 1　線色6・一点鎖2で壁芯を作図する

●用紙サイズをA4、縮尺を1/50に設定し、線色6・一点鎖2で壁芯を作図しましょう。

1 用紙サイズを A4、縮尺を 1/50 に設定する。

参考：用紙サイズ・縮尺の設定→ p.31

2 「線属性」コマンドを選択し、書込線を「線色6・一点鎖2」にする。

3 「／」コマンドで、右図のように交差する水平線と垂直線を作図する。

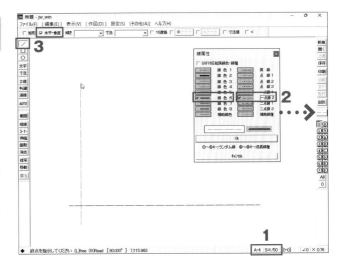

4 「複線」コマンドを選択し、垂直線から8000mm 右に複線を作図する。

5 水平線から 5500mm 上に複線を作図する。

参考：「複線」コマンド→p.36

POINT 作図した線が短く、右図のように井桁になっていなくても、p.77で長さを揃えるので問題ありません。

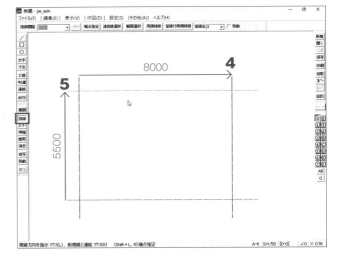

STEP 2　図を用紙の中央に移動する

●ここまで作図した図を、「移動」コマンドを利用して、用紙のほぼ中央に移動しましょう。

1 「移動」コマンドを選択する。

POINT 「移動」コマンドの操作手順は、「複写」コマンドとほぼ同じです。はじめに移動対象を範囲選択します。

2 選択範囲の始点として、右図の位置で🖰。

➡ **2**の位置を対角とする選択範囲枠がマウスポインタまで表示される。

3 選択範囲枠で図全体を囲み、終点を🖰。

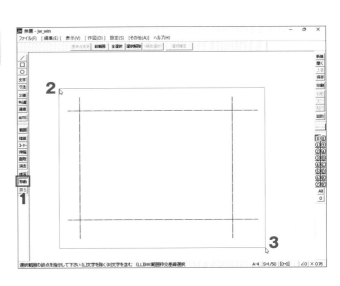

➡ 選択範囲枠に全体が入る線要素が選択色になり、自動的に決められた基準点位置に赤い○が表示される。

◉選択色で表示されている要素を移動対象として確定し、用紙のほぼ中央に移動しましょう。

4 コントロールバー「選択確定」ボタンを🖱。

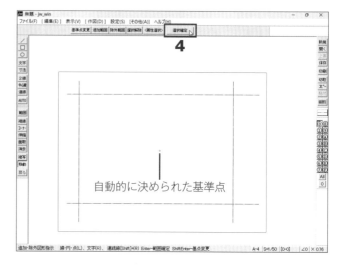

自動的に決められた基準点

➡ 移動対象が確定し、赤い○の位置を基準点として移動要素がマウスポインタに仮表示される。操作メッセージは「移動先の点を指示して下さい」になる。

5 移動先として、用紙のほぼ中央に移動要素が仮表示される位置で🖱。

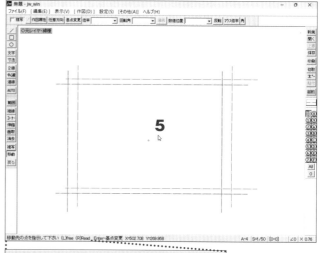

移動先の点を指示して下さい（L)free（R)Read

➡ **5**の位置に移動対象とした図（4本の壁芯）が移動される。マウスポインタには移動要素が仮表示され、操作メッセージは「移動先の点を指示して下さい」と表示される。

POINT 別の移動先を指示することで、同じ図をさらに移動できます。移動操作を確定して終了するには、他のコマンドを選択します。

◉「移動」コマンドを終了するために「／」コマンドを選択しましょう。

6 「／」コマンドを選択する。

➡ 「移動」コマンドが終了し、「／」コマンドになる。選択色で表示されていた壁芯は、元の色（線色6の青）に戻る。

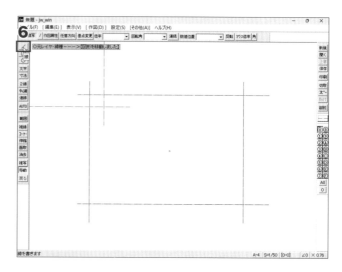

STEP 3　壁芯の出を揃える

◉壁芯の出を揃えるための目安として、各壁芯から1000mm外側に補助線を作図しましょう。

1　書込線を「補助線種」にする。

2　「複線」コマンドを選択し、各壁芯から1000mm外側に複線を作図する。

◉作図した補助線を伸縮の基準線として壁芯を伸縮しましょう。

3　「伸縮」コマンドを選択する。

4　基準線として、上の補助線を🖱🖱。

5　伸縮線として、左の壁芯を🖱。

6　伸縮線として、右の壁芯を🖱。

　　➡ **4**の基準線まで、**5**、**6**の壁芯が伸縮する。

7　次の基準線として、右の補助線を🖱🖱（基準線変更）。

　　➡ **7**の線が基準線として選択色になる。

8　伸縮線として、2本の壁芯を🖱。

　　➡ **7**の基準線まで、🖱した壁芯が伸縮する。

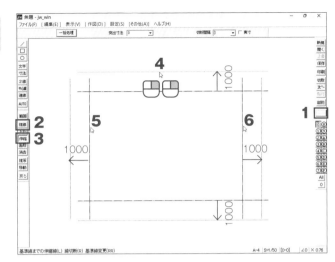

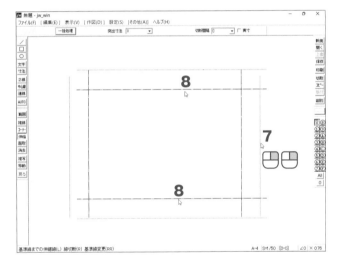

9　同様の手順（**7**〜**8**）で、下の補助線、左の補助線を基準線にし、壁芯の出をそれぞれの補助線まで揃える。

◉壁芯の出を揃えるために作図した補助線は、この後の作図では不要です。補助線を消しましょう。

10　「消去」コマンドを選択し、4本の補助線を🖱で消す。

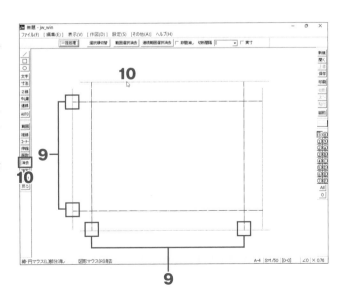

STEP 4 壁（線色3・実線）を作図する

◉「複線」コマンドで、壁芯から100mm外側に外壁を線色3・実線で作図しましょう。

1 書込線を「線色3・実線」にする。

2 「複線」コマンドを選択する。

3 コントロールバー「複線間隔」ボックスに「100」を入力する。

4 基準線として、上の壁芯を🖱。

5 基準線の上側で作図方向を決める🖱。

　➡ 4の壁芯から100mm上に複線が作図される。

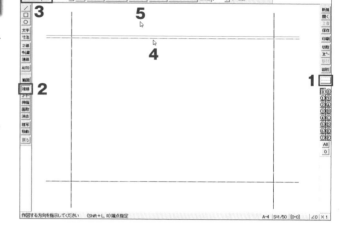

6 次の基準線として、左の壁芯を🖱。

POINT 連続して複線を作図する場合、2本目以降の複線の作図方向を決めるときの操作メッセージには「前複線と連結　マウス(R)」が表示されます。作図方向の指定を🖱で行うことで、1つ前の複線と次に作図する複線の交点に角を作ります。

7 基準線の左側で作図方向を決める🖱（前複線と連結）。

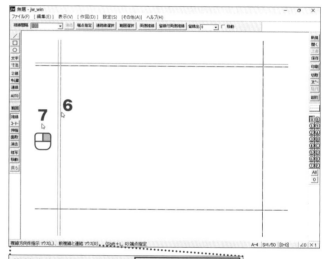

複線方向を指示 マウス(L)、 前複線と連結 マウス(R)

　➡ 1つ前の複線との交点に角が作られ、連結した複線が作図される。

8 次の基準線として、下の壁芯を🖱。

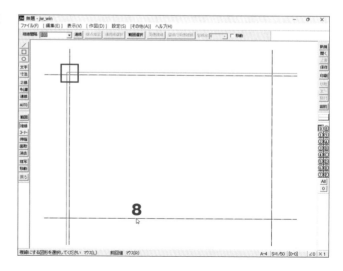

9 基準線の下側で作図方向を決める🖱（前複線と連結）。

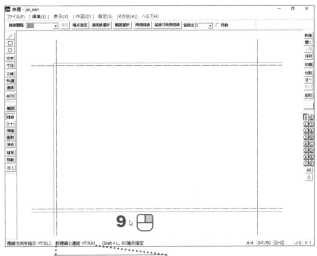

➡ 1つ前の複線との交点に角が作られ、連結した複線が作図される。

POINT **9**で誤って🖱したときは、「戻る」コマンドで取り消さずに、複線の作図完了後に「コーナー」コマンドを選択して角を作ってください。「戻る」コマンドで取り消した場合、再度指示する次の複線は1本目の複線と見なされるため、作図方向を🖱指示しても、**7**で作図した複線との角を作ることはできません。

10 同様の手順（**8〜9**）で、次の基準線として右の壁芯を🖱し、基準線の右側で作図方向を決める🖱（前複線と連結）。

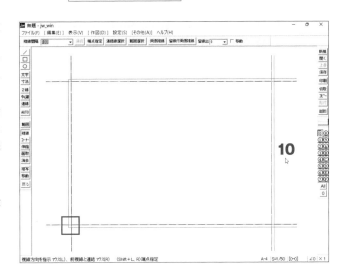

➡ 1つ前の複線との交点に角が作られ、連結した複線が作図される。

●最初に作図した上の外壁線と、最後に作図した右の外壁線は、自動的には連結されません。「コーナー」コマンドで角を作りましょう。

11「コーナー」コマンドを選択する。

12 線（A）として、右の外壁線を🖱。

13 線【B】として、上の外壁線を🖱。

➡ **12**と**13**の交点に角が作られる。

参考：「コーナー」コマンド→p.38

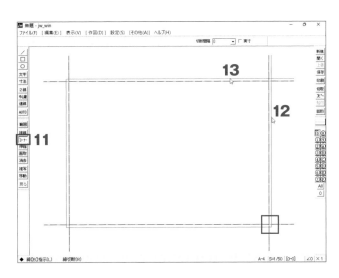

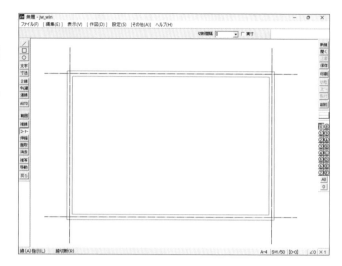

やってみよう

同様の手順（**2〜13**）で、壁芯から100mm内側に内壁を右図のように作図しましょう。

❓ 「複線」コマンドで、誤って作図方向を🖱️した、または🖱️しても1つ前の複線と連結されない
→p.319　Q23/p.320　Q24

STEP 5 開口部を作図する

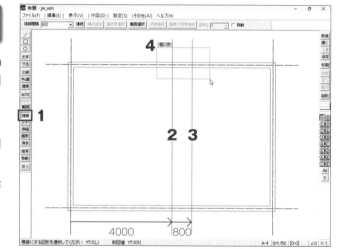

◉開口部の壁線として左の壁芯から右に4000mm、さらに800mmの間隔で2本の複線を作図しましょう。

1 「複線」コマンドを選択する。

2 左の壁芯から4000mm右に複線を作図する。

3 作図した複線から800mm右に複線を作図する。

4 開口部分を拡大表示する。

参考：拡大表示→p.41

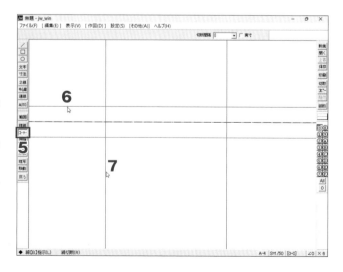

◉「コーナー」コマンドで開口部を作図します。はじめに外壁線と開口部左の壁線で角を作りましょう。

5 「コーナー」コマンドを選択する。

6 線（A）として外壁線を、開口部左の壁線との交点より左側で🖱️。

7 線【B】として開口部左の壁線を、外壁線との交点より下側で🖱️。

POINT 交差する2本の線の角を作る場合、交点に対して線を残す側で🖱️してください。

➡ 右図のように角が作られ、右側の外壁線が消える。

POINT 外壁線は1本の線なので、交点に対して🖱️した左側を残して角が作られ、交点から右側の線は消えます。開口部の右側の外壁線を残して角を作るには、あらかじめ外壁線を2本の線に分ける必要があります。

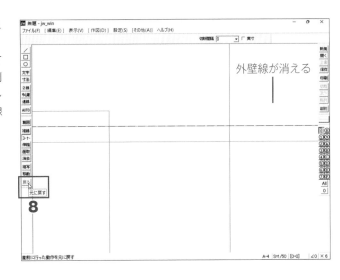

外壁線が消える

●角の作成をやり直すため、元に戻しましょう。

8 「戻る」コマンドを選択する。

➡ **6**〜**7**の操作が取り消され、**6**の操作前に戻る。

8

●前項と同じ結果にならないよう、はじめに外壁線を2本に切断しましょう。

9 外壁線を右図の位置で🖱️（線切断）。

POINT 操作メッセージの「線切断（R）」は、🖱️位置で線を切断し、2本に分けることを意味します。

➡ 外壁線が🖱️位置で切断され、2本に分かれる。🖱️位置には切断位置を示す赤い〇が仮表示される。

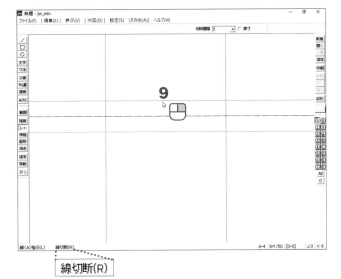

9

線切断(R)

●外壁線と開口部左の壁線で角を作りましょう。

10 線（A）として外壁線を、開口部左の壁線との交点より左側で🖱️。

➡ 切断点から左の外壁線が選択色になる。

11 線【B】として開口部左の壁線を、外壁線との交点より下側で🖱️。

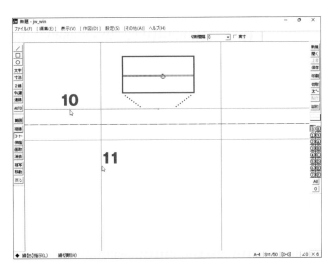

10

11

LESSON 5　部屋の平面図の作図

→ 切断点から右の外壁線を残して、開口部左上の角が右図のように作られる。

●外壁線と開口部右の壁線で角を作りましょう。

12 線（A）として外壁線を、開口部右の壁線との交点より右側で🖰。

13 線【B】として開口部右の壁線を、外壁線との交点より下側で🖰。

→ 開口部右上の角が次図のように作られる。

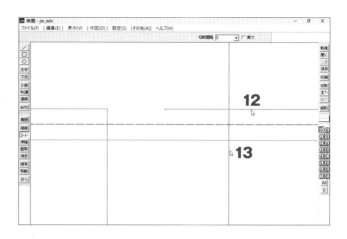

●同様に、内壁線も🖰で切断して2本に分けたうえで、開口部の左右に角を作りましょう。

14 内壁線を右図の位置で🖰（線切断）。

→ 内壁線が🖰位置で切断され、2本に分かれる。🖰位置には切断位置を示す赤い○が仮表示される。

15 線（A）として内壁線を、開口部左の壁線との交点よりも左側で🖰。

16 線【B】として開口部左の壁線を、内壁線との交点よりも上側で🖰。

→ 切断点から右の内壁線を残して、開口部左下の角が結果の図のように作られる。

17 線（A）として内壁線を、開口部右の壁線との交点よりも右側で🖰。

18 線【B】として開口部右の壁線を、内壁線との交点よりも上側で🖰。

→ 開口部右下の角が作られる。

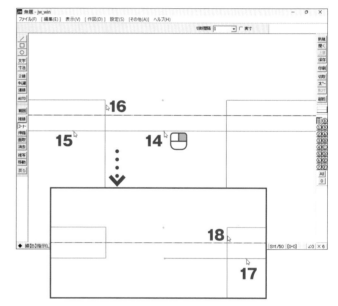

ここでは「コーナー」コマンドで陥りがちな失敗と、その対処として切断機能を学習しました。

人によっては「消去」の「節間消し」（→p.53）で開口部分を🖰で消してからコーナーを作成するほうがわかりやすいかもしれません。好みの方法を選んでください。

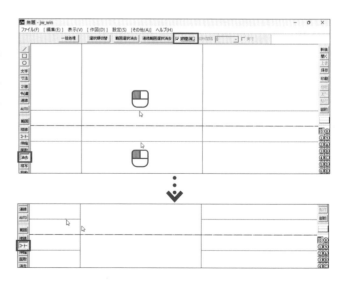

やってみよう

同様の手順（**1**〜**5**、および**9**〜**18**）、または「消去」コマンドの「節間消し」を利用して、他の3カ所の開口部を右図の寸法で作図しましょう。

なお、切断位置に仮表示された赤い○は、他のコマンドを選択すると作図ウィンドウから消えます。

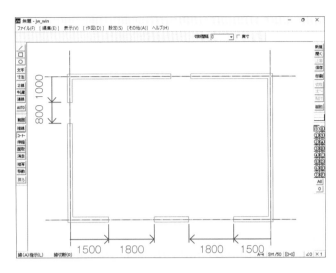

STEP 6 ▶ 中心線を作図する

◉引き違い戸を作図する準備として、下の1800mmの開口部（2カ所）の中心線を補助線で作図しましょう。

1 書込線を「線色2・補助線種」にする。

2 「中心線」コマンドを選択する。

> **POINT**「中心線」コマンドは、2点間（または2線間、線と点間）の中心線を任意の長さで作図します。線は🖯、点は🖱で指示します。

3 1番目の点として、開口部の左下角を🖱。

4 2番目の点として、開口部の右下角を🖱。

➡ **3**と**4**（2点間）の中心線の作図位置が確定し、操作メッセージは「始点を指示してください」になる。

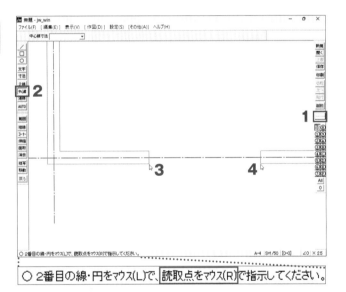

○ 2番目の線・円をマウス(L)で、[読取点をマウス(R)]で指示してください。

5 中心線の始点として、右図の位置で🖯。

➡ **5**の位置からマウスポインタまで中心線が仮表示される。操作メッセージは「終点を指示してください」になる。

6 中心線の終点として、右図の位置で🖯。

➡ **3**と**4**（2点間）の中心線が**5**から**6**まで作図される。

7 同様の手順（**3**〜**6**）で、もう一方の1800mmの開口部にも中心線を作図する。

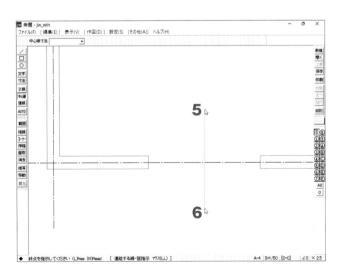

STEP 7 図面を保存する

●作図した図面を名前「004」として保存しましょう。

1 「保存」コマンドを選択する。

2 「ファイル選択」ダイアログで保存先として、C ドライブの「jww8_D」フォルダー内の「01」フォルダーが開いていることを確認し、「新規」ボタンを🖱。

3 「新規作成」ダイアログの「名前」ボックスに「004」を入力し、「OK」ボタンを🖱。

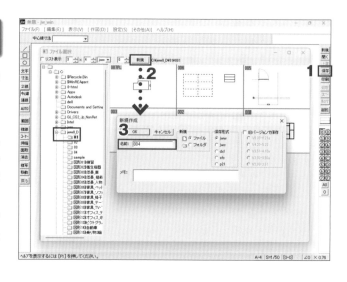

STEP 8 図形を読み込み、作図する

●多くの図面で共通して利用する建具や家具などを「図形」として用意しておくことで、作図中の図面に「図形」コマンドで読み込み、作図できます。「jww8_D」フォルダー内の「図形01《練習》」フォルダーから、引き違い戸の図形を読み込み、下の1800mmの開口部2カ所に作図しましょう。

1 メニューバー［その他］－「図形」を選択する。

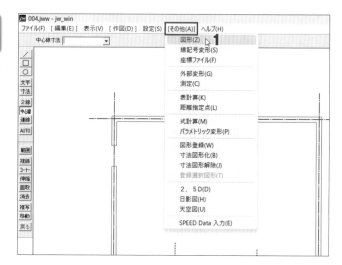

➡ 図形を選択するための「ファイル選択」ダイアログが開く。

2 フォルダーツリーの「jww8_D」フォルダーを🖱🖱。

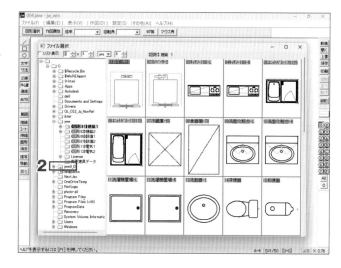

3 「jww8_D」フォルダー下にツリー表示される「図形 01》練習」フォルダーを🖰。

➡ 「図形 01》練習」フォルダーが開き、右側にはフォルダー内に収録されている図形が一覧表示される。

POINT 図形一覧には図形名と図形の姿図が表示されます。図形は、書込線色・線種とは関係なく、図形登録時の線色・線種です。姿図上に表示される赤い○は図形の基準点を示します（実際の図形に赤い○はない）。

❓ 図形名が小さくて読みづらい →p.317 Q16

◉図形「引違−1800」を読み込みましょう。

4 「引違−1800」を🖰🖰で選択する。

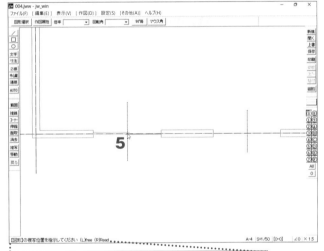

赤い○は図形の基準点

➡ マウスポインタに基準点を合わせ、**4**で選択した図形「引違−1800」が仮表示される。操作メッセージは「【図形】の複写位置を指示してください」になる。

5 図形の作図位置として、1800mm の開口部の中心線と壁芯の交点を🖰。

➡ 🖰した交点に基準点を合わせ、図形「引違−1800」が作図される。マウスポインタには同じ図形が仮表示され、操作メッセージは「【図形】の複写位置を指示してください」と表示される。

POINT 他の図形を選択するか、他のコマンドを選択するまでは、作図位置を指示することで、続けて同じ図形を作図できます。

【図形】の複写位置を指示してください (L)free (R)Read

◉同じ図形「引違−1800」を、もう一方の 1800mm の開口部にも作図しましょう。

6 作図位置として、もう一方の 1800mm の開口部の中心線と壁芯の交点を🖰。

➡ 🖰した交点に基準点を合わせ、図形「引違−1800」が作図される。マウスポインタには、同じ図形が仮表示される。

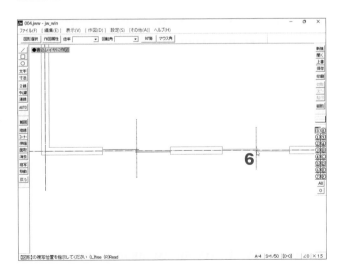

STEP 9　他の図形を読み込み、作図する

◉他の図形「片開き−800」を読み込み、上の壁の開口部に作図しましょう。

1　コントロールバー「図形選択」ボタンを🖱。

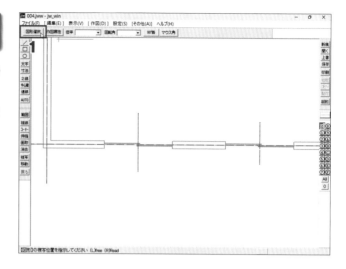

➡　図形を再選択するための「ファイル選択」ダイアログが開く。

2　図形「片開き−800」を🖱🖱で選択する。

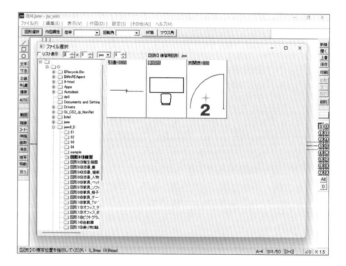

➡　選択した図形がマウスポインタに仮表示される。

3　作図位置として、右図の外壁角を🖱。

➡　🖱位置に基準点を合わせ、図形「片開き−800」が作図される。マウスポインタには、同じ図形が仮表示される。

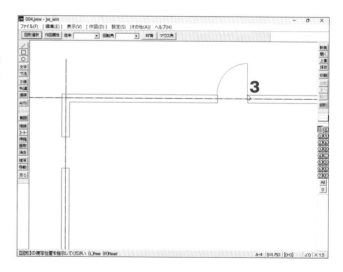

同じ図形を回転して作図する

◉同じ図形「片開き-800」を90°回転して、左の開口部に作図しましょう。

1 コントロールバー「90°毎」ボタンを🖱。

> **POINT** 図形の回転角度は、コントロールバー「回転角」ボックスで指定できます。コントロールバー「90°毎」ボタンを🖱すると、90°⇒180°⇒270°⇒0°と左回り90°ごとに図形の回転角度が切り替わります。

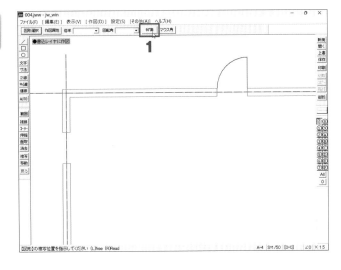

➡ 仮表示の図形が左に90°回転し、コントロールバー「回転角」ボックスには現在の回転角度「90」が表示される。

> **POINT** コントロールバー「回転角」ボックスの数値は、図形の登録時の状態（「ファイル選択」ダイアログで表示される姿図）を0°とした回転角度です。

2 作図位置として、右図の外壁角を🖱。

➡ 🖱した点に基準点を合わせ、左に90°回転した図形「片開き-800」が作図される。マウスポインタには、同じ図形が同じ角度（90°）で仮表示される。

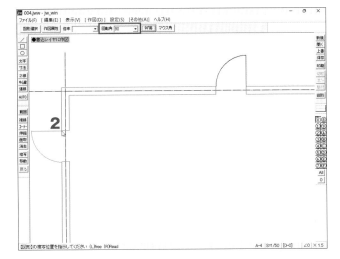

STEP 11

図形「事務机」を読み込み作図する

◉図形「事務机」を読み込み、作図しましょう。

1 コントロールバー「図形選択」ボタンを🖱。

➡ 図形を再選択するための「ファイル選択」ダイアログが開く。

2 図形「事務机」を🖱🖱で選択する。

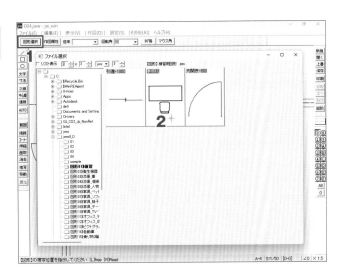

LESSON 5　部屋の平面図の作図

➡ コントロールバー「回転角」ボックスは、前項で指定した「90」のまま、図形「事務机」も90°回転した状態で仮表示される。

●回転角を0°にしましょう。

3 コントロールバー「90°毎」ボタンを🖱。

POINT コントロールバー「90°毎」ボタンを🖱することで、90°ごとの回転角度が右回りに（90°⇒0°⇒270°⇒180°）切り替わります。**3**の操作の代わりにコントロールバー「回転角」ボックスの▼を🖱して表示されるリストから「（無指定）」を選択しても、結果は同じです。

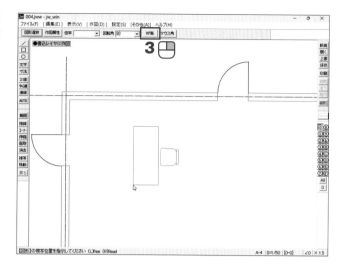

➡ 仮表示の図形が右に90°回転し、コントロールバー「回転角」ボックスは空白（0°と同じ）になる。

●机を4つ作図しましょう。

4 1つ目の作図位置として、右図の位置で🖱。

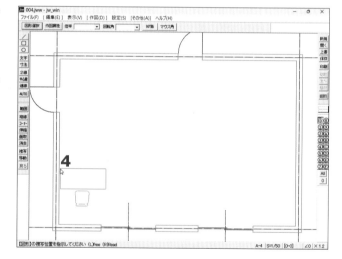

5 2つ目の作図位置として、**4**で作図した机の右上角を🖱。

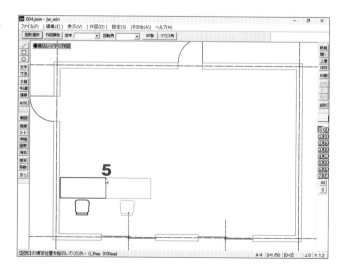

CHAPTER 1 基本操作を学ぶ

6 コントロールバー「90°毎」ボタンを2回🖱し、回転角を「180」に変更する。

7 3つ目の事務机の作図位置として、**4**で作図した机の右上角を🖱。

8 4つ目の事務机の作図位置として、**5**で作図した机の右上角を🖱。

9 「図形」コマンドを終了するため、「／」コマンドを選択する。

●次項で別の図面を開くため、ここまでを上書き保存しましょう。

10 「上書」コマンドを🖱。

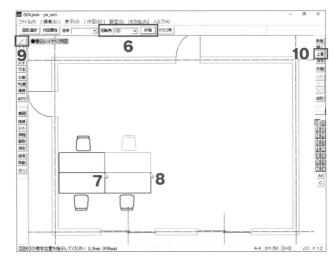

STEP **12** **家具図面「003」を開き
重複線を1本に整理する**

●独自に作図した家具や建具などを「図形」として登録できます。LESSON 4で作図した家具を図形として登録するための準備として図面「003」を開き、データ整理を行いましょう。

1 「開く」コマンドを選択し、図面「003」を開く。

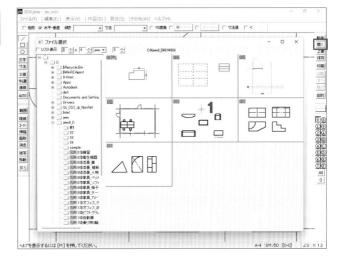

2 メニューバー[編集]-「データ整理」を選択する。

> **POINT** 「データ整理」コマンドは同じ位置に重なった同じ線色・線種の線を1本に整理します。

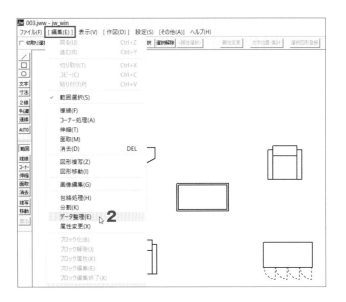

LESSON 5　部屋の平面図の作図

やさしく学ぶ Jw_cad 8《デラックス版》　**89**

◉データ整理の対象を範囲選択しましょう。

3 選択範囲の始点として、右図の位置で🖱。

➡ 3の位置を対角とする選択範囲枠がマウスポインタまで表示される。

4 すべての家具を選択範囲枠で囲み、終点を🖱。

➡ 選択範囲枠に全体が入る線・円・弧要素が選択色になる。

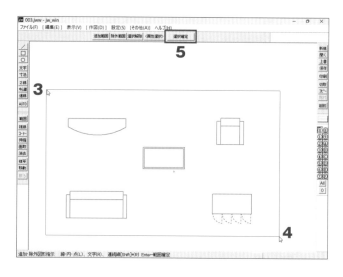

◉選択色で表示された要素をデータ整理の対象として確定し、データ整理方法を指定してデータ整理を行いましょう。

5 コントロールバー「選択確定」ボタンを🖱。

6 コントロールバー「連結整理」ボタンを🖱。

> **POINT** 「連結整理」では、重複した同じ線色・線種の線を1本に整理します。また、「伸縮」コマンドや「コーナー」コマンドで🖱して切断された同じ線や、同一点で連続して作図された同一線上の同じ線色・線種の線（画面上では1本の線に見えるが実際は複数の連続した線）も1本に連結します。「重複整理」を選択した場合は、重複した線の整理のみで、線の連結処理は行いません。

➡ 重複した線の整理と連結処理が行われ、作図ウィンドウ左上に -14 と、減った数が表示される。

❓ 表示される数字が本書と違う→p.320 Q26

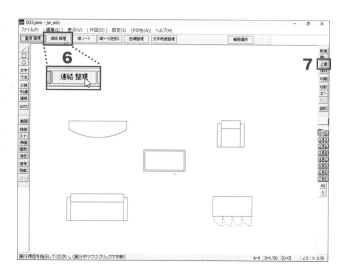

7 「上書」コマンドを🖱。

「□」コマンドで作図したソファは右図のように線が重複しています。上記の「データ整理」によって、これらの線が1本に整理されます。「消去コマンドで線を🖱したのに消えない」「一部分だけ消えた」という現象が起こるのは、複数の線が重なっていたり、途中で切断されていたりするからです。「データ整理」をしておくことで、それらの現象を回避できます。図面作図の途中、保存前などに「データ整理」を行うように習慣づけておきましょう。

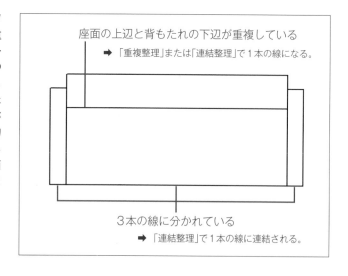

座面の上辺と背もたれの下辺が重複している
➡ 「重複整理」または「連結整理」で1本の線になる。

3本の線に分かれている
➡ 「連結整理」で1本の線に連結される。

CHAPTER 1 基本操作を学ぶ

◉ロッカーを図形として登録しましょう。

1 メニューバー［その他］-「図形登録」
を選択する。

POINT 「図形登録」コマンドでは、はじめに図
形として登録する要素を範囲選択し、読み込み
時の基準点を指示したうえで、名前を付けて登
録します。

➡ 操作メッセージは「選択範囲の始点をマウス(L)
で、連続線を…」になる。

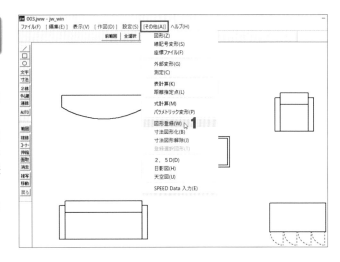

◉図形登録の対象としてロッカーを範囲選択し
ましょう。

2 選択範囲の始点として、右図の位置で🖰。

➡ **2**の位置を対角とする選択範囲枠がマウスポイン
タまで表示される。

3 表示される選択範囲枠でロッカー全体を
囲み、終点を🖰。

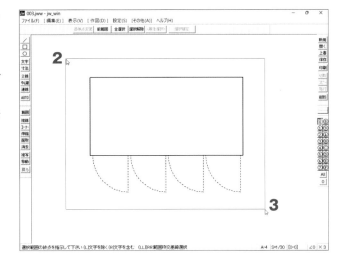

➡ 選択範囲枠に全体が入る線・円・弧要素が選択
色になり、自動的に決められた基準点位置に赤い○が
仮表示される。

◉選択色で表示されている要素を図形登録の対
象として確定しましょう。基準点は対象を確定し
た後に変更できます。

4 コントロールバー「選択確定」ボタンを
🖰。

➡ 図形登録の対象が確定し、操作メッセージは「項
目を選択してください □□ 基準点を指示して下
さい (L)free (R)Read」になる。

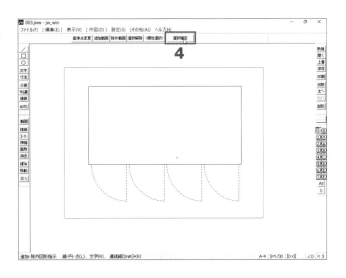

●基準点としてロッカーの右上角を指示し、図形名を「ker」として登録しましょう。

5 登録図形の基準点として、ロッカーの右上角を🖐。

➡ 🖐した位置に赤い〇が仮表示される。

POINT この段階で別の点を🖐することで、登録図形の基準点を再指示できます。

6 コントロールバー「《図形登録》」ボタンを🖐。

➡ 図形登録のための「ファイル選択」ダイアログが開く。

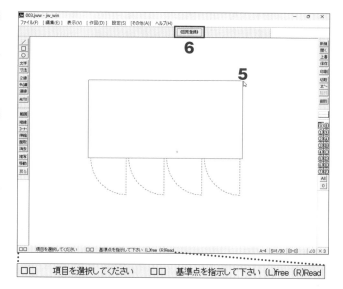

7 フォルダーツリーで図形の登録先として、「図形01》練習」フォルダーが開いていることを確認する。

POINT ここで右図のように「種類」ボックスが「.jws」であることを確認しましょう。「種類」ボックスが「.jwk」の状態で図形登録を行うと、DOS版JW_CAD用（現在のWindows版Jw_cadの前身）の図形として登録されます。

8 「新規」ボタンを🖐。

➡ 「新規作成」ダイアログが開く。

9 「新規作成」ダイアログの「名前」ボックスに図形名として「ker」を入力する。

10 「OK」ボタンを🖐。

➡ 「図形01》練習」フォルダーに図形「ker」としてロッカーが登録される。「ファイル選択」ダイアログは閉じ、作図ウィンドウのロッカーは元の色に戻る。ステータスバーには図形登録対象の選択を指示する操作メッセージが表示され、登録対象を選択することで、続けて図形登録が行える。

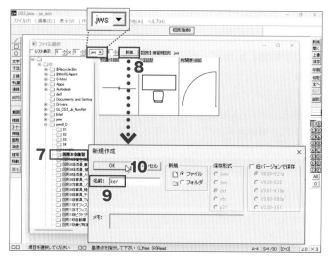

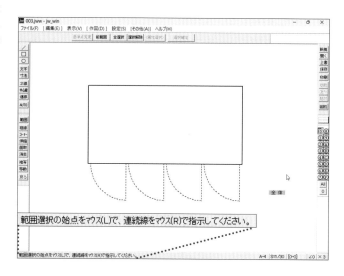

●テーブルを、その中心を基準点として図形登録
しましょう。

11 選択範囲の始点として、右図の位置で🖱。

12 表示される選択範囲枠でテーブルを囲み、
終点を🖱。

> ➡ 選択範囲枠に全体が入る要素が登録の対象とし
> て選択色になり、自動的に決められた基準点位置に赤
> い○が仮表示される。

> **POINT** 長方形・円や上下左右が対称なモチー
> フを範囲選択した場合、自動的に決められる基
> 準点はその中心になります。これは、「移動」「複
> 写」コマンドでの範囲選択時も同様です。

13 コントロールバー「選択確定」ボタンを
🖱。

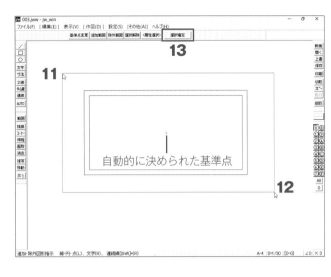

●テーブルはその中心を基準点にするため、自動
的に決められた基準点のまま、図形名を「tab」と
して図形登録しましょう。

14 コントロールバー「《図形登録》」ボタンを
🖱。

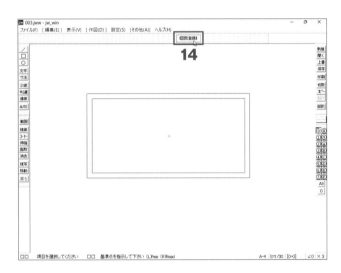

> ➡ 「図形01》練習」フォルダーが開いた状態で「ファ
> イル選択」ダイアログが開く。

15 「新規」ボタンを🖱。

16 「新規作成」ダイアログの「名前」ボック
スに図形名として「tab」を入力し、「OK」
ボタンを🖱。

> ➡ 「図形01》練習」フォルダーに図形「tab」として
> テーブルが図形登録される。

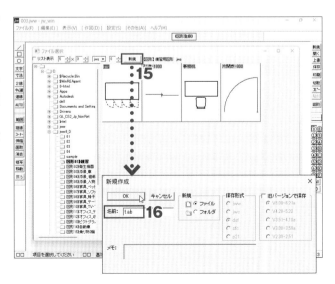

やってみよう

残りのカウンターと2つのソファも、右図の基準
点と図形名で、テーブルと同じフォルダー「図形
01》練習」に図形登録しましょう。

❓ 基準点を間違えて登録した→p.321 Q27

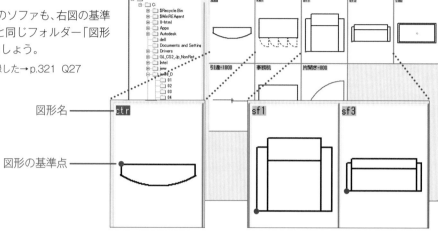

図形名

図形の基準点

STEP 14 登録した図形を
平面図に読み込む

◉平面図「004」を開き、前項で登録した図形を読
み込み、作図しましょう。

1 「開く」コマンドを選択し、図面ファイル
「004」を開く。

◉カウンター「ctr」を読み込み、p.74の完成図の
ように入口の左に作図しましょう。

2 メニューバー［その他］－「図形」を選
択する。

3 「ファイル選択」ダイアログで図形「ctr」
を🖱️🖱️で選択する。

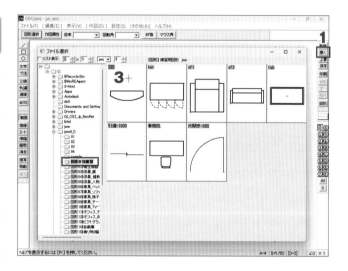

4 コントロールバー「90°毎」ボタンを🖱️。

➡ 仮表示の図形が右回りに90°回転し、コントロー
ルバー「回転角」ボックスが「270」になる。

5 作図位置として、右図の開口部角を🖱️。

➡ 基準点を**5**の角に合わせ、図形「ctr」が作図さ
れる。

POINT 読み込んだ図形「ctr」は、S＝1/30の
図面「003」に横幅1800mmで作図したカウ
ンター平面図を図形登録したものです。図形は
実寸値で登録され、読み込まれるため、縮尺の
異なるS＝1/50のこの図面に読み込んでも、
その横幅は1800mmです。

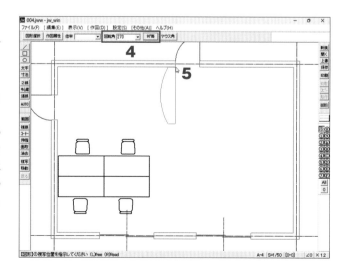

◉ロッカー「ker」を読み込み、完成図（→p.74）のように2台並べて作図しましょう。

6 コントロールバー「図形選択」ボタンを🖰し、「ファイル選択」ダイアログで図形「ker」を🖰🖰で選択する。

➡ コントロールバー「回転角」ボックスで指定した角度で、ロッカー「ker」がマウスポインタに仮表示される。

7 作図位置として、右図の開口部の角を🖰。

8 もう1つのロッカーの作図位置として、**7**で作図したロッカーの右上角を🖰。

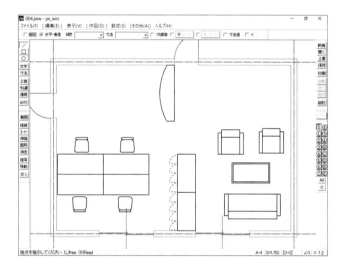

✍ やってみよう

その他の図形（ソファ、テーブル）を右図のように読み込み、作図しましょう。

POINT 作図した図形の水平線や垂直線が斜線のようにギザギザに見える場合がありますが、これは作図ウィンドウの表示倍率によるものです。それらの線を拡大表示すると、きちんと水平線・垂直線として表示されます。

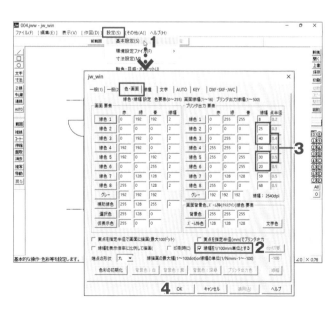

STEP 15 印刷線幅を設定し、印刷する

◉平面図で使い分けた線色2、線色3、線色5、線色6の印刷線幅を以下の幅に設定しましょう。

　　線色2：0.25mm　　　線色3：0.4mm
　　線色5：0.3mm　　　　線色6：0.2mm

1 メニューバー［設定］－「基本設定」を選択し、「jw_win」ダイアログの「色・画面」タブを🖰。

2 「線幅を1/100mm単位とする」にチェックを付ける。

3 「線色2」の「線幅」ボックスを「25」に、「線色3」を「40」、「線色5」を「30」、「線色6」を「20」に変更する。

4 「OK」ボタンを🖰。

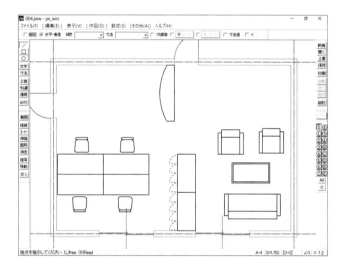

●上書き保存し、印刷しましょう。

5 「上書」コマンドを選択し、上書き保存する。

6 「印刷」コマンドを選択し、A4用紙に印刷する。

❓ 印刷した点線・鎖線のピッチが粗すぎる（または細かすぎる）→p.319 Q21

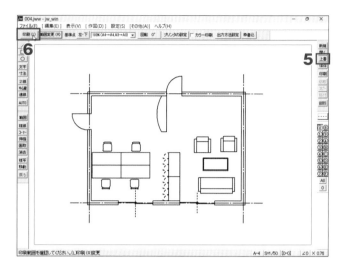

POINT
LESSON

複数の要素をひとまとまりとする曲線属性

付録の図形（事務机、建具）と図形登録した図形（カウンター、ロッカー、ソファなど）の違いを知るため、「消去」コマンドでそれぞれの図形を🖱で消去してみましょう。

1 「消去」コマンドを選択する。

2 配置した登録図形「ctr」の右図の辺を🖱。

　➡ 🖱した線が消去される。

3 配置した付録の図形「事務机」の右図の辺を🖱。

　➡ 図形「事務机」全体が消去される。

POINT **3**で🖱した「事務机」には、複数の要素（線・円・弧など）をひとまとまりとして扱う「曲線属性」という性質が付随しています。そのため、**3**の操作で図形「事務机」全体が消去されます。

「曲線属性」は、「曲線」コマンドで作図した曲線や「日影図」コマンドで作図した日影線などに付随するほか、任意の要素に曲線属性を付加することもできます。この単元で読み込んだ付録の図形は、このような曲線属性を付加したうえで図形登録されたものです。

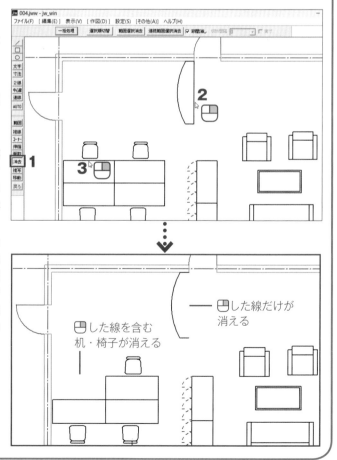

🖱した線を含む
机・椅子が消える

🖱した線だけが
消える

自主作図課題 ③

〈1〉「01」フォルダーに用意されている
図面ファイル「005」を開き、用紙下の補
助線上に下図の建具平面図を線色5・実
線で作図し、上書き保存しましょう。
次ページの「建具作図のヒント」を参考に
してください。

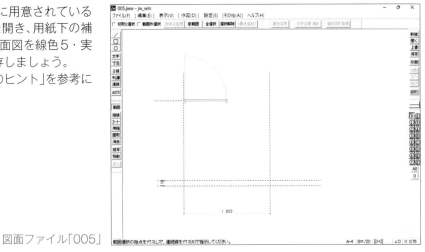

図面ファイル「005」

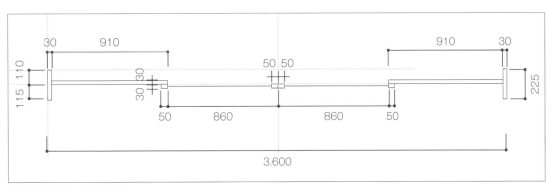

〈2〉p.99の「曲線属性化と図形登録のヒ
ント」を参考に、それぞれの建具をひとま
とまりとして扱えるよう曲線属性を付加
しましょう。

〈3〉2つの建具を図形フォルダー「図形
01》練習」に、右図に指定の基準点と図形
名で図形登録しましょう。

登録した図形は、この後のCHAPTER 2
のLESSON 3で利用するので、必ず登録
を行ってください。

参考：図形登録→p.91

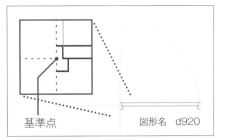

基準点　　　　　　図形名　d920

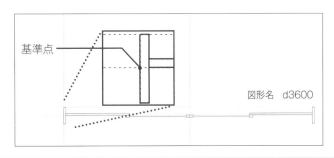

基準点

図形名　d3600

建具作図のヒント

◉作図する建具は左右対称形のため、左半分を作図した後、右に反転複写します。

1 書込線を「線色5・実線」にし、「□」コマンドで、枠（30mm × 225mm）の左上角を既存の補助線交点に合わせて作図する。

参考：「□」コマンド→p.62

2 同様に、FIX（開閉不可）部分（910mm × 30mm）の左下角を、**1**で作図した枠の右辺と下の補助線の交点に合わせて作図する。

3 框（50mm × 30mm）2つを、右図のように2カ所に作図する。

4 「中心線」コマンドで、框の中心を通るガラスを作図する。

参考：「中心線」コマンド→p.83

◉作図した左半分を、「複写」コマンドで反転複写しましょう。

5 「複写」コマンドを選択する。

6 選択範囲の始点として、右図の位置で🖱。

7 表示される選択範囲枠で作図した建具を右図のように囲み、終点を🖱。

8 コントロールバー「選択確定」ボタンを🖱。

　➡ マウスポインタに自動的に決められた基準点を合わせ、複写要素が仮表示される。

9 コントロールバー「反転」ボタンを🖱。

10 反転の基準線として、右図の補助線を🖱。

　➡ 結果の図のように反転複写される。

11 「複写」コマンドを終了するため「／」コマンドを選択する。

以上で作図は完了です。連結整理（→p.89）を行い、上書き保存してください。
続けて、次ページの曲線属性化を行った後、建具を図形登録しましょう。

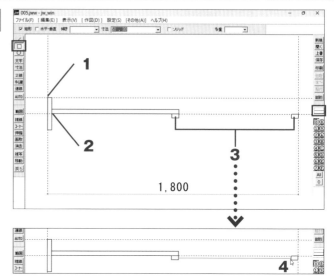

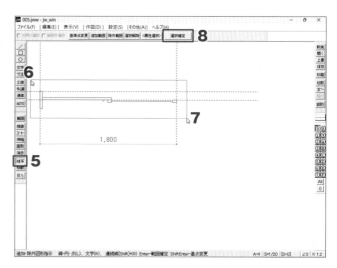

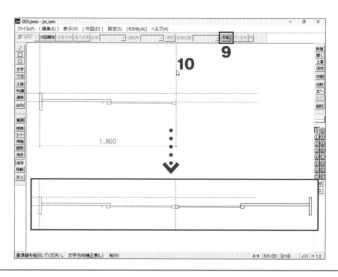

曲線属性化と図形登録のヒント

●片開きドアをひとまとまりとして扱うための曲線属性を付加しましょう。

1 「範囲」コマンドを🖰。

2 選択範囲の始点として、右図の位置で🖰。

3 表示される選択範囲枠で建具を囲み、終点を🖰。

➡ 選択範囲枠に全体が入る要素が選択色になる。

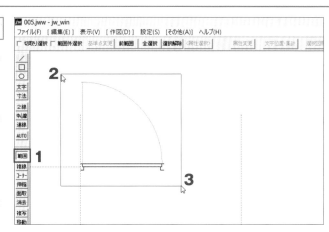

4 図形登録する建具が選択色になっていることを確認し、コントロールバー「属性変更」ボタンを🖰。

5 「曲線属性に変更」にチェックを付ける。

6 「OK」ボタンを🖰。

2～3で選択した要素をひとまとまりとする曲線属性が付加され、1要素として扱われるようになります。同様にして、作図したもう一方の建具も曲線属性を付加したうえで、上書き保存しましょう。

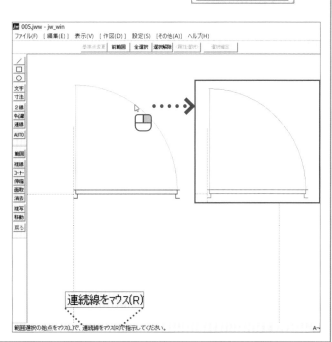

続けて、2つの建具を「図形01》練習」フォルダーにp.97に示した図形名と基準点位置で図形登録してください。

POINT 図形登録で登録対象を選択する際（p.91の2～3）、曲線属性を付加した建具は選択範囲枠で囲まずに、🖰することで選択できます。

連続線をマウス(R)

範囲選択の始点をマウス(L)で、連続線をマウス(R)で指示してください。

LESSON 5 部屋の平面図の作図

LESSON 6 文字の記入

「01」フォルダーに収録されている練習図面「006」(用紙A4、S＝1/30)を開き、文字の記入練習をします。文字は「文字」コマンドを選択し、記入する文字を入力した後、記入位置をクリックすることで記入します。ここでは、文字記入の手順や記入済みの文字の移動、書き換え、消去などの方法について学習します。

文字の種類は、文字サイズが固定された「文字種[1]」～「文字種[10]」の10種類と、サイズを自由に指定して記入できる「任意サイズ」があります。

文字のサイズを決める「幅」「高さ」「間隔」は、図面の縮尺にかかわらず、実際に印刷される幅・高さ・間隔(mm)で指定します。

図面の縮尺によって実際に印刷される大きさが変化する「実寸」に対し、文字のサイズ指定のような縮尺に左右されない寸法を、Jw_cadでは「図寸(または図面寸法)」と呼びます。

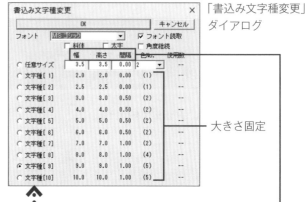

「書込み文字種変更」ダイアログ

大きさ固定

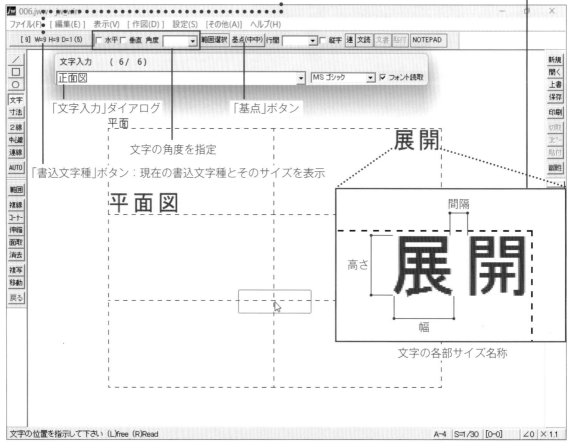

「文字入力」ダイアログ

「基点」ボタン

文字の角度を指定

「書込文字種」ボタン：現在の書込文字種とそのサイズを表示

文字の各部サイズ名称

間隔

高さ

幅

STEP 1 練習図面を開いて文字を記入する

◉「01」フォルダーから図面「006」を開き、文字「平面」を記入しましょう。

1 「開く」コマンドを選択し、図面「006」を開く。

2 「文字」コマンドを選択する。

➡ 「文字入力」ダイアログが表示され、「文字入力」ボックスで入力ポインタが点滅する。

3 「文字入力」ボックスに「平面」を入力する。

➡ 文字外形枠がマウスポインタに仮表示され、操作メッセージは「文字の位置を指示して下さい」になる。

4 文字の記入位置として、枠左上角を🖱。

➡ 🖱位置に文字「平面」が記入される。

文字の位置を指示して下さい (L)free (R)Read

STEP 2 文字のサイズを変えて記入する

◉これから記入する文字のサイズを、STEP 1で記入した文字より大きくしましょう。文字の大きさは、記入時の書込文字種で決まります。

1 「文字」コマンドのコントロールバー「書込文字種」ボタンを🖱。

➡ 「書込み文字種変更」ダイアログが開く。

2 「書込み文字種変更」ダイアログの「文字種［9］」を🖱で選択する。

➡ 「書込み文字種変更」ダイアログが閉じ、コントロールバー「書込文字種」ボタンの表記が「［9］ W＝9 H＝9 D＝1（5）」に変わる。

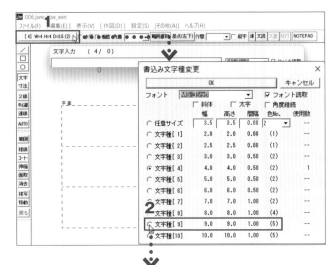

[9] W=9 H=9 D=1 (5)

◉罫線2段目に文字「平面図」を記入しましょう。

3 「文字入力」ボックスに「平面図」を入力する。

4 文字の記入位置として、2段目の罫線左端点を🖱。

➡ 🖱位置に文字の左下を合わせ、文字種9で「平面図」が記入される。文字種9の「色No.」は「5」に設定されているため、記入された文字は線色5の色で表示される。

> **POINT** 文字要素の移動、消去などの編集は、ここで記入した「平面図」の3文字を1要素として扱います。この文字要素を扱ううえでの最小単位を「文字列」と呼びます。

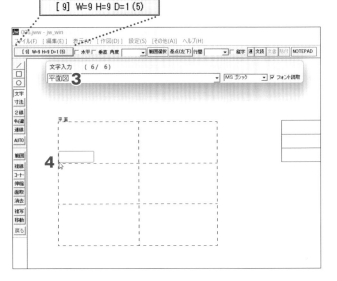

STEP 3　基点を右上に変更して 文字を記入する

●ここまでの文字は、🖱️した位置に文字の左下を合わせて記入されました。これは、文字の基点（基準の点）が左下に設定されていたためです。基点を右上に設定し、罫線枠の右上角に文字の右上を合わせて文字「展開」を記入しましょう。

1 コントロールバー「基点（左下）」ボタンを🖱️。

➡ 「文字基点設定」ダイアログが開く。

POINT 文字の基点として、下図の9カ所を指定できます。

2 「文字基点設定」ダイアログの文字基点「右上」を🖱️。

➡ 「文字基点設定」ダイアログが閉じ、コントロールバー「基点（左下）」ボタンが「基点（右上）」に変わる。マウスポインタに右上を合わせて文字外形枠が仮表示される。

3 「文字入力」ボックスに「展開」を入力する。

4 文字の記入位置として、罫線枠の右上角を🖱️。

➡ 🖱️位置に文字の右上を合わせて「展開」が記入される。

やってみよう

右図のように、中央の垂直線の交点に文字の中心を合わせ、文字「正面図」を記入しましょう。
文字の基点を「中中」に設定して記入します。

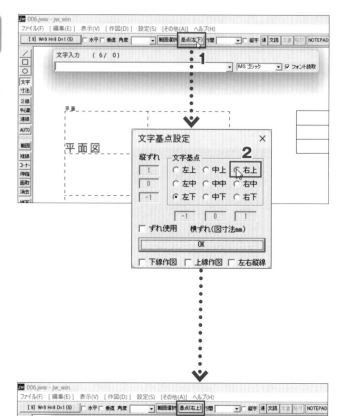

STEP 4　文字を移動する

◉文字「展開」の右下が、罫線枠の右下角に合うように移動しましょう。

1　「文字」コマンドで、移動する文字「展開」を🖱。

> **POINT** 操作メッセージの「移動・変更（L）、複写（R）」は、「文字入力」ボックスに文字を入力せずに既存の文字を🖱で移動・変更、🖱で複写になることを示します。

➡ 現在の基点（中中）をマウスポインタに合わせて文字外形枠が仮表示される。「文字入力」ダイアログのタイトルは「文字変更・移動」になり、入力ボックスには文字「展開」が色反転して表示される。

> **POINT** 移動先を指示すると、現在の文字基点を指示位置に合わせて移動されます。また、「文字変更・移動」ボックスの文字を変更することで文字が書き換えられます。

◉罫線枠の右下角に文字の右下が合うように移動するため、文字の基点を右下に変更しましょう。

2　コントロールバー「基点（中中）」ボタンを🖱。

3　「文字基点設定」ダイアログの文字基点「右下」を🖱で選択する。

➡ ダイアログが閉じ、基点（右下）をマウスポインタに合わせ、文字外形枠が仮表示される。

4　移動先として、罫線枠の右下角を🖱。

➡ 🖱位置に基点（右下）を合わせ、文字「展開」が移動される。

文字を入力するか、移動・変更(L)、複写(R)で文字を指示して下さい。

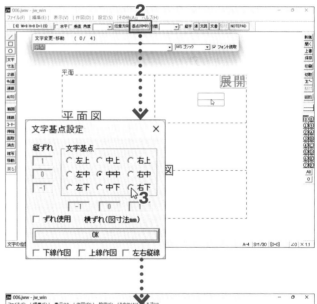

文字の位置を指示して下さい (L)free (R)Read

STEP 5 文字を書き換える

◉文字「正面図」を「正面」に書き換えましょう。

1 「文字」コマンドで、書き換える文字「正面図」を🖱。

> **POINT** 記入済みの文字の内容を書き換える場合も、移動と同様に書き換え対象の文字を🖱します。

➡ 「文字入力」ダイアログのタイトルが「文字変更・移動」になり、文字入力ボックスには「正面図」が色反転して表示される。また、マウスポインタには、現在の基点(右下)で文字外形枠が仮表示される。

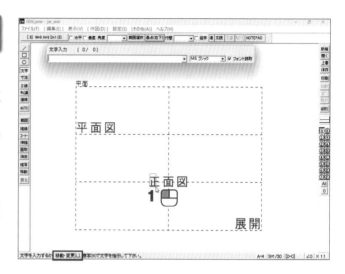

2 「文字変更・移動」ボックスの「正面図」の末尾を🖱し、入力ポインタを移動する。

3 Backspace キーを押し、文字「図」を消す。

➡ 「文字変更・移動」ボックスが「正面」になり、右図のように現在の基点(右下)を基準にした2文字分の文字外形枠が、変更対象の文字とマウスポインタの位置の2カ所に仮表示される。

◉文字の記入内容は、現在の文字基点を基準に変更されます。変更後の文字「正面」の中心位置がずれないよう、文字の基点を変更しましょう。

4 コントロールバー「基点(右下)」ボタンを🖱。

5 「文字基点設定」ダイアログで「中中」を🖱で選択する。

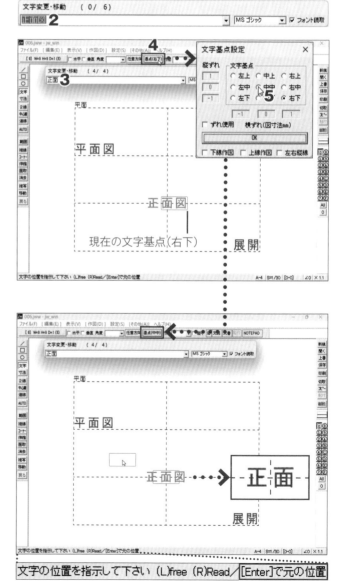

➡ ダイアログが閉じ、文字の基点が(中中)に変更される。操作メッセージは「文字の位置を指示して下さい (L)free (R)Read/[Enter]で元の位置」と表示される。

> **POINT** この段階で Enter キーを押すことで、文字の変更が確定します。また、図面上の別の位置を指示することで、文字内容の変更と移動が同時に行えます。

6 Enter キーを押し、文字変更を確定する。

➡ 文字「正面図」が、現在の基点(中中)を基準に「正面」に変更される。

文字の位置を指示して下さい (L)free (R)Read／[Enter]で元の位置

CHAPTER 1 基本操作を学ぶ

STEP 6　角度30°で文字を記入する

◉30°傾けて文字「側面」を記入しましょう。

1 コントロールバー「角度」ボックスに「30」
を入力する。

➡ 文字外形枠が30°傾いて仮表示される。

2 「文字入力」ボックスを🖯し、「側面」を
入力する。

3 文字の記入位置として、右図の交点を🖯。

➡ 🖯位置に文字の中心を合わせ、30°の角度で
文字「側面」が記入される。

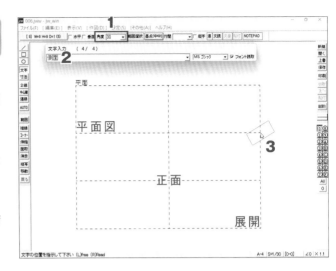

STEP 7　垂直に文字を記入する

◉垂直(90°)に文字「立面」を記入しましょう。

1 コントロールバー「垂直」にチェックを
付ける。

> **POINT** コントロールバー「垂直」にチェックを
> 付けることで、文字の角度が垂直に固定されま
> す。コントロールバー「水平」「垂直」のチェック
> は、「角度」ボックスの角度よりも優先されるた
> め、角度を変更する必要はありません。

2 「文字入力」ボックスに「立面」を入力する。

3 文字の記入位置として、右図の交点を🖯。

➡ 🖯位置に文字の中心を合わせ、垂直に文字
「立面」が記入される。

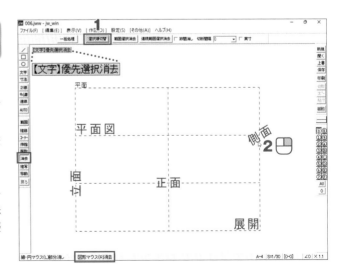

STEP 8　文字を消去する

◉文字「側面」を消しましょう。

1 「消去」コマンドを選択し、コントロール
バー「選択順切替」ボタンを🖯。

➡ 作図ウィンドウ左上に【文字】優先選択消去と表
示される。

> **POINT** 消去する文字付近の線を消さないよう
> に【文字】優先選択消去に設定します。コントロー
> ルバー「選択順切替」ボタンを🖯で、文字を優先
> 的に消す【文字】優先選択消去と、文字以外を優
> 先的に消す線等優先選択消去が切り替わります。

2 消去対象の文字「側面」を🖯。

➡ 文字「側面」が消える。

既存の文字の大きさ・フォントを変更する

●文字「平面図」「正面」を、15mm角のMS明朝、斜体に変更しましょう。

1 メニューバー［編集］-「属性変更」を選択する。

> **POINT** 既存の文字要素の大きさ・フォント変更は、「属性変更」コマンドで行います。

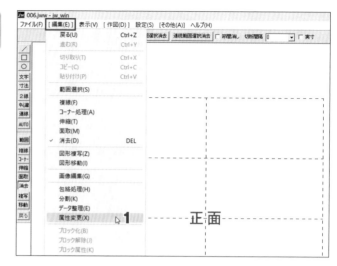

●変更後のフォントを指定しましょう。

2 コントロールバー「書込文字種」ボタンを🖲。

> ➡ 「書込み文字種変更」ダイアログが開く。

3 「書込み文字種変更」ダイアログで「フォント」ボックスの ▼ を🖲し、リストから「MS明朝」を🖲で選択する。

> **POINT** パソコンにセットされている日本語TrueTypeフォントがリスト表示され、選択できます。それ以外の欧文フォントなどは選択できません。

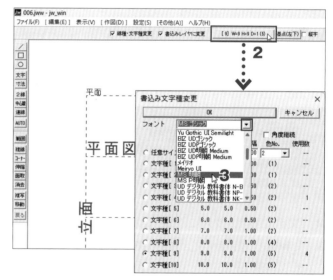

4 「斜体」を🖲し、チェックを付ける。

> **POINT** 「属性変更」コマンドでの文字種変更では、文字種とともに、文字フォント、斜体、太字指定も現在の指定に変更されます。

●変更後の文字種（文字サイズ）を指定しましょう。文字種[1]～[10]にないサイズは、「任意サイズ」を選択して指定します。

5 「任意サイズ」を🖲で選択する。

6 「任意サイズ」の「幅」「高さ」ボックスの数値を「15」に変更する。

> **POINT** 「間隔」は「0.00」、「色No.」（文字の画面上の表示色）は「2」のままとします。

7 「OK」ボタンを🖲。

> ➡ ダイアログが閉じ、「書込文字種」が**3**～**6**で指定したフォント、斜体、任意サイズになる。

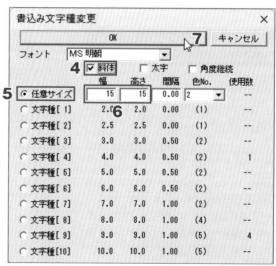

8 文字種・フォントを変更する文字「平面図」を🖐。

> **POINT** 「属性変更」コマンドでは、変更対象の線・円・弧・実点は🖐、文字は🖐で指示します。

➡ 作図ウィンドウ左上に 属性変更◆書込レイヤに 変更 と表示され、🖐した文字のサイズが任意サイズ（15mm角）に、フォントが「MS明朝」、斜体に変更される。

> ❓ 文字の大きさが変わらずに点線が実線に変わる →p.321 Q28

9 文字種・フォントを変更する文字「正面」を🖐。

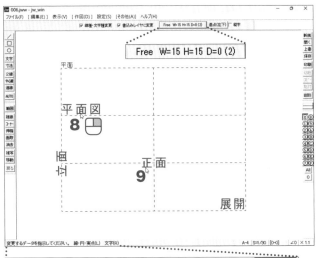

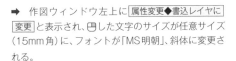

➡ 作図ウィンドウ左上に 属性変更◆書込レイヤに 変更 と表示され、🖐した文字のサイズが任意サイズ（15mm角）に、フォントが「MS明朝」、斜体に変更される。

> **POINT** コントロールバーの文字基点（右図は左下）を基準にして、文字の大きさ（文字種）が変更されます。左下を基準に大きくなったため、「（中中）」を基点として記入した文字「正面」の位置は右図のようにずれます。文字の中心位置を保って大きさを変更するには、変更前にコントロールバー「基点」ボタンを🖐し、「文字基点設定」ダイアログで基点を「（中中）」に指定しておきます。

自主作図課題 ④

文字の記入練習をした図面「006」の右に作図されている枠に、文字記入位置指示のための中心線を補助線で作図し、右図のように文字を記入して上書き保存しましょう。
文字は、フォントを「MSゴシック」とし、高さ7.5mm、幅7.5mm、間隔0.5mm、色No.2で記入してください。

参考：中心線→p.83

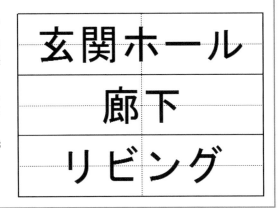

LESSON 7 ▶ 寸法の記入

自主作図課題①（→p.57）で作図した図面「002」を開き、下図のように寸法を記入しましょう。
「寸法」コマンドを選択し、寸法部の記入位置を指定した後、図面上の2点を指示することで、2点間の寸法を記入します。寸法部の引出線（寸法補助線）、寸法線は書込線の線色ではなく、寸法設定で指定された線色で記入されます。

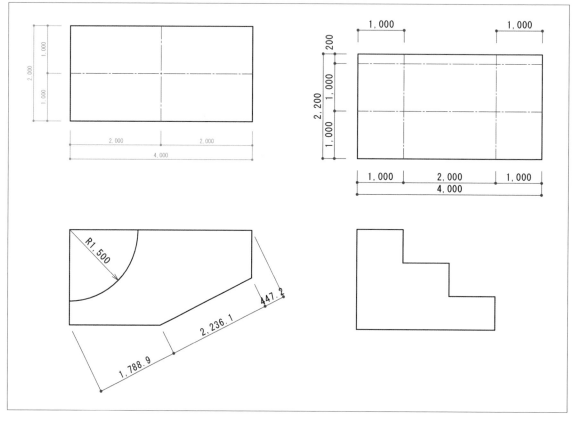

Jw_cadでの寸法部の各部名称

STEP
1

水平方向の寸法を記入する

●図面「002」を開き、左上の図形に寸法記入位置の目安となる補助線を作図しましょう。

1 「開く」コマンドを選択し、図面ファイル「002」を開く。

2 寸法を記入するスペースを考慮して、左上の図形を拡大表示する。

3 書込線を「線色2・補助線種」にする。

4 「複線」コマンドを選択し、右図の寸法で補助線を作図する。

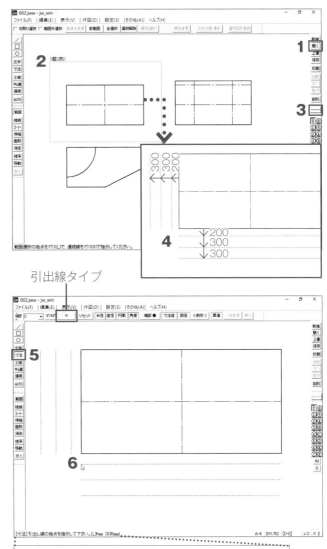

引出線タイプ

●下側に水平方向の寸法を記入しましょう。

5 「寸法」コマンドを選択し、コントロールバーの引出線タイプが「＝」であることを確認する。「＝」でない場合は、何度か🖱して「＝」にする。

> **POINT** 「＝」ボタンを🖱することで「＝(1)」⇒「＝(2)」⇒「－」に切り替わります。引出線タイプ「＝」では、最初に引出線（寸法補助線）の始点と、寸法線の作図位置を指示します。

➡ 操作メッセージは「[寸法]引出し線の始点を指示して下さい」と表示される。

6 引出線の始点として、右図の補助線の端点を🖱。

[寸法]引出し線の始点を指示して下さい。(L)free (R)Read

➡ 🖱位置に引出線のかき始めの位置（始点）を示す水平のガイドラインが赤い点線で表示される。操作メッセージは「寸法線の位置を指示して下さい」になる。

7 寸法線の記入位置として、**6** の下の補助線の端点を🖱。

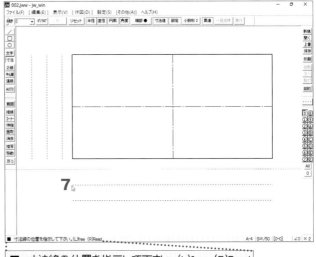

■ 寸法線の位置を指示して下さい。(L)free (R)Read

➡ 🖱位置に寸法線の記入位置を示す水平のガイドラインが赤い点線で表示され、操作メッセージは「寸法の始点を指示して下さい」になる。

> **POINT** 「寸法」コマンドでは、図面上の2点（測り始めの点と測り終わりの点）を指示することで、その間隔を寸法として記入します。寸法の始点・終点として点のない位置を指示することはできません。寸法の始点、終点指示は、🖱、🖱のいずれでも既存の点を読み取ります。

◉寸法を作図する2点を指示しましょう。

8 寸法の始点（測り始めの点）として、左下角を🖱。

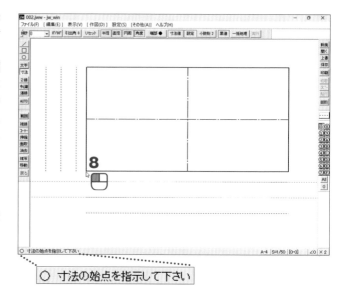

➡ 操作メッセージは「寸法の終点を指示して下さい」になる。

9 寸法の終点（測り終わりの点）として、中央の垂直線端点を🖱。

➡ **8**-**9**間の間隔 2,000 が作図ウィンドウ左上に表示され、2本のガイドライン間に引出線（寸法補助線）が、寸法線の記入位置のガイドライン上に**8**-**9**間の寸法線と寸法値が、それぞれ次図のように記入される。

❓ 記入される寸法線の色や寸法値の大きさが次図と違う→p.321 Q29

◉続けて右下角までの寸法を記入しましょう。

10 連続入力の終点として、右下角を🖱。

> **POINT** 寸法の始点と終点を指示した後の指示は、🖱と🖱では違う働きをします。直前に記入した寸法の終点から次に指示する点までの寸法を記入するには、次の点を🖱で指示します。

➡ 直前の終点**9**から🖱した**10**までの寸法が、次図のようにガイドライン上に記入される。

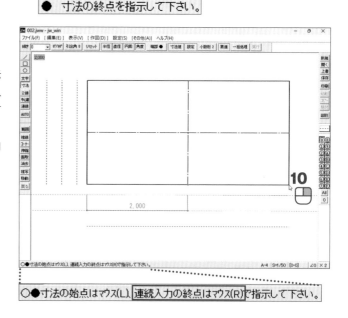

STEP 2　下側に2段目の寸法を記入する

●前項で記入した寸法の下側に、全体の寸法を記入しましょう。現在表示されているガイドラインとは異なる位置に寸法を記入するため、現在の寸法位置指定を解除しましょう。

1 コントロールバー「リセット」ボタンを🖱。

　➡ 赤い点線のガイドラインが消え、操作メッセージは「[寸法]引出し線の始点を指示して下さい」になる。

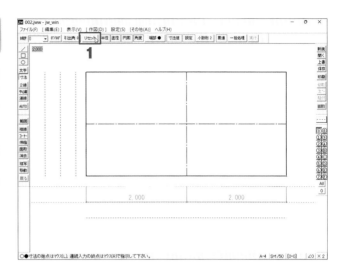

●引出線の始点の位置と寸法線の位置を指示しましょう。

2 引出線の始点位置として、前項で記入した寸法線の端点を🖱。

　➡ 🖱位置に引出線の始点位置を示す水平のガイドラインが表示され、操作メッセージは「寸法線の位置を指示して下さい」になる。

3 寸法線位置として、前項で記入した寸法線の下の補助線の端点を🖱。

　➡ 🖱位置に寸法線位置を示す水平のガイドラインが表示される。

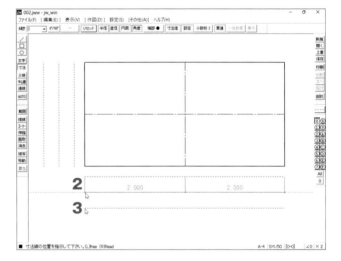

●寸法を記入する2点を指示しましょう。

4 寸法の始点として、左下角を🖱。

5 寸法の終点として、右下角を🖱。

　➡ 右図のように2段目の寸法が記入される。

6 コントロールバー「リセット」ボタンを🖱し、現在の寸法位置指定を解除する。

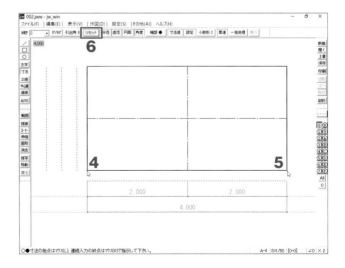

STEP 3　垂直方向の寸法を記入する

◉左側に垂直方向の寸法を記入しましょう。

1 コントロールバー「0°/90°」ボタンを🖰し、「傾き」ボックスを「90」にする。

> **POINT** コントロールバー「傾き」ボックスに寸法の記入角度「90°」を指定することで、垂直方向に寸法を記入できます。「傾き」ボックスの角度は、「0°/90°」ボタンを🖰することで、0° ⇔90°に切り替えできます。

2 引出線の始点位置として、右図の補助線の端点を🖰。

➡ 🖰位置に引出線の始点位置を示す垂直のガイドラインが表示される。

3 寸法線の位置として、**2**の左側の補助線の端点を🖰。

➡ 🖰位置に寸法線位置を示す垂直のガイドラインが表示される。

4 寸法の始点として、左下角を🖰。

5 寸法の終点として、中央の水平線端点を🖰。

6 寸法の連続終点として、左上角を🖰。

7 コントロールバー「リセット」ボタンを🖰し、現在の寸法位置指定を解除する。

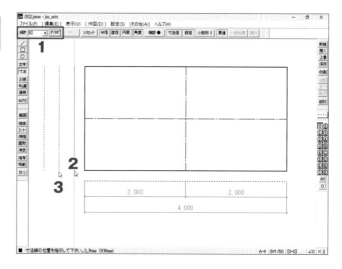

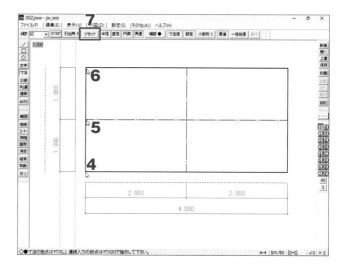

やってみよう

右図のように左側の2段目の寸法を記入しましょう。
操作手順は、前ページのSTEP 2を参考にしてください。

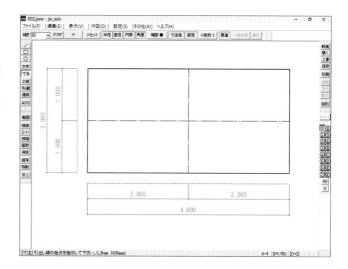

STEP 4 寸法の設定を変更する

●寸法線、引出線、実点の線色や寸法値の文字サイズ(文字種)は、「寸法設定」ダイアログで指定します。寸法部の寸法線、引出線、実点の色を線色6に、寸法値の文字を文字種[4]に指定しましょう。

1 コントロールバー「設定」ボタンを🖰。
   → 「寸法設定」ダイアログが開く。

2 「文字種類」ボックスを🖰し、既存の数値を削除して「4」を入力する。

3 同様に「寸法線色」「引出線色」「矢印・点色」ボックスを「6」に変更する。

4 「小数点以下」欄の「表示桁数」は「1桁」を選択する。

5 「引出線位置・寸法線位置 指定[=(1)][=(2)]」の数値ボックスの数値が、右図と同じであることを確認する。

6 「指示点からの引出線位置 指定[−]」の数値ボックスの数値が、「3」であることを確認する。

7 「寸法線と値を【寸法図形】にする…」にチェックを付ける。

8 「OK」ボタンを🖰。

> **POINT** 「OK」ボタンは、2つあるうちのどちらを🖰しても同じです。設定した内容は、これから記入する寸法に適用されます。記入済みの寸法には反映されません。

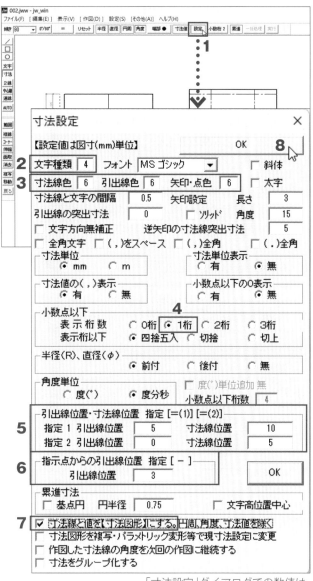

「寸法設定」ダイアログでの数値は
文字サイズ同様、図寸(mm)で指定

LESSON 7 寸法の記入

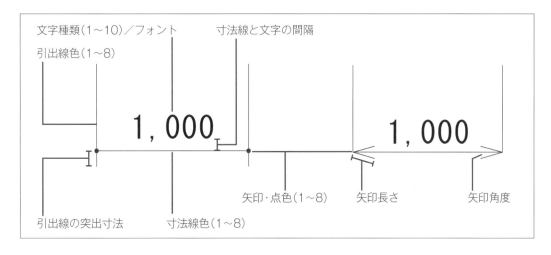

STEP 5 引出線タイプ「＝（1）」で下側1段目の寸法を記入する

◉用紙右上の図形の下側に、引出線タイプを「＝（1）」にして寸法を記入しましょう。

1 コントロールバー「傾き」ボックスを「0」にし、引出線タイプ「＝」ボタンを🖱して「＝（1）」に切り替える。

➡ 操作メッセージは「基準点を指示して下さい」になる。

> **POINT** 引出線タイプ「＝（1）」は基準点を指示することで、「寸法設定」ダイアログで指定した位置に引出線始点のガイドラインと寸法線位置のガイドラインを表示します。

2 基準点として、右下角を🖱。

➡ 🖱した点（基準点）から図寸5mm下に引出線始点のガイドライン、🖱した点（基準点）から図寸10mm下に寸法線位置のガイドラインが表示され、マウスポインタを動かすことで確定する。

> **POINT** 引出線タイプ「＝（1）」の基準点から引出線始点、寸法線位置までの間隔は、「寸法設定」ダイアログ「指定1」の数値入力ボックスに図寸で指定します。

引出線位置・寸法線位置　指定 [＝(1)] [＝(2)]			
指定1 引出線位置	5	寸法線位置	10
指定2 引出線位置	0	寸法線位置	5

3 寸法の始点として、左下角を🖱。

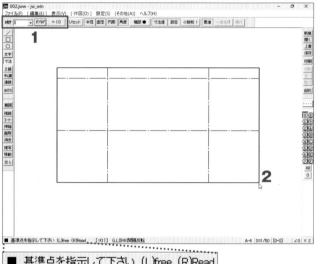

■ 基準点を指示して下さい (L)free (R)Read

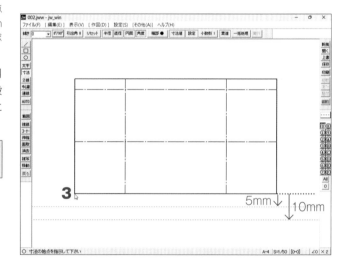

4 寸法の終点として、次の垂直線の端点を🖱。

➡ ガイドライン上に「寸法設定」ダイアログで設定した文字種4の寸法値と線色6の引出線、寸法線が記入される。

5 連続終点として、右隣の垂直線の端点を🖱。

6 連続終点として、右下角を🖱。

7 コントロールバー「リセット」ボタンを🖱し、寸法位置指定を解除する。

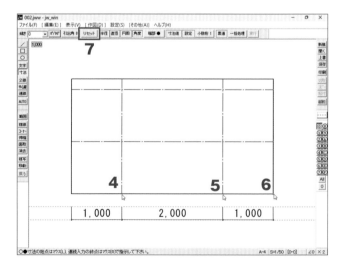

STEP 6 引出線タイプ「＝（2）」で 下側2段目の寸法を記入する

●引出線タイプ「＝（2）」を使い、さらに5mm下に全体の寸法を記入しましょう。

1 コントロールバー引出線タイプ「＝（1）」ボタンを🖑し、「＝（2）」に切り替える。

　➡ 操作メッセージは「基準点を指示して下さい」になる。

2 基準点として、前項で記入した寸法線の端点を🖑。

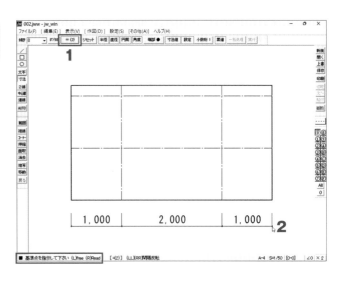

　➡ 🖑した基準点（図寸0mm）に引出線始点のガイドライン、基準点から図寸5mm下に寸法線位置のガイドラインが表示され、マウスポインタを動かすことで確定する。

　POINT 引出線タイプ「＝（2）」の基準点から引出線始点、寸法線位置までの間隔は、「寸法設定」ダイアログ「指定2」の数値入力ボックスに図寸で指定します。

引出線位置・寸法線位置 指定 [=(1)] [=(2)]			
指定 1 引出線位置	5	寸法線位置	10
指定 2 引出線位置	0	寸法線位置	5

3 寸法の始点として、左下角を🖑。

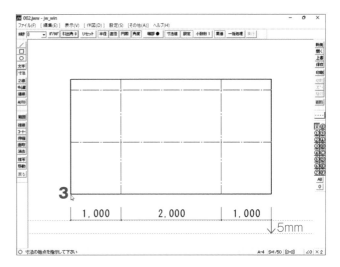

4 寸法の終点として、右下角を🖑。

　POINT 始点、終点として1段目の寸法線の左右の端点を🖑しても同じ結果になります。

5 コントロールバー「リセット」ボタンを🖑し、寸法位置指定を解除する。

●ここまでを上書き保存しましょう。

6 「上書」コマンドを選択する。

　POINT p.113で行った寸法の設定内容も、図面とともに保存されます。

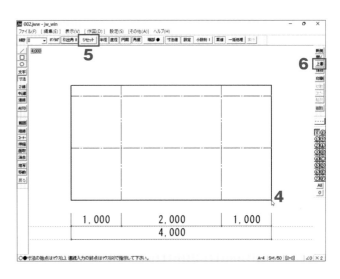

STEP 7 両端2カ所の寸法を上側に記入する

◉両端2カ所の寸法を上側に引出線タイプ「＝(1)」で記入しましょう。

1 コントロールバー引出線タイプ「＝(2)」ボタンを🖰し、「＝(1)」に切り替える。

> **POINT** 引出線タイプボタンを🖰で逆回りに切り替わります。

2 基準点として、右上角を🖰🖰(間隔反転)。

> **POINT** 「傾き」ボックスが「0」の場合、「＝(1)」「＝(2)」の寸法位置を示すガイドラインは、基準点を🖰することで下側に表示されます。ガイドラインを上側に表示するには、基準点を🖰🖰(間隔反転)します。

➡ 🖰🖰した基準点から図寸5mm上に引出線始点のガイドラインが、基準点から図寸10mm上に寸法線位置のガイドラインが、それぞれ表示される。

❓ ガイドラインが下側に表示される→p.321 Q30

3 始点として、左上角を🖰。

4 終点として、次の垂直線の端点を🖰。

➡ **3**−**4**の寸法が記入され、操作メッセージは「寸法の始点はマウス(L)、連続入力の終点はマウス(R)で指示して下さい」になる。

5 寸法の始点として、次の垂直線の端点を🖰(始点指示)。

> **POINT** 寸法の終点を指示した後、次の点を🖰で指示すると、🖰した点を始点とし、次に🖰する終点までの寸法を記入します。

6 終点として、右上角を🖰。

➡ 右図のようにガイドライン上に**5**−**6**間の寸法が記入される(**4**−**5**間の寸法は記入されない)。

7 コントロールバー「リセット」ボタンを🖰し、寸法位置指定を解除する。

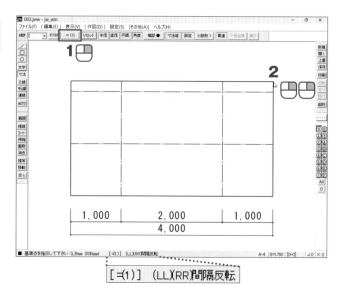

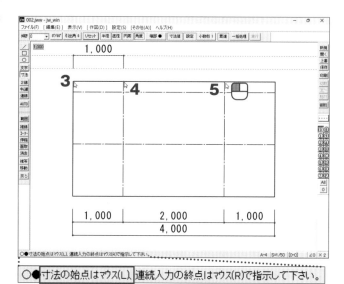

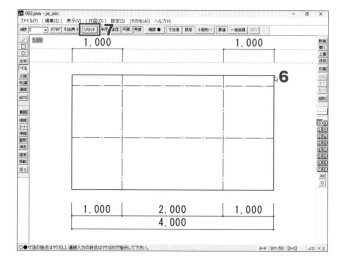

STEP 8 左側に寸法を記入する

◉左側1段目の寸法を引出線タイプ「＝(1)」で記入しましょう。

1 コントロールバー引出線タイプを「＝(1)」に、「傾き」ボックスを「90°」にする。

> **POINT** 「傾き」ボックスが「90」の場合、「＝(1)」「＝(2)」のガイドラインは、基準点を🖱することで右側に表示されます。ガイドラインを左側に表示するには、基準点を🖱🖱（間隔反転）します。

2 基準点として、左下角を🖱🖱（間隔反転）。

> ➡ 🖱🖱した基準点から図寸5mm左に引出線始点のガイドラインが、基準点から図寸10mm左に寸法線位置のガイドラインが、それぞれ表示される。
>
> ❓ ガイドラインが右側に表示される→p.321 Q30

3 始点として、左下角を🖱。

4 終点として、次の水平線の端点を🖱。

5 連続終点として、その次の水平線の端点を🖱。

6 連続終点として、左上角を🖱。

7 コントロールバー「リセット」ボタンを🖱し、寸法位置指定を解除する。

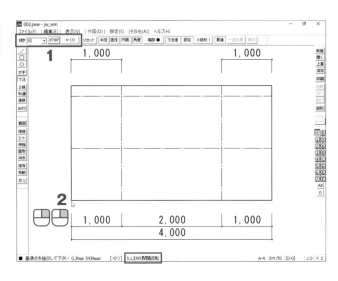

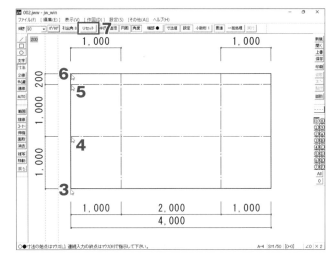

やってみよう

引出線タイプを「＝(2)」に切り替え、左の寸法の外側に全体の寸法を右図のように記入しましょう。

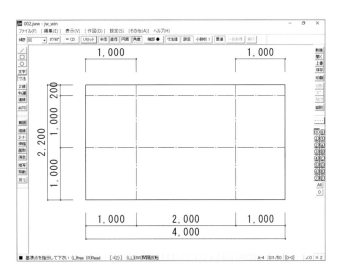

STEP 9 寸法値を移動する

◉左側1段目の寸法値「200」は、引出線と重なり見づらいため、寸法値「200」を1段目の寸法線の延長上(外側)に移動して見やすくしましょう。

1 「寸法」コマンドのコントロールバー「寸法値」ボタンを🖱。

> **POINT** 「寸法値」は、2点の寸法値の記入や寸法値の移動、変更を行います。記入済み寸法値を🖱することで寸法値の移動になります。

2 移動対象の寸法値「200」(またはその寸法線)を🖱。

➡ マウスポインタに中下を合わせ、寸法値の外形枠が仮表示される。

3 コントロールバー「任意方向」ボタンを🖱。

➡ 「−横−方向」ボタンになり、外形枠の移動方向が寸法値に対しての横方向に固定される。

> **POINT** **3**のボタンは、寸法値の移動方向を指定します。🖱するごとに「−横−方向」(横方向に固定)⇒「｜縦｜方向」(縦方向に固定)⇒「＋横縦方向」(横または縦方向に固定)⇒「任意方向」(固定なし)に切り替わります。ここでの横方向、縦方向は、画面に対する横と縦ではなく、寸法値に対しての横と縦です。

4 移動先として、寸法線の外側で🖱。

➡ 1段目の寸法線の延長上の**4**の位置に寸法値「200」が移動される。

5 コントロールバー「リセット」ボタンを🖱。

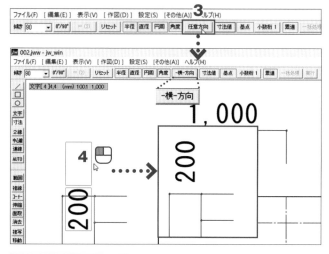

STEP 10 引出線タイプ「−」で、斜線と平行に寸法を記入する

◉引出線タイプを「−」にし、用紙左下の図の斜線と平行に寸法を記入しましょう。そのためにまず、コントロールバー「傾き」ボックスに斜線の角度を取得します。

1 メニューバー[設定]−「角度取得」−「線角度」を選択する。

> **POINT** メニューバー[設定]−「角度取得」−「線角度」で既存線を🖱することで、その線の角度を選択コマンドの角度入力ボックスに取得します。この機能は、「寸法」コマンドに限らず、角度入力ボックスが表示されるコマンドで共通して利用できます。

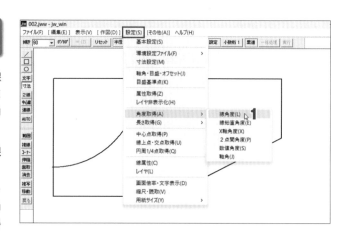

➡ 作図ウィンドウ左上に 線角度 と表示され、操作メッセージは「基準線を指示してください」になる。

2 角度取得の基準線として、斜線を🖱。

➡ コントロールバー「傾き」ボックスに、🖱した斜線の角度が取得される。

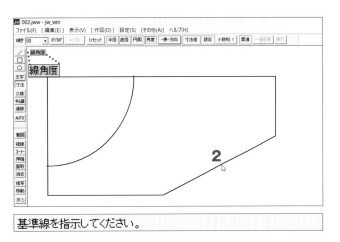

基準線を指示してください。

3 「寸法」コマンドのコントロールバー引出線タイプ「＝（2）」ボタンを🖱し、「－」に切り替える。

➡ 操作メッセージが「寸法線の位置を指示して下さい」になる。

4 寸法線の作図位置として、右図の位置で🖱。

➡ 斜線に平行に寸法線位置のガイドラインが表示される。

5 寸法の始点として、左下角を🖱。

6 寸法の終点として、右隣の角を🖱。

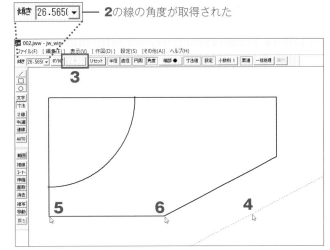

傾き 26.565(▼) ── **2**の線の角度が取得された

➡ 斜線に平行なガイドライン上に **5**－**6** の寸法が記入される。

7 連続終点として、その次の角を🖱。

➡ ガイドライン上に **6**－**7** の寸法が記入される。

8 連続終点として、右上角を🖱。

➡ ガイドライン上に **7**－**8** の寸法が記入される。

POINT 引出線タイプ「－」では、寸法の始点・終点指示位置から、「寸法設定」ダイアログの「引出線位置」ボックスで指定した間隔（図寸）を空けて引出線を記入します。

─指示点からの引出線位置　指定 [－]─
　　引出線位置　　　　3

9 コントロールバー「リセット」ボタンを🖱し、寸法位置の指定を解除する。

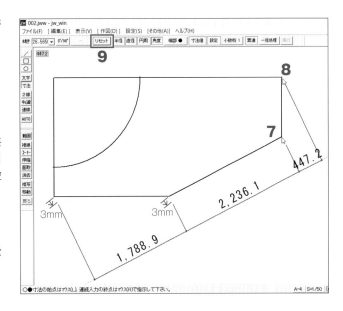

STEP 11　半径寸法を記入する

●円弧の半径寸法を記入しましょう。

1 コントロールバー「半径」ボタンを🖰。

2 コントロールバー「端部●」ボタンを🖰し、「端部ー>」にする。

> **POINT** **1**でコントロールバー「直径」ボタンを🖰すると直径寸法の記入になります。**2**の「端部ー>」では、寸法線端部に矢印を作図します。

3 コントロールバー「傾き」ボックスに半径寸法の記入角度として「−45」を入力する。

4 半径寸法を記入する円弧を🖰。

➡ **4**の円弧の半径寸法が、右図のように−45°の角度で記入される。

> **POINT** 半径寸法の寸法値は、**4**で円弧を🖰すると円弧の内側に、🖰すると円弧の外側に記入されます。半径寸法値の「R」は、「寸法設定」ダイアログで「前付」「後付」「無」の指定ができます。

5 上書き保存する。

🖊 やってみよう

p.56を参考に、印刷線幅を、線色1：0.18mm、線色2：0.3mm、線色6：0.2mmに設定し、印刷してみましょう。

❓ 寸法端部の点が印刷されない→p.322 Q31

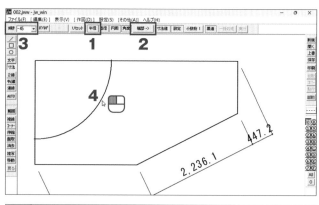

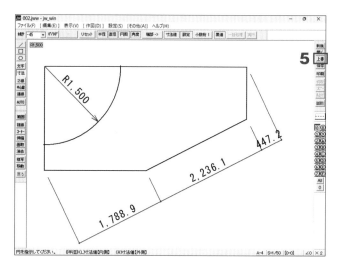

✏ 自主作図課題 ⑤

LESSON 5で作図した平面図「004」を開き、引出線タイプ「=(1)」「=(2)」を利用し、右図のように寸法を記入して印刷しましょう。

「寸法設定」ダイアログでの設定内容は、図面ファイルごとに保存されます。平面図「004」を開き、寸法を記入する前に「寸法設定」ダイアログをp.113 STEP 4と同じ設定にしましょう。

また、印刷線幅の設定も図面ファイルごとに保存されています。印刷前に確認・変更してから上書き保存してください。

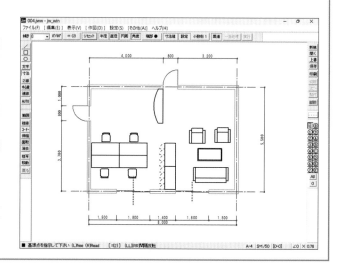

寸法図形の特性

「寸法設定」ダイアログ（→ p.113）の設定で、「寸法線と値を【寸法図形】にする…」にチェックを付けて記入した寸法の寸法線と寸法値は、ひとまとまりになっています。これを「寸法図形」と呼びます。ここでは練習図面「007PL」を開いて、寸法図形の特性を確認しましょう。

1 寸法図形の特性を確認する

●寸法図形の特性を確認するため、図の寸法線を消去しましょう。

1 「消去」コマンドを選択する。

2 右図の寸法線を🖱。

　→ 🖱した寸法線とともに、その寸法値も消去される。

> **POINT** 寸法図形は寸法線と寸法値が1セットになっているため、「消去」コマンドで寸法線（または寸法値）を🖱すると、その寸法値（または寸法線）も消去されます。

3 「戻る」コマンドを選択し、消去前に戻す。

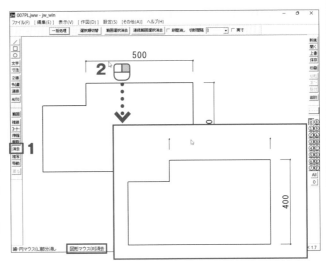

●水平方向の寸法線を、図形の左辺まで伸ばしてみましょう。

4 「伸縮」コマンドを選択し、伸縮対象として上の「500」の寸法線を🖱。

5 伸縮点として、左角を🖱。

　→ **4**で🖱した寸法線が**5**の位置まで伸びるとともに、寸法値が伸長後の寸法線の実寸法である「700」に自動変更され、伸長後の寸法線の中央に移動する。

> **POINT** 寸法図形の寸法値は、常に寸法線の実寸法を表示します。そのため、寸法線を伸縮すると、その寸法値も自動的に変更されます。

6 「戻る」コマンドを選択し、伸長前に戻す。

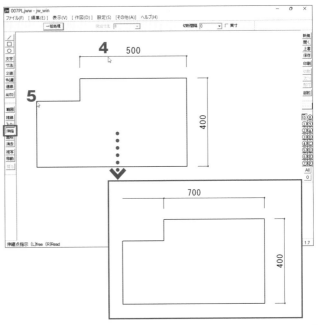

POINT LESSON

2 寸法値「500」を書き換える

●寸法図形の寸法値は、「文字」コマンドでの変更や移動は行えません。寸法線の長さを変更せずに寸法値のみを変更する場合、「寸法」コマンドの「寸法値」で行います。寸法値「500」を「W＝500」に書き換えましょう。

1 「寸法」コマンドを選択し、コントロールバー「寸法値」ボタンを🖱。

2 変更対象の寸法値「500」（またはその寸法線）を🖱🖱。

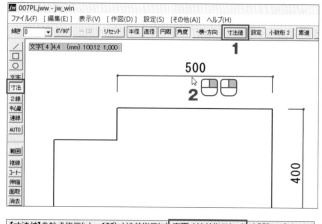

【寸法値】の始点指示(L)　移動寸法値指示(R)　変更寸法値指示(RR)　2点間[Shift]+(RR)

➡ 「寸法値を変更してください」ダイアログが開く。

3 「数値入力」ボックスの「500」の先頭を🖱し、入力ポインタを移動する。

4 キーボードから「W＝」を入力し、「W＝500」に変更する。

5 「寸法図形を解除する」にチェックを付ける。

> **POINT** 「寸法図形を解除する」は、変更する寸法値が寸法図形でない場合はグレーアウトされ、チェックを付けられません。また、「寸法設定内容に変更」にチェックを付けた場合、変更後の寸法値には現在の「寸法設定」ダイアログの設定内容（文字種、線色、桁区切りのカンマの有/無など）が適用されます。

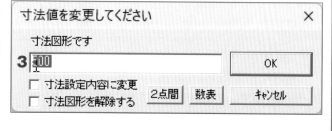

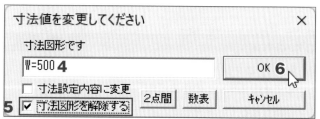

6 「OK」ボタンを🖱。

➡ 作図ウィンドウ左上に W＝500 寸法図形 解除 と表示され、寸法値「500」が「W＝500」に変更される。

> **POINT** 変更後は、寸法図形は解除され、寸法値「W＝500」（文字要素）と寸法線（線要素）に分解されます。

7 コントロールバー「リセット」ボタンを🖱し、「寸法値」を終了する。

練習図面「007PL」は、上書き保存せずに終了してかまいません。

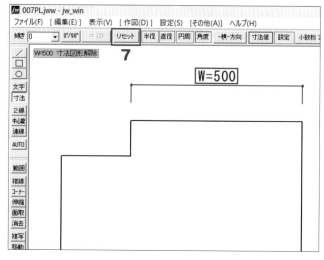

CHAPTER 2
RC造1F・2F平面図を作図する

LESSON 1 ▶ レイヤの操作練習

Jw_cadでは、基準線や柱・壁など図面の各部分を複数の透明なシートにかき分け、それらのシートを重ね合わせて1枚の図面にすることができます。この透明なシートに該当するものを「レイヤ」と呼びます。

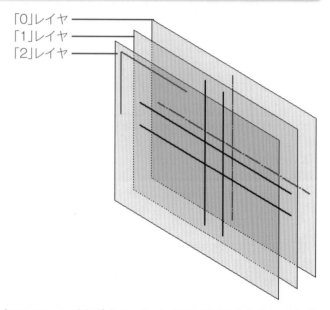

「0」レイヤ
「1」レイヤ
「2」レイヤ

Jw_cadには、画面右下のレイヤバーに表示されている、レイヤ番号0〜9、A〜Fまでの16枚のレイヤが用意されています。CHAPTER 2では、これらのレイヤを使い分けて平面図を作図します。各レイヤは、作図ウィンドウでの表示・非表示の指示が可能です。非表示のレイヤに作図されている要素は印刷されないうえ、消去などの編集操作もできません。このようなレイヤ機能を利用することで、より確実で効率のよい作図が可能になります。LESSON 1では、レイヤを使い分けて作図するために必要な操作を学習します。

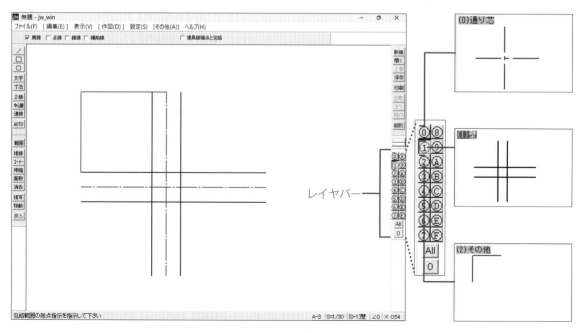

レイヤバー

(0)通り芯

(1)壁

(2)その他

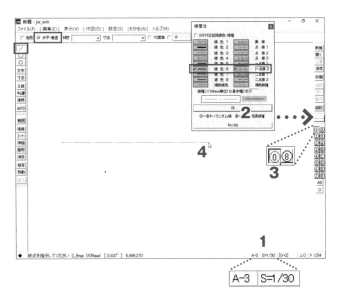

STEP 1 「0」レイヤに線色6の一点鎖線を作図する

●用紙サイズをA3、縮尺を1/30に設定し、「0」レイヤに線色6・一点鎖2で水平線と垂直線を作図しましょう。

1 用紙サイズA3、縮尺1/30に設定する。

2 書込線を「線色6・一点鎖2」にする。

3 レイヤバーの「0」レイヤボタンが凹状態であることを確認する。

> **POINT** レイヤバーで凹状態のレイヤを「書込レイヤ」と呼びます。線・円・弧・点・文字などの要素は、書込レイヤに作図されます。

4 「／」コマンドで、右図のように水平線を作図する。

> ➡ 書込線の線色6・一点鎖2で水平線が作図される。レイヤバーで凹状態になっている書込レイヤ「0」レイヤボタンの上部左半分に赤いバーが表示される。

> **POINT** レイヤボタンの上部左半分に表示される赤いバーは、そのレイヤに線・円・弧・点などの要素が存在することを示しています。文字要素が存在する場合は、上部右半分に赤いバーが表示されます。

5 右図のように、水平線と交差する垂直線を作図する。

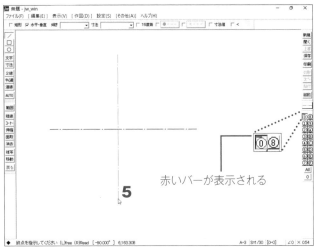

赤いバーが表示される

STEP 2 「1」レイヤに線色2の実線を作図する

●書込レイヤ（これから作図するレイヤ）を「1」レイヤにしましょう。

1 レイヤバーの「1」レイヤボタンを凸。

> ➡ 「1」レイヤが書込レイヤ（凹状態）になる。「0」レイヤボタンは凹状態でなくなる。

> **POINT** 書込レイヤを指定（変更）するには、レイヤバーのレイヤ番号ボタンを凸します。誤って凸したり、他の番号を凸したりした場合は、「戻る」コマンドを選択せずに、再度書込レイヤにするレイヤ番号ボタンを凸してください。

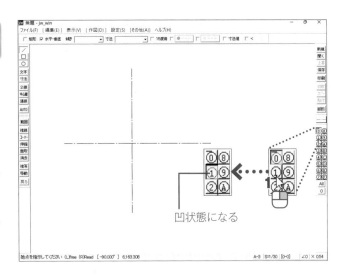

凹状態になる

LESSON 1 レイヤの操作練習

●水平線の両側に間隔500mmで線色2・実線
の線を作図しましょう。

2 書込線を「線色2・実線」にする。

3 「複線」コマンドを選択する。

4 一点鎖線の水平線から500mm上に複線
を作図する。

→ 現在の書込レイヤ「1」レイヤボタンの上部左半分
に、要素の存在を示す赤いバーが表示される。

5 一点鎖線の水平線から500mm下に複線
を作図する。

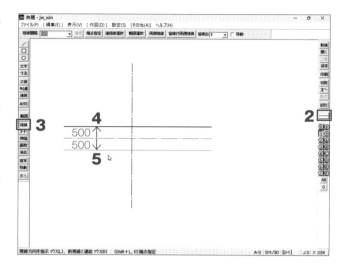

STEP 3 「2」レイヤに線色5の実線を作図する

●「2」レイヤを書込レイヤにしましょう。

1 レイヤバーの「2」レイヤボタンを🖰。

→ 「2」レイヤが書込レイヤ(凹状態)になる。

●線色5・実線で垂直線を作図しましょう。

2 書込線を「線色5・実線」にする。

3 「／」コマンドを選択し、右図のように水
平線の左端点から垂直線を作図する。

→ 現在の書込レイヤ「2」レイヤボタン上部左半分に
要素の存在を示す赤いバーが表示される。

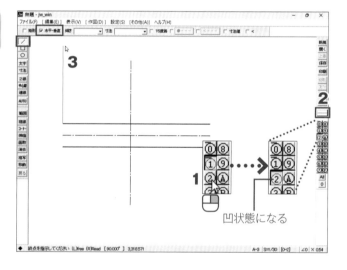

凹状態になる

STEP 4 「0」レイヤの状態を変更する

●「0」レイヤを「非表示」にしましょう。

1 レイヤバーの「0」レイヤボタンを🖰。

POINT 書込レイヤ以外のレイヤボタンを🖰す
ることで、そのレイヤの状態を「非表示」⇒「表
示のみ」⇒「編集可能」に変更できます。

→ 「0」レイヤボタンのレイヤ番号「0」が消える。作図
ウィンドウにマウスポインタを移動すると、「0」レイ
ヤに作図された線が作図ウィンドウから消える。

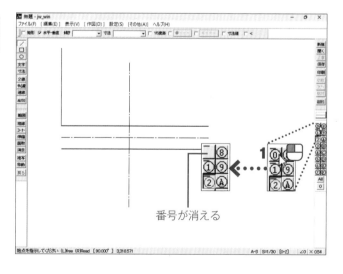

番号が消える

POINT レイヤボタンの番号が表示されていないレイヤの状態を「非表示」と呼びます。そのレイヤに作図されている要素は作図ウィンドウに表示されず、印刷や消去・伸縮などの編集操作の対象にもなりません。

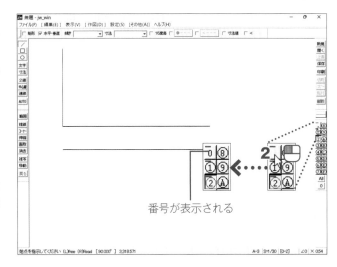

番号が表示される

◉「0」レイヤを「表示のみ」にしましょう。

2 レイヤバーの「0」レイヤボタンを🖱。

➡ 「0」レイヤのボタンにはレイヤ番号「0」（○なし）が表示される。作図ウィンドウにマウスポインタを移動すると、「0」レイヤに作図されている要素（一点鎖線の線）が作図ウィンドウにグレー表示される。

POINT レイヤボタンの番号に○が付いていないレイヤの状態を「表示のみ」と呼びます。表示のみレイヤに作図されている要素は作図ウィンドウでグレー表示され、消去・伸縮などの編集操作の対象になりません。

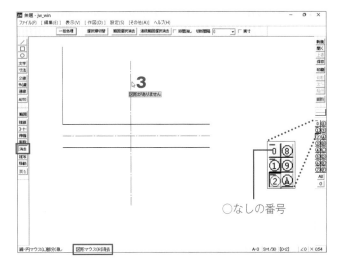

○なしの番号

◉確認のため、表示のみレイヤ「0」に作図されているグレー表示の垂直線を消去指示しましょう。

3 「消去」コマンドを選択し、グレー表示の垂直線を🖱。

➡ 図形がありません と表示され、消去されない。

◉表示のみレイヤ「0」に作図されている垂直線の上端点を始点とした水平線を作図しましょう。

4 「／」コマンドを選択し、始点として、グレー表示の垂直線の上端点を🖱。

POINT 表示のみレイヤに作図されている要素を編集することはできませんが、その点を読み取ることはできます。

➡ 4の端点を始点とした線がマウスポインタまで仮表示される。

❓ 点がありません と表示される→p.322 Q32

5 終点として、右図の位置で🖱。

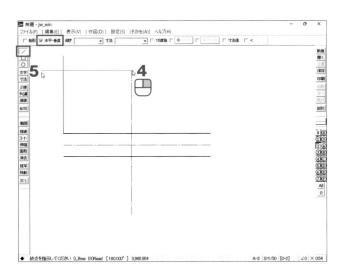

● 表示のみレイヤ「0」に作図されている垂直線から500mm右に、複線を作図しましょう。

6 「複線」コマンドを選択し、「複線間隔」ボックスの数値「500」を確認する。

7 複線の基準線として、グレー表示の垂直線を🖰。

> **POINT** 表示のみレイヤに作図されている要素を編集することはできませんが、その要素を「複線」「伸縮」コマンドなどの基準線として指示することはできます。

➡ **7**の線から500mm離れたマウスポインタ側に複線が仮表示される。

❓ 図形がありません と表示される→p.322 Q32

8 垂直線の右側で作図方向を決める🖰。

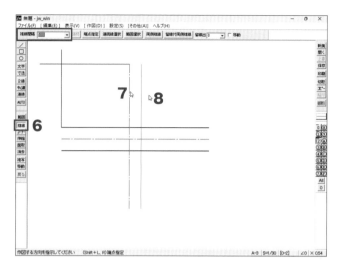

● 「0」レイヤに作図されている一点鎖線の垂直線を消去しましょう。

> **POINT** 表示のみレイヤの要素は、消去などの編集操作の対象になりません。「0」レイヤを「編集可能」にしたうえで、消去指示をします。

9 レイヤバーの「0」レイヤボタンを🖰。

➡ レイヤ番号「0」が○付きになり、作図ウィンドウにマウスポインタを移動すると、「0」レイヤの線が作図した線色6（青）で表示される。

10 「消去」コマンドを選択し、「0」レイヤの垂直線を🖰。

番号に○が付く

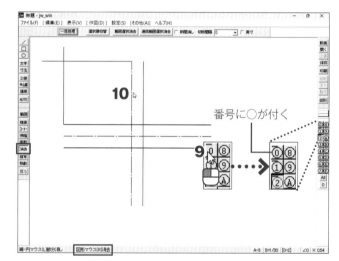

➡ 🖰した線が消去される。

> **POINT** レイヤボタンの番号に○が付いているレイヤの状態を「編集可能」と呼びます。編集可能レイヤに作図されている要素は、書込レイヤの要素と同様に、消去・伸縮などのすべての編集操作の対象になります。

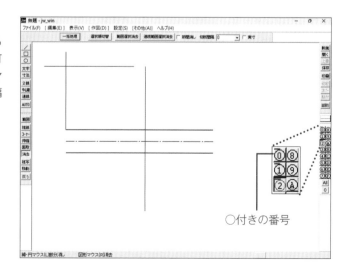

○付きの番号

STEP 5 レイヤ一覧ウィンドウと その操作

●各レイヤに作図されている要素を確認するためのレイヤ一覧ウィンドウを開きましょう。

1 レイヤバーで書込レイヤ「2」レイヤボタンを🖰。

➡ レイヤ一覧ウィンドウが開く。

POINT レイヤバーの書込レイヤボタンを🖰することで、各レイヤに作図されている要素を一覧表示するレイヤ一覧ウィンドウが開きます。レイヤ一覧ウィンドウで、濃いグレーのレイヤ番号が書込レイヤです。

書込レイヤ

●「1」レイヤを書込レイヤにしましょう。

2 「1」レイヤの枠内で🖰。

➡ 左上のレイヤ番号（1）が書込レイヤを表す濃いグレー表示になり、それに連動してレイヤバーの「1」レイヤボタンも書込レイヤを示す凹状態になる。

POINT レイヤ一覧ウィンドウでも、レイヤバーと同様の操作でレイヤ状態の変更が行えます（レイヤ枠内で🖰：書込レイヤに変更／🖰：非表示⇒表示のみ⇒編集可能に変更）。レイヤ一覧ウィンドウが開いているときは、レイヤバーでのレイヤ操作はできません。

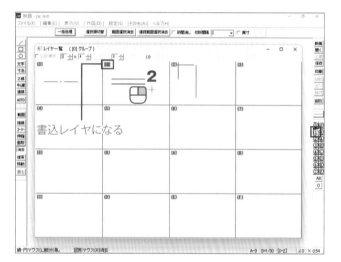

書込レイヤになる

●「0」レイヤを非表示レイヤにしましょう。

3 「0」レイヤの枠内で🖰。

➡ 左上のレイヤ番号（0）表示が消え、非表示レイヤになる。それに連動して、レイヤバーの「0」レイヤボタンも非表示レイヤを示す番号なしの状態になる。

POINT 3の操作で「0」レイヤ左上のレイヤ番号（0）を🖰しないでください。番号を🖰すると「レイヤ名の設定」操作になります。また、誤って「0」レイヤを🖰して書込レイヤにした場合は、「1」レイヤを🖰して書込レイヤにした後、「0」レイヤを🖰して非表示レイヤにしてください。

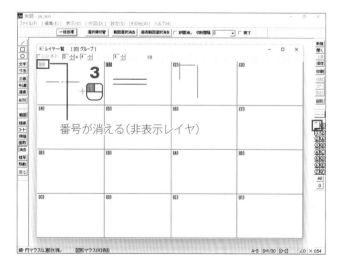

番号が消える（非表示レイヤ）

LESSON 1 レイヤの操作練習

●「0」レイヤを表示のみレイヤにしましょう。

4 「0」レイヤの枠内で🖰。

➡ 左上に（ ）の付かないレイヤ番号0が表示され、表示のみレイヤになる。それに連動して、レイヤバーの「0」レイヤボタンも表示のみレイヤを示す○なし番号の状態になる。

●レイヤ番号の表示を大きくしましょう。

5 「文字サイズ」ボックスの▲を🖰し、数値を「1」にする。

➡ レイヤ番号の文字が大きくなる。

POINT 「文字サイズ」ボックスの数値が大きいほど（最大「3」）、レイヤ番号の表示が大きくなります。

STEP 6 **レイヤ名を設定する**

●各レイヤに名前（レイヤ名）を付けることができます。「0」レイヤにレイヤ名「通り芯」を付けましょう。

1 「0」レイヤの左上のレイヤ番号0を🖰。

➡ 「レイヤ名設定」ダイアログが開き、日本語入力が有効になる。

2 「レイヤ名」ボックスに「通り芯」を入力し、「OK」ボタンを🖰。

➡ 「0」レイヤにレイヤ名「通り芯」が設定される。

●「1」レイヤにレイヤ名「壁」、「2」レイヤにレイヤ名「その他」を設定しましょう。

3 「1」レイヤの左上のレイヤ番号(1)を🖰し、「レイヤ名設定」ダイアログの「レイヤ名」ボックスに「壁」を入力して「OK」ボタンを🖰。

4 同様に、「2」レイヤのレイヤ番号（2）を🖰し、レイヤ名「その他」を設定する。

●レイヤ一覧ウィンドウを閉じましょう。

5 レイヤ一覧ウィンドウ右上の⊠（閉じる）を🖰。

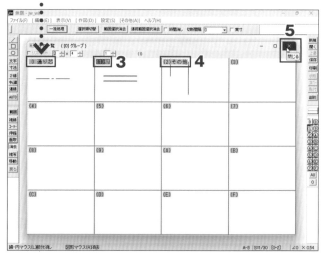

→ レイヤ一覧ウィンドウが閉じる。レイヤバーでは、「1」レイヤが書込レイヤの凹状態で表示される。ステータスバー右の「書込レイヤ」ボタンには「[0-1]壁」と、書込レイヤのレイヤ番号とレイヤ名が表示される。

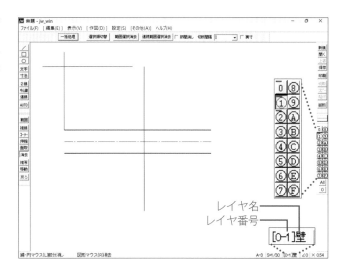

STEP 7　「0」レイヤに線色6・一点鎖2で垂直線を作図する

◉「0」レイヤを書込レイヤにし、線色5の水平線の右端点から、その右の垂直線と同じ長さの垂直線を、線色6・一点鎖2で作図しましょう。

1 レイヤバーの「0」レイヤボタンを🖱。

→ 「0」レイヤが書込レイヤになり、ステータスバーの「書込レイヤ」ボタンが「[0-0]通り芯」になる。

2 書込線を「線色6・一点鎖2」にする。

3 「／」コマンドを選択し、始点として、線色5の水平線の右端点を🖱。

4 終点として、垂直線下端点を🖱。

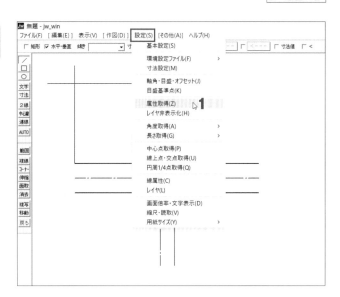

STEP 8　書込レイヤ・書込線色・線種を属性取得で一度に変更する

◉「1:壁」レイヤに線色2・実線の線を作図しましょう。「属性取得」を利用し、書込レイヤを「1」に、書込線を「線色2・実線」に変更します。

1 メニューバー［設定］－「属性取得」を選択する。

> **POINT** 線・円・弧などの要素の線色・線種・レイヤを「属性」と呼びます。「属性取得」とは、書込線および書込レイヤを、🖱した要素と同じ属性（線色・線種・レイヤ）に変更する機能です。

➡ 作図ウィンドウ左上に 属性取得 と表示され、操作メッセージは「属性取得をする図形を指示してください(L)」になる。

2 属性取得の対象として、右図の水平線を🖱。

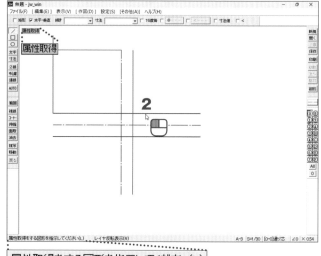

属性取得をする図形を指示してください(L)

➡ 書込線が🖱した線と同じ「線色2・実線」になり、書込レイヤが🖱した線と同じ「1：壁」になる。

◉一点鎖線の垂直線から500mm左に、複線を作図しましょう。

3 「複線」コマンドを選択し、コントロールバー「複線間隔」ボックスの数値「500」を確認して、一点鎖線の垂直線を🖱。

4 垂直線の左側で作図方向を決める🖱。

➡ 書込線の「線色2・実線」で、書込レイヤ「1」に複線が作図される。

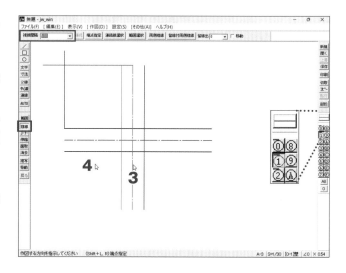

STEP 9 既存線のレイヤ・線色・線種を変更する

◉一点鎖線右側の線色5の垂直線（「2」レイヤに作図）のレイヤを「1」レイヤに、線色・線種を「線色2・実線」に変更しましょう。

1 メニューバー［編集］－「属性変更」を選択する。

POINT 「属性変更」コマンドは、🖱した線・円・弧・実点の線色・線種を現在の書込線の線色・線種に、レイヤを現在の書込レイヤに、それぞれ変更します。

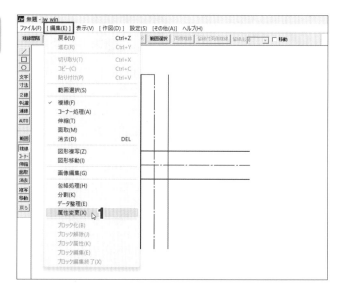

2 書込線が「線色2・実線」、書込レイヤが「1：壁」であることを確認する。

3 コントロールバー「線種・文字種変更」と「書込みレイヤに変更」のチェックが付いていることを確認する。

4 右図の線色5の垂直線を🖱。

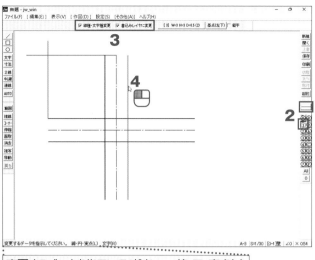

変更するデータを指示してください。 線・円・実点(L)

➡ 作図ウィンドウ左上に 属性変更◆書込レイヤに変更 と表示され、🖱した線が書込線と同じ「線色2・実線」、書込レイヤの「1」レイヤに変更される。

POINT コントロールバー「線種・文字種変更」または「書込みレイヤに変更」のチェックを外して**4**の操作を行うことで、線の線色・線種またはレイヤだけを変更することもできます。

5 レイヤバーの「1」レイヤボタンを🖱。

6 レイヤ一覧ウィンドウで**4**の線のレイヤが変更されたことを確認し、レイヤ一覧ウィンドウを閉じる。

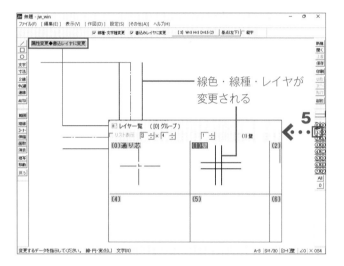

線色・線種・レイヤが変更される

STEP 10 包絡処理で角を整える

●Jw_cadには、同じレイヤに作図されている同じ線色・線種の線どうしを整形する「包絡処理」機能があります。「2」レイヤに線色5・実線で作図されている水平線と垂直線の角を、包絡処理で整形しましょう。

1 メニューバー［編集］－「包絡処理」を選択する。

➡ 操作メッセージが「包絡範囲の始点指示を指示して下さい」になる。

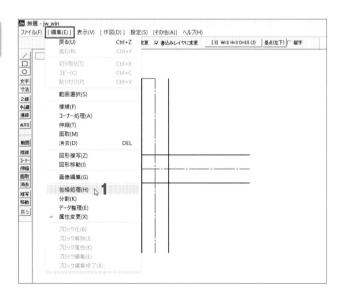

2 包絡範囲の始点として、右図の位置で🖱。

➡ **2**の位置を対角とした包絡範囲枠がマウスポインタまで表示され、操作メッセージは「包絡範囲の終点を指示して下さい…」になる。

3 右図のように、表示される包絡範囲枠に水平線と垂直線の端点が入るように囲み、終点を🖱。

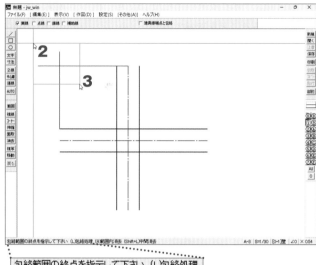

包絡範囲の終点を指示して下さい (L)包絡処理

➡ 右図のように包絡処理され、角が整形される。

POINT 包絡処理は、対象を包絡範囲枠で囲むことで、「コーナー」「伸縮」コマンドなどに相当する整形処理を一括で行います。処理の対象は、同じレイヤに作図された同じ線色・線種の線どうしです。異なるレイヤに作図された線や、異なる線色・線種の線どうしは包絡処理されません。

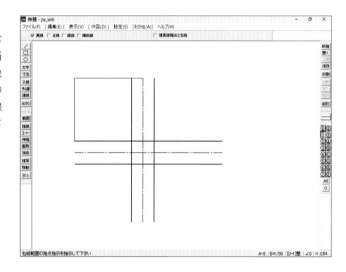

STEP 11 壁を包絡処理する

◉「2」レイヤを非表示にし、「1」レイヤに線色2・実線で作図された壁線を包絡処理しましょう。

1 レイヤバーの「2」レイヤボタンを🖱し、非表示にする。

2 包絡範囲の始点として、右図の位置で🖱。

3 表示される包絡範囲枠に壁線の左と上の端点が入るように囲み、終点を🖱。

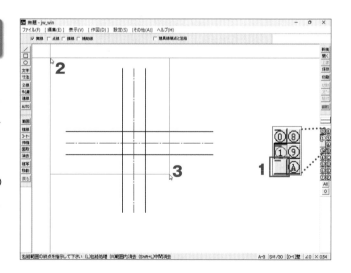

➡ 右図のように包絡処理される。

POINT 包絡範囲枠に線の端点を入れるか否かで、包絡処理の結果は異なります。また、初期値ではコントロールバーの包絡対象線種が「実線」のみになっているため、実線のみが包絡され、一点鎖線は包絡処理されません。

●包絡範囲枠の囲み方を変え、鎖線も包絡対象に指定して再度、包絡処理を行いましょう。

4 「戻る」コマンドを選択し、元に戻す。

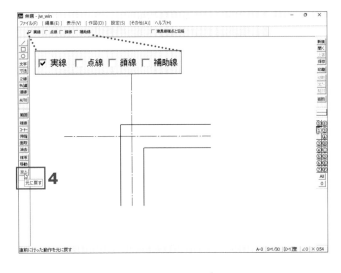

5 コントロールバー「鎖線」にチェックを付ける。

6 包絡範囲の始点として、右図の位置で🖱。

7 表示される包絡範囲枠に線の上端点を入れ、左右の端点が入らないように囲み、終点を🖱。

➡ 結果の図のように、一点鎖線も包絡処理される。

●包絡範囲枠の囲み方を変え、再度、包絡処理を行いましょう。

8 「戻る」コマンドを選択し、元に戻す。

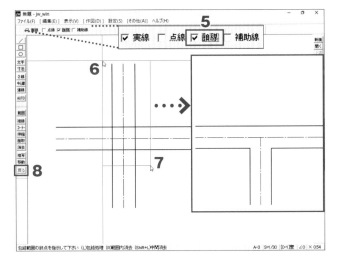

9 包絡範囲の始点として、右図の位置で🖱。

10 表示される包絡範囲枠に線の端点が入らないように交差部を囲み、終点を🖱。

➡ 結果の図のように包絡処理される。

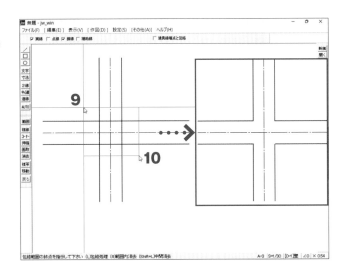

STEP 12　完成見本をカラー印刷する

◉LESSON 3で作図する1階平面図の完成見本を開いてカラーで印刷しましょう。

1　「開く」コマンドを選択する。

2　「jww8_D」フォルダー下の完成見本を収録した「sample」フォルダーを🖱。

3　「Sj-heimen1」を🖱🖱。

4　「無題への変更を保存しますか」とメッセージウィンドウが開いたら「いいえ」ボタンを🖱。

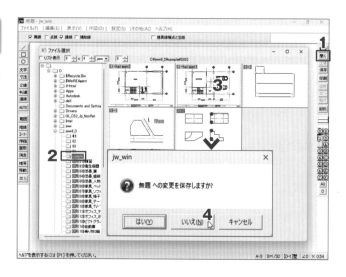

5　「印刷」コマンドを選択し、「印刷」ダイアログで用紙サイズ「A4」、印刷の向き「横」に指定し、「OK」ボタンを🖱。

6　コントロールバー「カラー印刷」を🖱。

> **POINT**「カラー印刷」にチェックを付けることで、線色（1～8）ごとに設定されているカラー印刷色で表示・印刷されます。

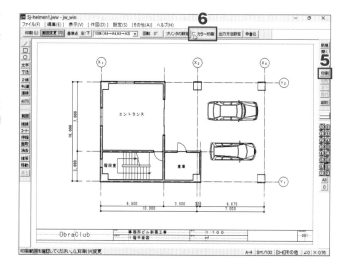

「カラー印刷」にチェックを付けると
作図ウィンドウの図は印刷色のカラーで表示される

7　コントロールバー「印刷」ボタンを🖱。

8　同様にして、LESSON 4で作図する2階平面図の完成見本「Sj-heimen2」も印刷する。

以上で、LESSON 1は終了です。

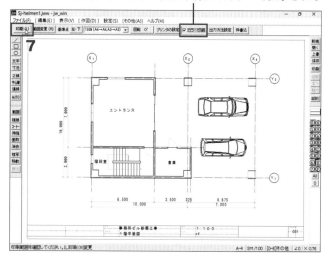

POINT LESSON

カラー印刷色の変更

完成見本の図面を印刷してみると、黄色い線が明るすぎて見づらいかもしれません。カラー印刷色は、線の太さと同様に線色（1〜8）ごとに設定されているので、以下の手順で見やすい色に変更してみましょう。

1 メニューバー［設定］－「基本設定」を選択する。

2 「jw_win」ダイアログの「色・画面」タブを🖱。

> **POINT** 「プリンタ出力」欄の「線色1」〜「線色8」の右側の「赤」「緑」「青」ボックスの数値が、各線色のカラー印刷色を示します。

3 「プリンタ出力要素」欄の「線色4」ボタンを🖱。

4 「色の設定」ダイアログの「明度スライダー」で明度を低くして暗い色に調整する。

> **POINT** ここでは「線色4」の黄色を暗い色にすることで調整しますが、「基本色」から他の色を🖱で選択したり、「色相スクリーン」上を🖱で色を変更したりすることもできます。

5 「色｜純色」で、変更後の色を確認し、「OK」ボタンを🖱。

6 「jw_win」ダイアログの「OK」ボタンを🖱。

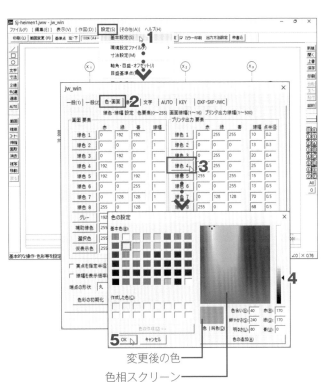

変更後の色

色相スクリーン

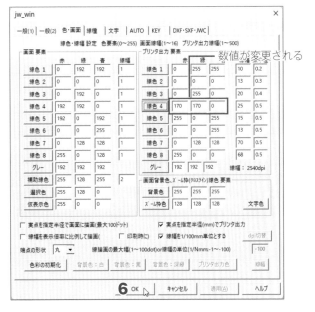

数値が変更される

LESSON 2 ▶ 図面枠の作図

縮尺1/100のA4用紙に図面枠を作図しましょう。

印刷時に表示される印刷枠の大きさ（印刷が可能な範囲）は、印刷に使用するプリンターの機種により異なります。ここでは、はじめに縮尺1/100のA4用紙枠内に、使用するプリンターの印刷枠を補助線で作図します。その印刷枠内に図面枠を作図しましょう。作図した図面枠は、次のLESSON 3で作図する図面の雛形として利用します。そのため、線色ごとの印刷線幅および点半径（下段の表を参照）や、文字種ごとのサイズ、寸法設定などを行ったうえで、新しく「hozon」フォルダーを作成し、名前「a4waku」として保存します。

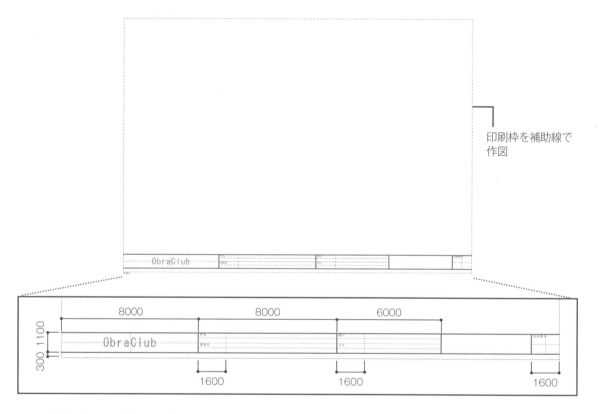

印刷枠を補助線で作図

ここで作成したA4用紙の図面枠は縮尺1/100だが、縮尺を図寸固定で変更することで、他の縮尺の図面を作図する場合にも利用可能（→p.233）

印刷線幅と点半径の設定値

線色	印刷線幅(mm) ⇒ 入力値	点半径(mm)
線色1	0.10 ⇒ 10	0.2
線色2	0.13 ⇒ 13	0.3
線色3	0.20 ⇒ 20	0.4
線色4	0.25 ⇒ 25	0.5
線色5	0.15 ⇒ 15	0.5
線色6	0.13 ⇒ 13	0.5
線色7	0.70 ⇒ 70	0.5

STEP 1　印刷枠を補助線で作図する

●縮尺1/100のA4用紙枠内に、使用するプリンターの印刷枠を補助線で「F」レイヤに作図しましょう。

1　用紙サイズを A4、縮尺を 1/100 にする。

2　「印刷」コマンドを選択する。

3　「プリンターの設定」ダイアログで、用紙サイズ「A4」、印刷の向き「横」を選択し、「OK」ボタンを🖱。

　➡　A4横の印刷枠が表示される。

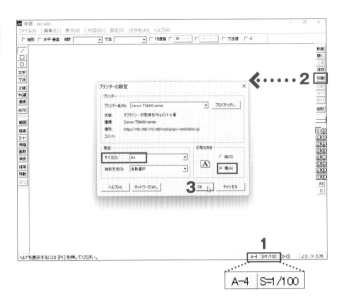

4　レイヤバーの「F」レイヤボタンを🖱し、書込レイヤにする。

5　書込線を「線色2・補助線種」にする。

6　印刷枠の表示位置を確認し、コントロールバー「枠書込」ボタンを🖱。

　➡　印刷枠が線色2・補助線種で「F」レイヤに作図される。

STEP 2　図面枠を作図する

●前項で作図した印刷枠内に、線色7・実線で図面枠を作図しましょう。

1　書込線を「線色7・実線」にする。

2　「複線」コマンドを選択し、STEP 1で作図した印刷枠の左辺・右辺・下辺からそれぞれ右図の間隔で複線を作図する。

●次の作業のために縮小表示をしましょう。

3　作図ウィンドウの中央付近にマウスポインタをおき、🖱、縮小。

　➡　3の位置を中心として、縮小表示される。

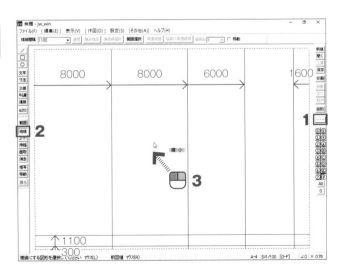

◉「包絡処理」コマンドの包絡範囲枠で囲むことで、横線から上下に突き出ている4本の縦線を2本の横線間に収めましょう。

4 メニューバー［編集］-「包絡処理」を選択し、包絡範囲の始点として、右図の位置で🖱。

5 表示される包絡範囲枠に縦線の上下の端点が入るように（横線の左右の端点は入らないように）囲み、終点を🖱。

➡ 次図のように包絡処理される。

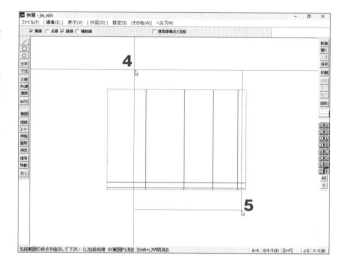

◉2本の横線の中心線を線色4・実線で作図し、件名・図面名などを記入する欄を作りましょう。

6 🖱↗ 全体 で全体表示にし、書込線を「線色4・実線」にする。

7 「中心線」コマンドを選択する。

8 1番目の線として、上の横線を🖱。

> **POINT** 「中心線」コマンドで、線と線の中心線を作図する場合は、対象とする線を🖱で指示します。

9 2番目の線として、下の横線を🖱。

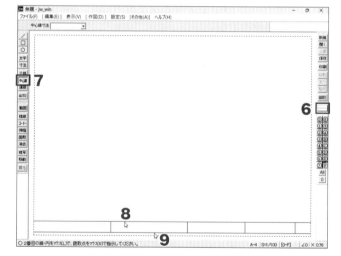

➡ **8**と**9**の中心線の作図位置が確定し、操作メッセージは「始点を指示してください」になる。

10 始点として、右図の交点を🖱。

11 終点として、右図の交点を🖱。

➡ **8**と**9**の2本の線の中心線が、**10**から**11**までの長さで作図される。

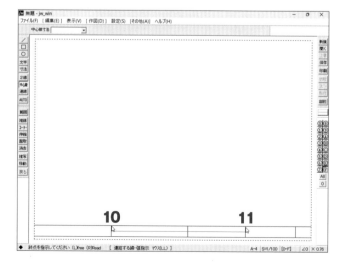

STEP 3 文字種サイズと印刷線幅を設定する

◉文字種1〜10のサイズ設定を確認しましょう。

1 メニューバー[設定]−「基本設定」を選択する。

2 「jw_win」ダイアログの「文字」タブを🖱。

3 「文字種1」〜「文字種10」の文字サイズ（横・縦・間隔）が右図の数値（初期値）であることを確認する。右図と異なる場合は、右図と同じ数値に変更する。

> **POINT** 文字サイズの指定は、変更する数値ボックスを🖱し、既存の数値を削除したうえで指定数値を入力します。

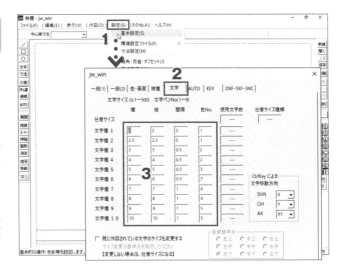

◉線色ごとの印刷線幅（mm）と点半径を設定しましょう。

4 「色・画面」タブを🖱。

5 「実点を指定半径（mm）でプリンタ出力」と「線幅を1/100mm単位とする」にチェックを付ける。

> **POINT** 「実点を指定半径（mm）でプリンタ出力」にチェックを付けると、線色ごとに実点の半径寸法をmm単位で指定できます。

6 p.138「印刷線幅と点半径の設定値」の表を参照し、「線色1」〜「線色7」の線幅と点半径を指定する。

7 「OK」ボタンを🖱。

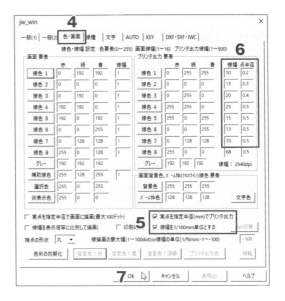

STEP 4 文字記入の目安となる補助線を作図する

◉はじめに印刷枠の補助線を属性取得することで、書込線を「線色2・補助線種」にしましょう。

1 メニューバー[設定]−「属性取得」を選択する。

> ➡ 作図ウィンドウ左上に 属性取得 と表示され、操作メッセージは「属性取得をする図形を指示してください(L)」になる。

2 属性取得の対象として、印刷枠の補助線を🖱。

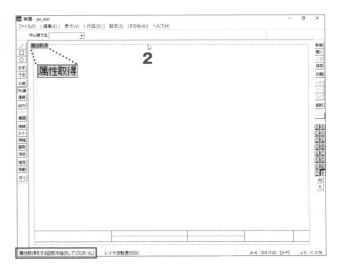

➡ 書込線が🖱️した線と同じ「線色2・補助線種」になる。2の補助線は「F」レイヤに作図されているため、書込レイヤは「F」レイヤのままである。また、選択コマンドは、基本設定と属性取得を行う前の「中心線」コマンドのままである。

◉各記入欄に中心線を作図しましょう。

3 「中心線」コマンドで、先頭の事務所名の記入欄の上下・左右を二分する中心線を作図する。

4 図面番号の記入欄の上下・左右を二分する中心線を作図する。

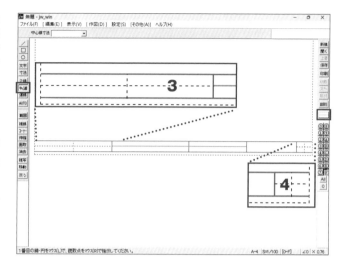

5 図面名などの記入欄の上下を二分する中心線（補助線による水平線）を2本作図する。

◉図面名などの記入欄に、文字の先頭（左中）を基点として、記入するための補助線を作図しましょう。

6 「複線」コマンドを選択し、右図のようにそれぞれ（2カ所）の記入欄の左罫線から1600mm右に、補助線種の複線を作図する。

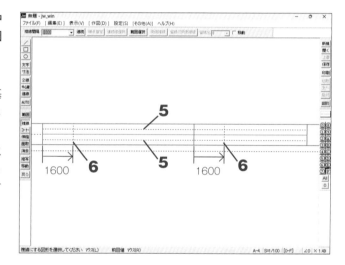

STEP **5** 図面枠に事務所名を記入する

◉事務所名を文字種[7]で記入しましょう。

1 「文字」コマンドを選択し、書込文字種を「文字種［7］」（フォント：MSゴシック）にする。

参考：書込文字種→p.101

2 コントロールバー「基点」ボタンを🖱️し、文字の基点を「中中」にする。

3 「文字入力」ボックスに事務所名（右図では「ObraClub」）を入力する。

4 文字の記入位置として、先頭の事務所名記入欄の補助線の交点を🖱️。

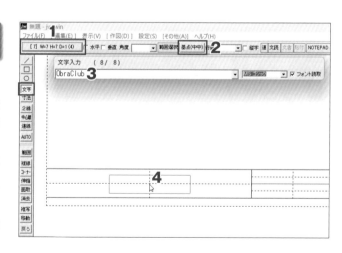

STEP 6 オフセットを利用して項目名を記入する

●各枠左上角から右に100mmの位置に左上を合わせ、文字種［1］で「件名」などの項目名を記入しましょう。ここでは補助線は作図せずに、「オフセット」(相対座標指示)機能を利用します。

1 ステータスバー「軸角」ボタンを🖱。

→ 「軸角・目盛・オフセット 設定」ダイアログが開く。

2 「軸角・目盛・オフセット　設定」ダイアログの「オフセット常駐」を🖱。

→ オフセット常駐設定(解除するまでオフセットが有効)になり、ダイアログが閉じる。

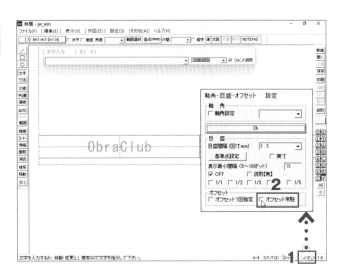

3 書込文字種を「文字種［1］」に、基点を「左上」にする。

4 「文字入力」ボックスに「件名」を入力する。

5 文字の記入位置として、記入欄の左上角を🖱。

→ 「オフセット」ダイアログが開く。

POINT 「オフセット」数値入力ボックスに、**5**の点を0(原点)としたX,Y座標を「 , 」(カンマ)で区切って入力することで、**5**の点から横にX、縦にY離れた位置を文字の記入位置にできます。X,Y座標は、原点から右と上は＋(プラス)、左と下は－(マイナス)数値で入力します。

6 「100,0」を入力し、「OK」ボタンを🖱。

→ **5**の点から右に100mm(X＝100、Y＝0)の位置に文字基点の左上を合わせ、文字「件名」が記入される。

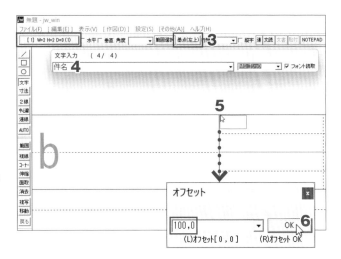

7 「文字入力」ボックスに「図面名」を入力する。

8 文字の記入位置として、記入欄の左上角を🖱。

→ 前回入力した数値「100,0」が色反転された状態で「オフセット」ダイアログが開く。

POINT 「オフセット常駐」を指定したため、これを解除するまでは、点指示時に常に「オフセット」ダイアログが開きます。

9 直前に入力した「100,0」が色反転されていることを確認し、「OK」ボタンを🖱。

→ **8**の点から右に100mmの位置に左上を合わせ、文字「図面名」が記入される。

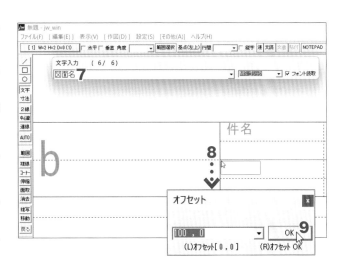

10 同様の手順（**7 ～ 9**）で、文字「縮尺」「日付」「図面番号」を記入する。

◉「オフセット常駐」を解除しましょう。

11 ステータスバー「軸角」ボタンを🖰。

➡ 「軸角・目盛・オフセット 設定」ダイアログが開く。

12「軸角・目盛・オフセット 設定」ダイアログでチェックの付いた「オフセット常駐」を🖰。

➡ 「オフセット常駐」が解除され、ダイアログが閉じる。

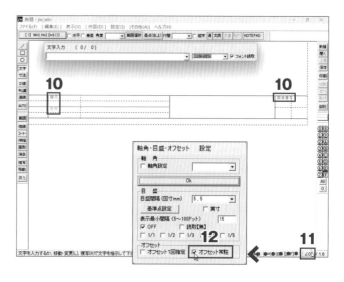

STEP 7 寸法設定を行う

◉寸法の設定を行いましょう。寸法の設定は、「寸法」コマンドのコントロールバー「設定」のほか、メニューバー[設定]からも選択できます。

1 メニューバー［設定］－「寸法設定」を選択する。

2 「寸法設定」ダイアログで、「文字種類」を「3」、「寸法線色」「引出線色」「矢印・点色」を「1」に指定する。

3 「寸法線と値を【寸法図形】にする…」にチェックを付ける。

4 「寸法をグループ化する」にチェックを付ける。

> **POINT** **4**のチェックを付けると、記入した寸法部(寸法線、寸法値、引出線、端部実点・矢印)がグループになり、ひとまとまりとして扱われます。

5 「OK」ボタンを🖰。

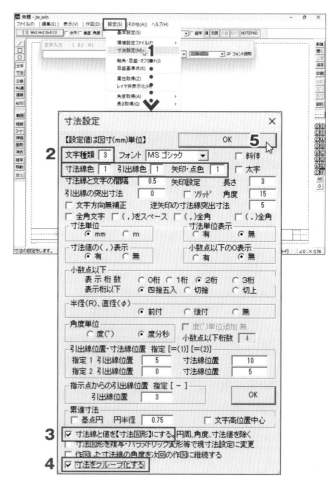

新しいフォルダーを作成して図面を保存する

●「jww8_D」フォルダー内に新しいフォルダー「hozon」を作成し、そのフォルダーに名前「a4waku」として、図面を保存しましょう。

1 「保存」コマンドを選択する。

2 「ファイル選択」ダイアログのフォルダーツリーで新しいフォルダーの作成場所として、「jww8_D」フォルダーを🖰。

3 「新規」ボタンを🖰。

　➡ 「新規作成」ダイアログが開く。

4 「新規」欄の「フォルダ」を🖰。

> **POINT** 「新規」欄は、通常「ファイル」が選択されています。「フォルダ」を選択することで、現在開いているフォルダー内に新しいフォルダーを作成します。

5 「名前」ボックスを🖰し、フォルダー名として、「hozon」を入力する。

6 「OK」ボタンを🖰。

　➡ 「jww8_D」フォルダー内に「hozon」フォルダーが作成され、保存場所として開いた状態となる。図面の保存操作は継続している。

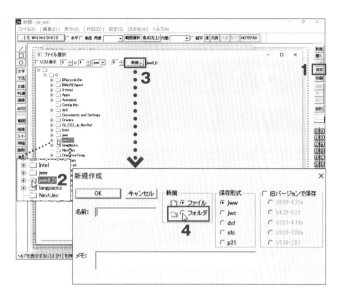

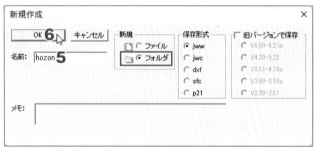

●作成した「hozon」フォルダーに、図面の名前を「a4waku」として、保存しましょう。

7 「新規」ボタンを🖰。

　➡ 「新規作成」ダイアログが開く。「新規」欄は「ファイル」が選択されている。

8 「名前」ボックスに「a4waku」を入力する。

9 「メモ」ボックスを🖰。

　➡ 「メモ」ボックスで入力ポインタが点滅する。

> **POINT** 日本語入力が有効になり、補足として「メモ」を入力できます。

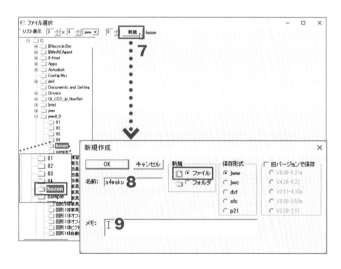

10 メモとして、「A4図面枠」を入力する。

11 「OK」ボタンを🖰。

　➡ 「hozon」フォルダーに「a4waku」が保存される。

以上で、LESSON 2は終了です。

LESSON 3 ▶ 1階平面図の作図

LESSON 2で作成、保存した図面枠内に、以下のレイヤ名一覧に準じたレイヤ分けで、RC造3階建て事務所ビルの1階平面図を作図しましょう。

0レイヤ：通り芯（線色6・一点鎖2）　　4レイヤ：階段（線色2・実線）　　　Dレイヤ：寸法
1レイヤ：躯体（線色2・実線）　　　　5レイヤ：設備（線色2・実線）　　　Eレイヤ：その他
2レイヤ：仕上（線色3・実線）　　　　Bレイヤ：記号（線色1・実線）　　　Fレイヤ：図面枠
3レイヤ：建具（線色5・実線）　　　　Cレイヤ：部屋名

1 階平面図作成のおおまかな手順

① 「0」レイヤに通り芯を作図する

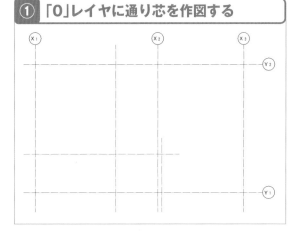

② 「1」レイヤに躯体を作図する

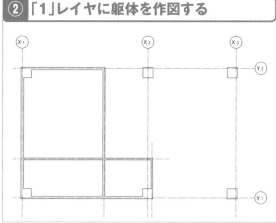

③ 「2」レイヤに仕上げと開口を作図する

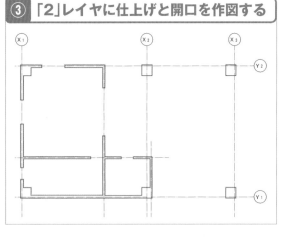

④ 「3」レイヤに建具図形を配置する

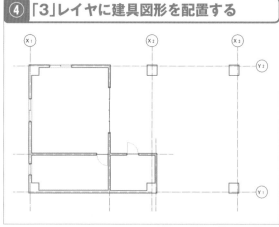

⑤ 「4」レイヤに階段を作図する

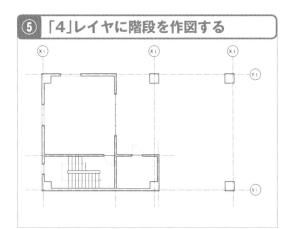

⑥ 「D」レイヤに寸法を記入する

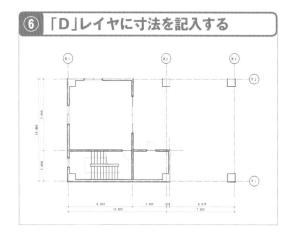

⑦ 「C」レイヤに部屋名を記入する／「E」レイヤに添景図形を配置する

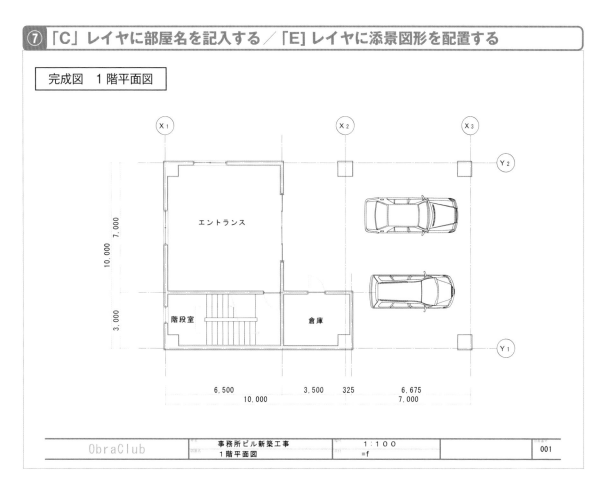

完成図　1 階平面図

STEP 1　図面「a4waku」を開き件名などを記入する

●LESSON 2で図面枠を作図した図面「a4waku」を開き、件名などを記入しましょう。

1　「開く」コマンドを選択し、図面ファイル「a4waku」を開く。

2　書込レイヤが「F」であることを確認し、「文字」コマンドを選択する。

3　文字種［4］、基点（左中）にし、件名に「事務所ビル新築工事」、図面名に「1階平面図」、縮尺に「1：100」、日付に「＝f」を記入する。

> **POINT**「＝f」は半角文字で記入してください。これは「埋め込み文字」と呼ばれるJw_cad特有の機能で、「＝f」は図面ファイルの更新日に変換して印刷されます。

4　基点（中中）にし、図面番号の「001」を記入する。

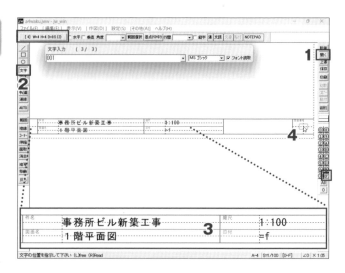

STEP 2　別の名前で保存する

●図面ファイル「a4waku」はそのまま残しておくため、件名などを記入したこの図面を名前「j-heimen1」として、「hozon」フォルダーに保存しましょう。

1　「保存」コマンドを選択する。

2　「ファイル選択」ダイアログのフォルダーツリーで、保存先の「hozon」フォルダーが開いていることを確認し、「新規」ボタンを🖑。

> ➡ 「新規作成」ダイアログが開く。「名前」ボックスには、現在開いている図面の名前「a4waku」が色反転して表示される。

3　キーボードから「j-heimen1」を入力し、「名前」ボックスの名前を変更する。

4　「メモ」ボックスを🖑し、既存の「A4図面枠」を「事務所ビル新築工事」に書き換える。Enterキーを押して改行し、2行目に「1階平面図」を入力する。

5　「OK」ボタンを🖑。

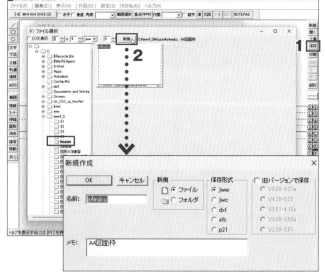

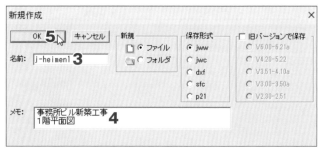

STEP 3 レイヤ名を設定する

◉レイヤ一覧ウィンドウを開き、平面図用のレイヤ名を設定しましょう。

1　レイヤバーで書込レイヤの「F」レイヤボタンを🖰。

2　p.146 のレイヤ名一覧を参照し、各レイヤのレイヤ名を設定する。

参考：レイヤ名設定→p.130

3　レイヤ一覧ウィンドウを閉じる。

STEP 4 「0」レイヤに通り芯を作図する

◉「0：通り芯」レイヤに線色6・一点鎖2で通り芯を作図しましょう。

1　レイヤバーの「0」レイヤボタンを🖰し、書込レイヤを「0：通り芯」にする。

2　書込線を「線色6・一点鎖2」にする。

3　「／」コマンド、「複線」コマンドを利用して、右図のように通り芯を作図する。

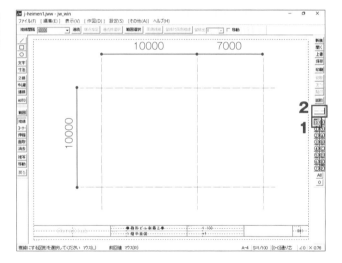

STEP 5 X通りの通り符号を作図する

◉はじめに、通り符号の位置を揃えるための補助線を作図しましょう。

1　書込線を「線色2・補助線種」にする。

2　「複線」コマンドで、4本の通り芯の外側に、右図の間隔で複線を作図する。

◉「線記号変形」コマンドを利用して、通り符号X1〜X3を作図しましょう。

3　メニューバー［その他］－「線記号変形」を選択する。

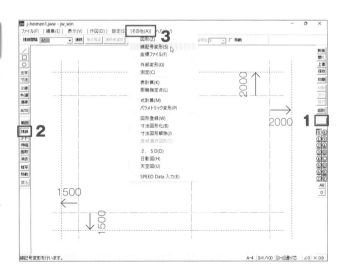

➡ 線記号を選択するための「ファイル選択」ダイアログが開く。

4 「ファイル選択」ダイアログのフォルダーツリーで「jww8_D」フォルダーを🖱🖱。

5 「jww8_D」フォルダー下にツリー表示される「【線記号変形X】通名X1～X15」を🖱で選択する。

❓ 「【線記号変形X】通名X1～X15」がない→p.322 Q33

6 右側に表示される記号一覧の「X1 通名」を🖱🖱。

> **POINT** 「線記号変形」コマンドは、図面上の線を、選択した記号の形状に変形します。「X1 通名」は、指示した線の端部を通り符号「X1」に変形します。

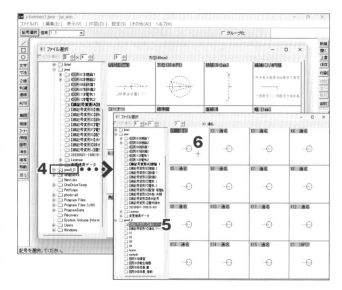

➡ 操作メッセージは「指示直線（1）を左クリックで指示してください」になる。

7 指示直線（1）として、通り芯X1を🖱。

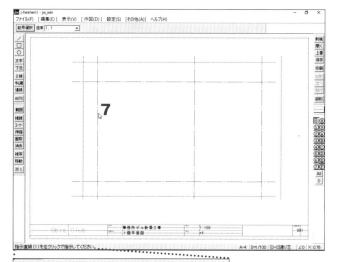

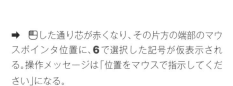
指示直線（1）を左クリックで指示してください。

➡ 🖱した通り芯が赤くなり、その片方の端部のマウスポインタ位置に、**6**で選択した記号が仮表示される。操作メッセージは「位置をマウスで指示してください」になる。

> **POINT** マウスポインタを、**7**で線を🖱した位置よりも上に移動すると線の上端部が、下に移動すると線の下端部が、通り符号「X1」に変形されます。

8 記号の作図位置として、上の補助線の端点を🖱。

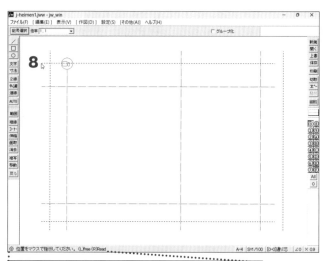

◎ 位置をマウスで指示してください。（L)free (R)Read

➡ **8**の位置に符号の円中心を合わせ、**7**の通り芯の上端点が通り符号X1に変形される。作図ウィンドウ左上には X2 通名 と表示され、操作メッセージは「指示直線（1）を左クリックで指示してください」になる。

POINT 「【線記号変形X】通名X1〜X15」では、指示した線を「X1通名」に変形した後、自動的に次の記号「X2通名」が選択されます。

9 指示直線（1）として、通り芯 X2 を🖱。

➡ 🖱した通り芯が赤くなり、通り符号が仮表示される。操作メッセージは「位置をマウスで指示してください」になる。

10 作図位置として、上の補助線の端点を🖱。

➡ **9**の通り芯の上端部が通り符号X2に変形され、作図ウィンドウ左上には X3 通名 と表示される。

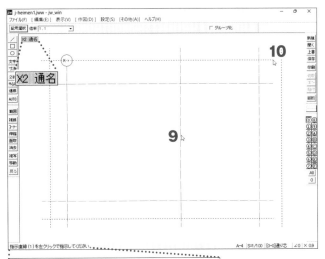

11 指示直線（1）として、通り芯 X3 を🖱。

12 作図位置として、上の補助線の端点を🖱。

➡ **11**の通り芯の上端部が通り符号X3に変形され、作図ウィンドウ左上には X4 通名 と表示される。

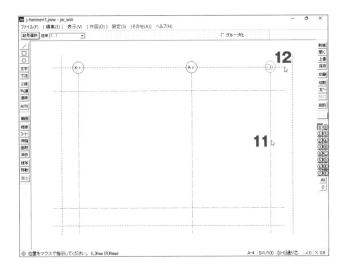

STEP 6　Y通りの通り符号を作図する

◉Y方向の通り符号を、「【線記号変形Y】通名Y1〜Y15」を選択して作図しましょう。

1 コントロールバー「記号選択」ボタンを🖱。

➡ 線記号を再選択するための「ファイル選択」ダイアログが開く。

2 「ファイル選択」ダイアログのフォルダーツリーで「【線記号変形Y】通名Y1〜Y15」を選択する。

3 記号一覧の「Y1通名」を🖱🖱。

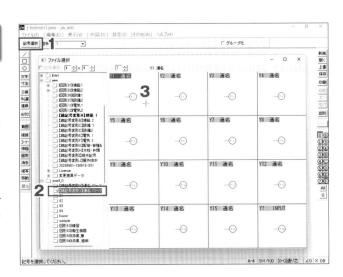

➡ 操作メッセージは「指示直線(1)を左クリックで指示してください」になる。

4 指示直線(1)として、通り芯 Y1 を🖱。

➡ **4**の通り芯が赤くなり、その片方の端部のマウスポインタ位置に、**3**で選択した記号が仮表示される。操作メッセージは「位置をマウスで指示してください」になる。

5 作図位置として、右の補助線の端点を🖱。

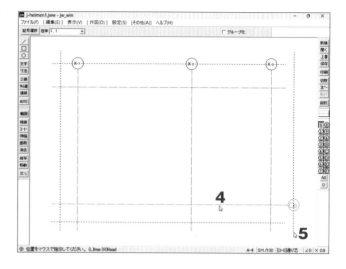

➡ **5**の位置に符号の円中心を合わせ、**4**の通り芯の右端点が通り符号 Y1 に変形される。作図ウィンドウ左上には Y2 通名 と表示される。

6 指示直線(1)として、通り芯 Y2 を🖱。

7 作図位置として、右の補助線の端点を🖱。

➡ **6**の通り芯の右端部が通り符号 Y2 に変形され、作図ウィンドウ左上には Y3 通名 と表示される。

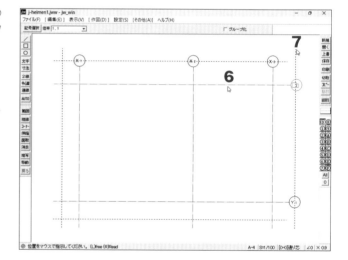

●通り芯の左と下の出を整えた後、不要になった補助線を消去しましょう。

8 「伸縮」コマンドを選択し、通り芯の左と下の出(5カ所)を補助線まで伸縮する。

参考:「伸縮」コマンド→p.48

9 「消去」コマンドを選択し、補助線 4 本を消去する。

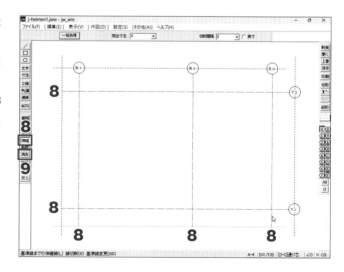

STEP 7　「0」レイヤに壁芯を作図する

●壁芯を作図するため、「属性取得」を利用して、書込線を通り芯と同じ「線色6・一点鎖2」にしましょう。

1 メニューバー［設定］－「属性取得」を選択する。

　➡ 作図ウィンドウ左上に 属性取得 と表示され、操作メッセージは「属性取得をする図形を指示してください(L)」になる。

2 属性取得の対象として、通り芯を🖱。

　➡ 書込レイヤは「0：通り芯」のまま、書込線が「線色6・一点鎖2」になる。

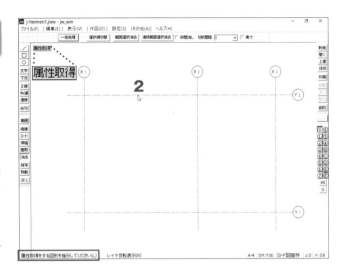

●通り芯X1から6500mm右に壁芯を作図しましょう。

3 「複線」コマンドを選択する。

4 コントロールバー「複線間隔」ボックスに「6500」を入力する。

5 基準線として、通り芯X1を🖱。

6 基準線の右側で作図方向を決める🖱。

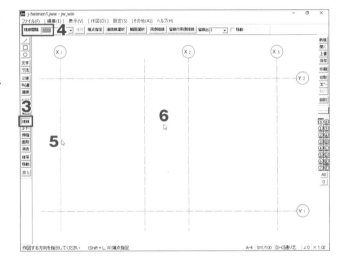

●通り芯Y1から3000mm上に、Y1とは異なる長さの壁芯を作図しましょう。

7 コントロールバー「複線間隔」ボックスに「3000」を入力する。

8 基準線として、通り芯Y1を🖱。

　➡ 基準線と同じ長さの複線が仮表示され、操作メッセージは「複線方向を指示マウス(L)…」になる。

9 コントロールバー「端点指定」ボタンを🖱。

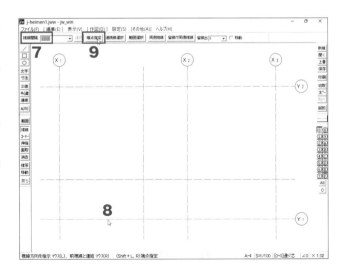

➡ 操作メッセージは「【端点指定】始点を指示してください」になる。

POINT 複線の作図方向を指示する段階でコントロールバー「端点指定」ボタンを🖱し、始点・終点を指示することで、基準線とは異なる長さの複線を作図できます。

10 端点指定の始点として、通り芯Y2の左端点を🖱。

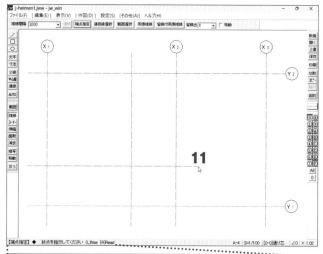

【端点指定】始点を指示してください（L)free（R)Read

➡ 左端を通り芯Y2の左端点に揃えた複線が、マウスポインタまで仮表示される。操作メッセージは、「【端点指定】◆終点を指示してください」になる。

11 端点指定の終点として、右図の位置で🖱。

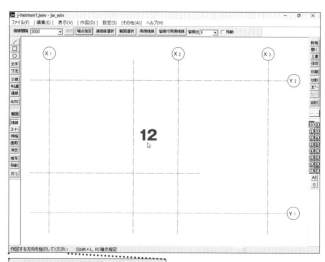

【端点指定】◆　終点を指示してください（L)free（R)Read

➡ 操作メッセージは「作図する方向を指示してください」になる。

12 基準線（通り芯Y1)の上側に複線が仮表示された状態で、作図方向を決める🖱。

➡ Y1から3000mm上の**10**－**11**間に複線が作図される。

作図する方向を指示してください

●端点指定を利用して、通り芯X2から325mm
右に壁芯を作図しましょう。

13 コントロールバー「複線間隔」ボックス
に「325」を入力する。

14 基準線として、通り芯 X2 を🖱。

15 コントロールバー「端点指定」ボタンを
🖱。

16 端点指定の始点として、通り芯 X3 の下
端点を🖱。

17 端点指定の終点として、右図の位置で🖱。

18 基準線（通り芯 X2）の右側で作図方向を
決める🖱。

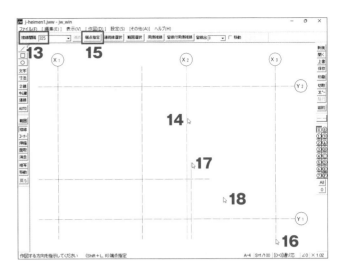

STEP 8 「1」レイヤに壁を作図する

●「1：躯体」レイヤに線色2・実線で、躯体の壁
を、外75mm、内125mmの振り分けで作図しま
しょう。

1 書込レイヤを「1：躯体」、書込線を「線色2・
実線」にする。

2 「2線」コマンドを選択する。

　POINT「2線」コマンドは、基準線の両側に指定
　間隔の線を、始点・終点指示で作図します。

3 コントロールバー「2線の間隔」ボックス
に「75,125」を入力する。

4 基準線として、通り芯 Y2 を🖱。

　➡ 操作メッセージは「始点を指示してください」に
　なる。

5 始点として、右図の位置で🖱。

6 マウスポインタを左に移動する。

　➡ **4**の基準線の両側に、2本の平行線が**5**の位置か
　らマウスポインタまで仮表示される。操作メッセージ
　は「終点を指示してください」になる。

●仮表示の2本の線の外（上側）が75mmになっ
ているかを確認しましょう。

7 🖱↘ 拡大 で右図の範囲を拡大表示する。

　POINT 終点指示前（作図操作の途中）でも🖱↘
　拡大 などのズーム操作は行えます。

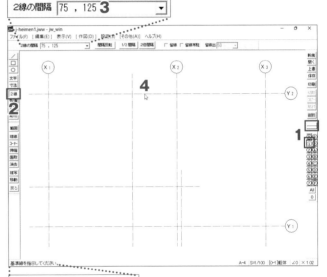

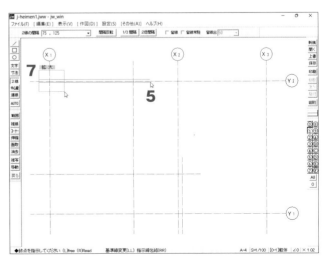

➡ 拡大表示された仮表示の2線の間隔は、基準線の外（上側）が広い125mmである。

◉外（上側）が狭い75mmになるよう、2線の間隔を反転しましょう。

8 コントロールバー「間隔反転」ボタンを🖱。

➡ 間隔が反転され、外（上側）が狭い75mmになる。

> **POINT** コントロールバー「2線の間隔」ボックスに異なる2数を指定した場合、仮表示されている2線の基準線からの振り分け間隔を終点指示前に確認する必要があります。振り分け間隔が逆の場合は、コントロールバー「間隔反転」ボタンを🖱することで反転します。

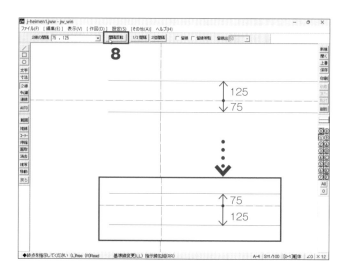

9 終点として、通り芯X1との交点より左で🖱。

➡ 基準線とした通り芯Y2の両側 **5**－**9** 間に、外75mm、内125mmの振り分けで2本の平行線が作図される。操作メッセージは「始点を指示してください・・・」になる。

> **POINT** 基準線を変更するまでは、**4** で基準線とした通り芯Y2の両側に、始点・終点指示で2線を作図します。

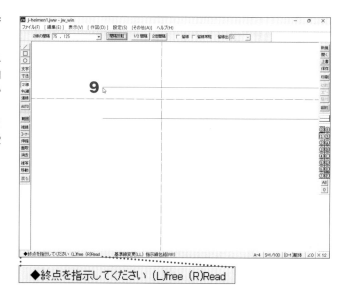

◆終点を指示してください（L)free (R)Read

STEP 9 ▶ 壁をつなげて作図する

◉基準線を通り芯X1に変更し、同じ振り分け（外75mm、内125mm）で2線を作図しましょう。

1 基準線にする通り芯 X1 を🖱🖱（基準線変更）。

> **POINT** 操作メッセージに「基準線変更（LL)」と表示されているように、2線の基準線を変更するには、基準線にする線を🖱🖱します。

➡ 作図ウィンドウ左上に 基準線を変更しました と表示される。

2 作図ウィンドウにマウスポインタをおき、🖱✓ 前倍率。

➡ 1つ前の拡大倍率の範囲が表示される。

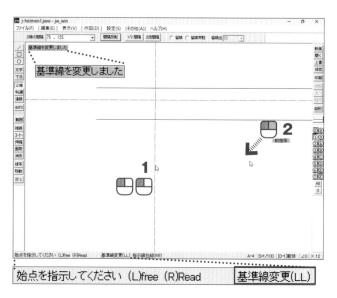

始点を指示してください（L)free (R)Read　　基準線変更（LL)

3 始点として、右図の位置で🖲。

4 拡大表示し、仮表示の2線の間隔を確認する。間隔が逆の場合には、コントロールバー「間隔反転」ボタンを🖲し、反転する。

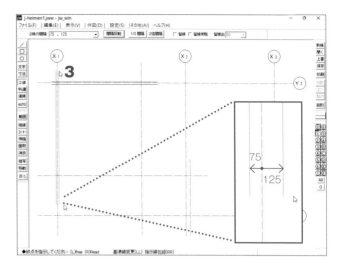

POINT この段階で終点を指示せず、次に2線を作図する基準線を🖲🖲することで、現在仮表示されている2線につなげて次の2線を作図できます。

5 終点を指示せずに、次の基準線として、通り芯Y1を🖲🖲（基準線変更）。

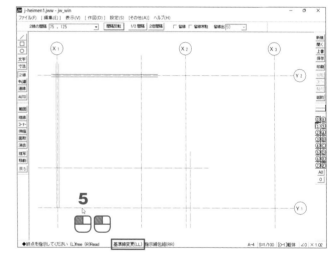

➡ 基準線（Y1）の両側に、X1通りの2線につながる2線が、同じ振り分け間隔で仮表示される。

◉通り芯X2右隣の壁芯の両側に、75mm振り分けの2線をつなげて作図しましょう。振り分け間隔の変更は基準線を変更した後に行います。

6 終点を指示せずに、次の基準線として、通り芯X2右隣の壁芯を🖲🖲（基準線変更）。

➡ 基準線（**6**の壁芯）の両側に、Y1通りの2線につながる2線が、同じ振り分け（外75mm、内125mm）で仮表示される。X1通りの2線は確定し、書込線で作図される。

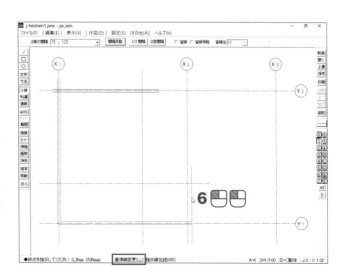

7 コントロールバー「2線の間隔」ボックスを🖱し、「75」を入力する。

> **POINT** 終点（または次の基準線）を指示する前にコントロールバー「2線の間隔」の数値を変更することで、現在の基準線の両側に仮表示されている2線の振り分け間隔を変更できます。**7**では入力する2つの数値が同じため、「75,75」を「75」と省略できます。

➡ 基準線（**6**の壁芯）両側の2線の間隔が75mm振り分けに変更される。

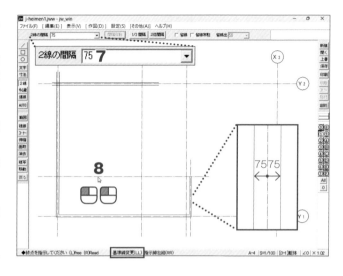

●通り芯Y1の上の壁芯の両側に、同じ75mm振り分けの2線をつなげて作図しましょう。

8 終点を指示せずに、次の基準線として、通り芯Y1の上の壁芯を🖱🖱（基準線変更）。

9 終点として、右図の位置で🖱。

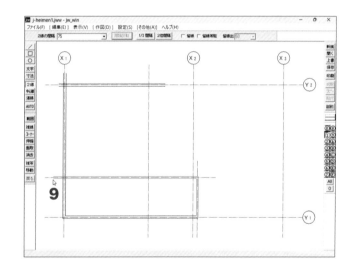

●通り芯X2左隣の壁芯に、75mm振り分けの2線を作図しましょう。

10 基準線として、通り芯X2左隣の壁芯を🖱🖱（基準線変更）。

➡ 作図ウィンドウ左上に 基準線を変更しました と表示される。

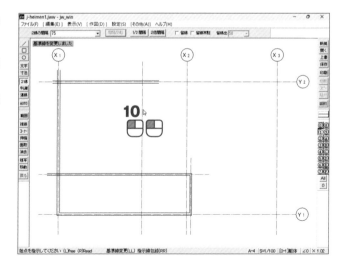

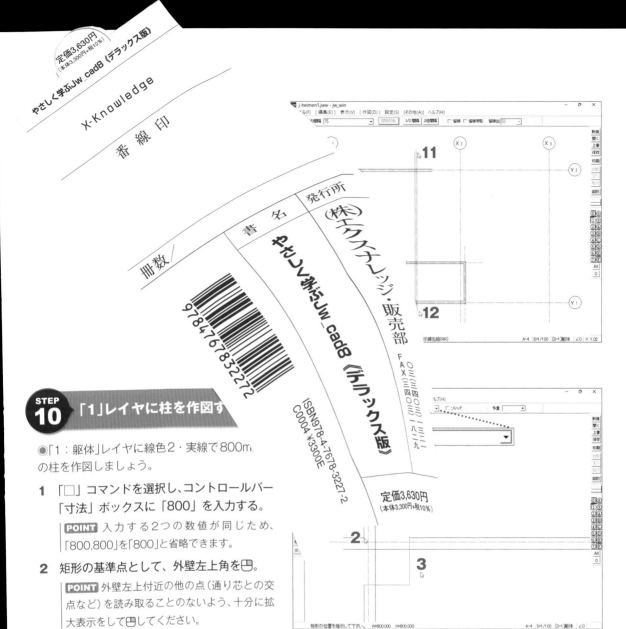

STEP 10　「1」レイヤに柱を作図す

◉「1：躯体」レイヤに線色2・実線で800m
の柱を作図しましょう。

1　「□」コマンドを選択し、コントロールバー
「寸法」ボックスに「800」を入力する。

POINT 入力する2つの数値が同じため、
「800,800」を「800」と省略できます。

2　矩形の基準点として、外壁左上角を🖑。

POINT 外壁左上付近の他の点（通り芯との交
点など）を読み取ることのないよう、十分に拡
大表示をして🖑してください。

3　仮表示の矩形の左上を **2** の基準点に合わ
せ、位置を決める🖑。

◉残り2カ所の柱は、通り芯・壁芯が作図されて
いる「0：通り芯」レイヤを非表示にして作図し
ましょう。

4　「0」レイヤボタンを🖑し、「0：通り芯」
レイヤを非表示にする。

POINT 通り芯・壁芯を非表示にすることで、
大きく拡大表示しなくても外壁角を確実に🖑
できます。

5　矩形の基準点として、外壁左下角を🖑し、
矩形の左下を外壁左下角に合わせて作図
する。

6　矩形の右下を外壁右下角に合わせて作図
する。

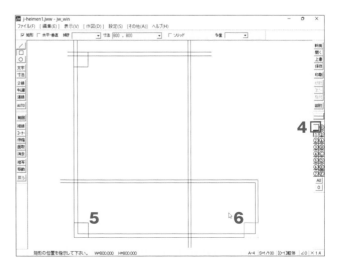

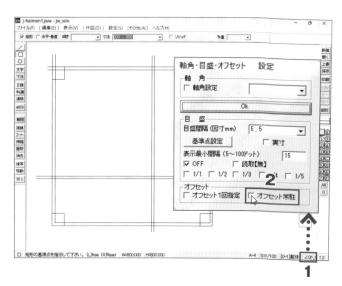

◉「オフセット」を利用して、通り芯X3とY1の交点から右と下に75mmずらした位置に柱の右下を合わせて作図しましょう。

1 ステータスバー「軸角」ボタンを🖱。

➡ 「軸角・目盛・オフセット 設定」ダイアログが開く。

2 「軸角・目盛・オフセット 設定」ダイアログの「オフセット常駐」を🖱。

➡ オフセット常駐設定（解除するまでオフセットが有効）になり、ダイアログが閉じる。

3 「0」レイヤボタンを2回🖱し、編集可能にする。

4 「□」コマンドで、矩形の基準点として、通り芯X3とY1の交点を🖱。

➡ 「オフセット」ダイアログが開く。

POINT 「オフセット」数値入力ボックスに**4**の点を0（原点）としたX,Y座標を「,」（カンマ）で区切って入力することで、**4**の点から横にX、縦にY離れた位置を矩形の基準点として指示できます。X,Y座標は原点から右と上は＋（プラス）、左と下は－（マイナス）数値で指定します。

5 「オフセット」ボックスに「75,－75」を入力し、「OK」ボタンを🖱。

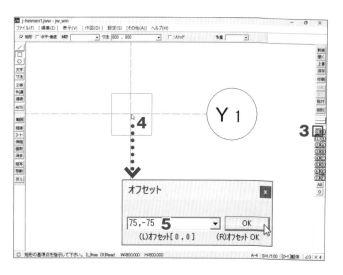

➡ 「オフセット」ダイアログが閉じ、**4**の点から右に75mm、下に75mmの位置が矩形の基準点として確定し、操作メッセージは「矩形の位置を指示して下さい」になる。

6 仮表示の矩形の右下を基準点に合わせ、位置を決める🖱。

➡ **4**の点から右に75mm、下に75mmの位置に右下を合わせ、800mm角の矩形が作図される。

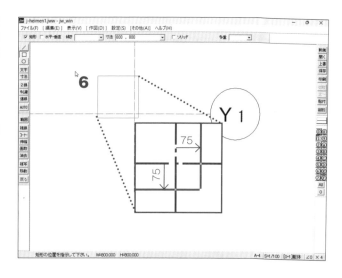

CHAPTER 2 RC造1F・2F平面図を作図する

●通り芯X3とY2の交点から
右と上に75mmずらした位置
に柱右上を合わせて作図しま
しょう。

7 矩形の基準点として、通り芯 X3 と Y2 の
交点を🖱。

➡ 「オフセット」ダイアログが開く。

8 「75」を入力し、「OK」ボタンを🖱。

> **POINT** 入力する2つの数値が同じため、
> 「75,75」を「75」と省略できます。また、「OK」ボ
> タンを🖱する代わりにEnterキーを押すことで
> も数値を確定できます。

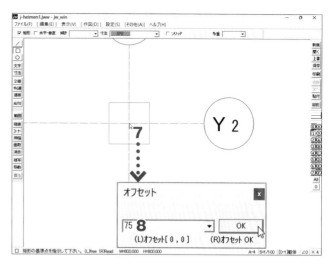

➡ **7**の点から右に75mm、上に75mmの位置が矩
形の基準点として確定し、操作メッセージは「矩形の
位置を指示して下さい」になる。

9 仮表示の矩形の右上を基準点に合わせ、
位置を決める🖱。

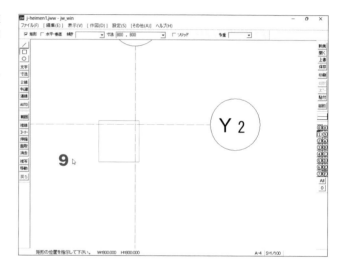

●通り芯X2とY2の交点か
ら上に75mmずらした位置に
柱の中上を合わせて作図しま
しょう。

10 矩形の基準点として、通り芯 X2 と Y2 の
交点を🖱。

11 「オフセット」ダイアログに「0,75」を入
力し、「OK」ボタンを🖱。

12 仮表示の矩形の中上を基準点に合わせ、
位置を決める🖱。

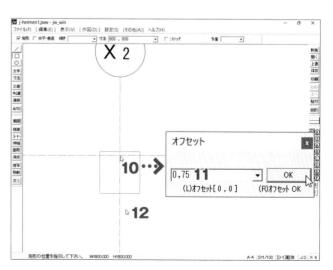

◉「オフセット常駐」を解除しましょう。

13 ステータスバー「軸角」ボタンを🖱。

➡「軸角・目盛・オフセット 設定」ダイアログが開く。

14「軸角・目盛・オフセット　設定」ダイアログで、チェックの付いた「オフセット常駐」を🖱。

➡「オフセット常駐」が解除され、ダイアログが閉じる。

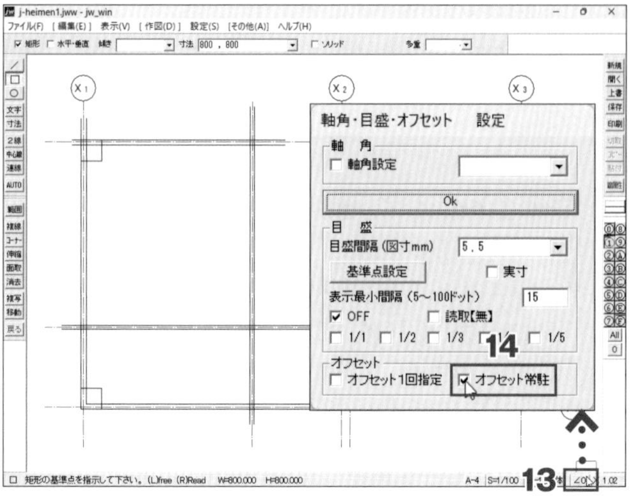

STEP 12 包絡処理を利用して壁と柱を整える

◉柱・壁の線の不要な部分を消して整えましょう。柱と壁は同じ「1：躯体」レイヤに同じ線色・線種で作図しているため、「包絡処理」コマンドで整えることができます。

1 メニューバー［編集］－「包絡処理」を選択し、コントロールバー「実線」のみにチェックが付いた状態にする。

2 包絡範囲の始点として、右図の位置で🖱。

3 表示される包絡範囲枠で右図のように左上の壁線端部と柱を囲み、終点を🖱。

➡ 結果の図のように包絡処理される。

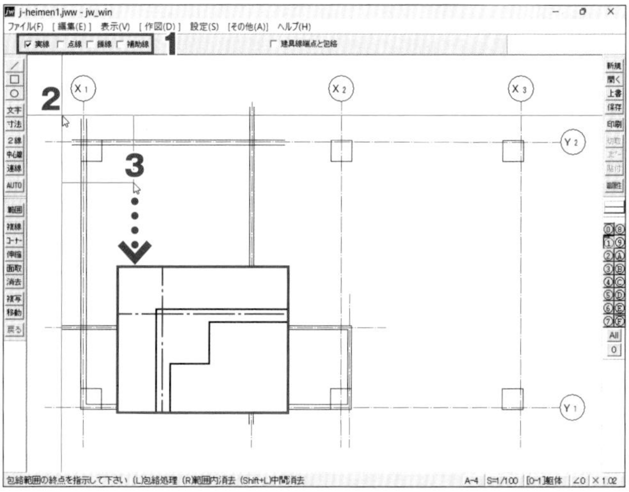

POINT 包絡処理では、同じレイヤに同じ線色・線種で重複して作図された線（この場合、壁の線上に重ねて800mm角の柱の線が作図されている部分がある）も重複整理し、1本の線にします。

4 同様の手順（**2**～**3**）で、右図6カ所を包絡処理で整える。

❓ 包絡結果が右図と同じにならない→p.323 Q34

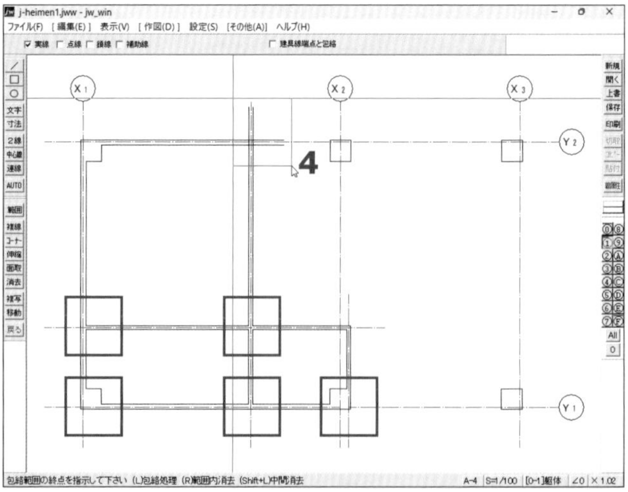

STEP 13 「2」レイヤに階段室の 内部仕上げを作図する

◉「2：仕上」レイヤに線色3・実線で、階段室の 内部仕上げを作図しましょう。

1 書込レイヤを「2：仕上」、書込線を「線色3： 実線」にする。

2 「複線」コマンドを選択し、右図の階段室 内部躯体線から 70mm 内側に複線を作図 する。

3 次の基準線として、その右の内部躯体線 を🖱。

→ **3**の線から間隔70mmで複線が仮表示される。

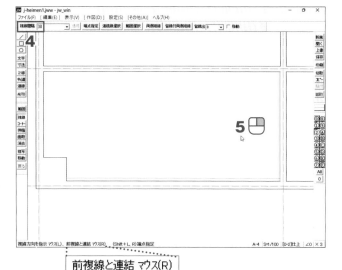

◉内部仕上げの厚みを30mmに変更して、複線 を作図しましょう。

4 キーボードから「30」を入力し、コントロー ルバー「複線間隔」ボックスを「30」にする。

POINT コントロールバー「複線間隔」ボックス の数値が色反転しているときは、直接キーボー ドから数値を入力できます。

5 基準線より内側で作図方向を決める🖱（前 複線と連結）。

参考：「複線」前複線と連結→p.78

前複線と連結 マウス(R)

→ 1つ前の複線と角を作り、連結された複線が作図 される。

6 次に連結して作図する複線の基準線とし て、右図の内部躯体線を🖱。

7 基準線より内側で作図方向を決める🖱（前 複線と連結）。

→ 1つ前の複線と角を作り、連結された複線が作図 される。

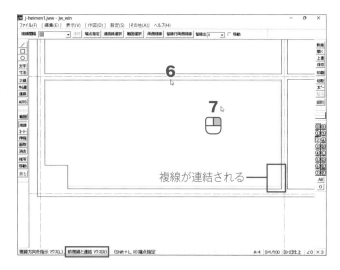

複線が連結される

LESSON 3　1 階平面図の作図

やさしく学ぶ Jw_cad 8《デラックス版》 **163**

8 同様の手順（**6 ～ 7**）で、基準線として、内部躯体線を順次🖱（前回値）し、作図方向指示時に🖱（前複線と連結）で前の複線と連結した複線を右図のように作図する。

❓ 作図方向を🖱しても前の複線と連結しない
→p.319 Q23/p.320 Q24

9 「コーナー」コマンドを選択し、最初の複線と最後の複線を🖱して角を作る。

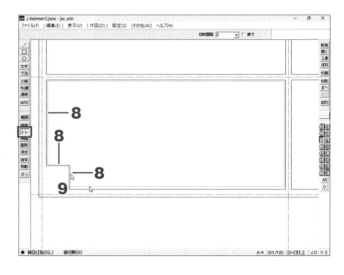

STEP 14 仕上げを一括で作図する

◉倉庫の内部仕上げを厚み30mmで作図しましょう。連続する線の複線を一括作図できる「複線」コマンドの「連続線選択」を利用します。

1 「複線」コマンドを選択し、コントロールバー「複線間隔」ボックスの数値が「30」であることを確認する。

2 基準線として、倉庫の内部躯体線を🖱。

➡ 躯体線から間隔30mmで複線が仮表示される。

3 コントロールバー「連続線選択」ボタンを🖱。

POINT 基準線を指示後、コントロールバー「連続線選択」ボタンを🖱すると、指示した基準線に連続するすべての線が複線の基準線になります。複線間隔と作図方向を指定することで、連続した複線を作図できます。

➡ **2**の基準線に連続するすべての線が基準線として選択色になり、マウスポインタの側に間隔30mmで連続した複線が仮表示される。

4 連続した複線が内側に仮表示された状態で、作図方向を決める🖱。

➡ 倉庫の内部躯体から厚み30mmで、内部仕上げが一括作図される。

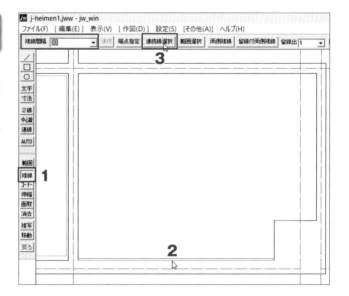

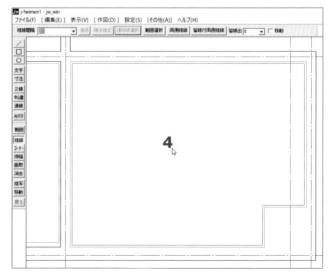

●同様に「複線」コマンドの「連続線選択」を利用して、エントランスの内部仕上げを厚み30mmで作図しましょう。

5 基準線として、エントランス内部躯体線を🖱。

6 コントロールバー「連続線選択」ボタンを🖱。

7 連続した複線が内側に仮表示された状態で、作図方向を決める🖱。

　➡ エントランスの内部躯体から厚み30mmで、内部仕上げが一括作図される。

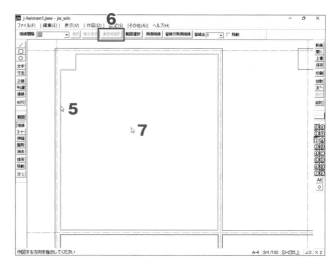

●同様にして外部仕上げを厚み25mmで作図しましょう。

8 コントロールバー「複線間隔」ボックスに「25」を入力する。

9 基準線として、外部躯体線を🖱。

10 コントロールバー「連続線選択」ボタンを🖱。

11 連続した複線が外側に仮表示された状態で、作図方向を決める🖱。

　➡ 外部躯体から厚み25mmで、外部仕上げが一括作図される。

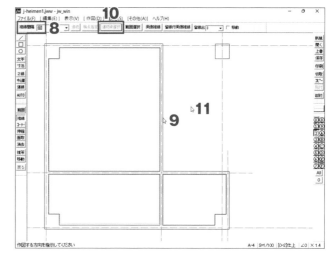

12 同様の手順（**9～11**）で、残りの柱3本に対しても厚み25mmの外部仕上げを作図する。

●ここまでを上書き保存しましょう。

13「上書」コマンドを🖱し、上書き保存する。

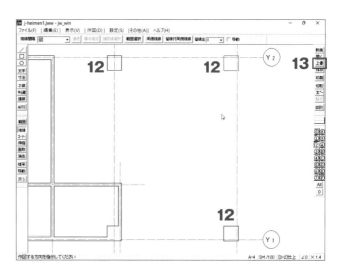

POINT LESSON

クロックメニュー

ここで、Jw_cad特有の機能「クロックメニュー」を覚えておきましょう。STEP 7で行った属性取得や、STEP 12で行った包絡処理が、メニューバーからメニューを選択することなく、一回のマウス操作で行える便利な機能です！

１ クロックメニューとは

◉はじめにクロックメニューを使用するための設定をしましょう。

1 メニューバー［設定］－「基本設定」を選択する。

2 「jw_win」ダイアログの「一般（1）」タブの「クロックメニューを使用しない」のチェックを外し、「OK」ボタンを🖰。

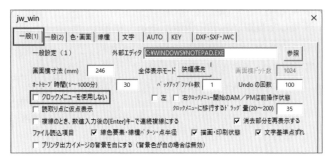

◉練習図面を開いてクロックメニューを使う練習をしましょう。

3 「開く」コマンドを選択する。

4 「jww8_D」フォルダー内の「02」フォルダーを🖰で選択する。

5 練習図面「2-3PL」を🖰🖰。

➡ 図面「2-3PL」が開き、「範囲」コマンドが選択された状態になる。

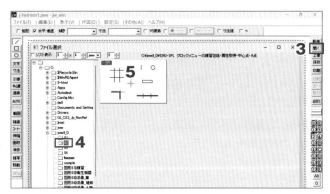

6 右図の位置から🖰↓（左ボタンを押したままマウスポインタを下方向に移動し、ボタンははなさない）。

➡ 右図のように時計の文字盤を模したクロックメニューが表示される。

7 左ボタンを押したまま、表示されたクロックメニューの周りをゆっくり回すようにマウスポインタを移動する。時計の時間位置によって異なるコマンド名が表示されることを確認する。

8 時計の３時の位置にマウスポインタを移動して、包絡 が表示された時点でボタンをはなす。

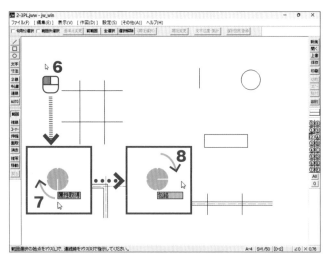

➡ 「包絡処理」コマンドが選択され、**6**の位置を始点とする包絡範囲枠が表示される。

POINT クロックメニューでコマンド名が表示された時点でボタンをはなすことで、そのコマンドを選択できます。クロックメニューから「包絡処理」コマンドを選択した場合、🖰→の位置を始点として、包絡範囲枠が表示されます。

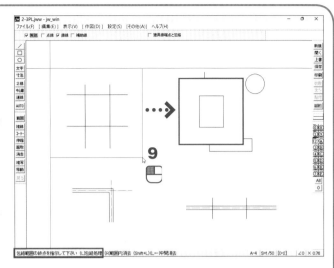

9 右図のように井桁全体を囲み、終点を🖰。

➡ 結果の図のように、同じ属性（同じレイヤの同じ線色・線種）の4本の線が包絡処理され、長方形になる。

POINT クロックメニューには 🖰ドラッグ／🖰ドラッグの別があります。また、それぞれに「AM」と「PM」の2面があります。AMとPMの2面の切り替えは、ドラッグ操作でクロックメニューを表示した状態で他方のボタンをクリックするか、あるいはマウスポインタを文字盤内に移動し、再び外に戻すことで行います。最初に表示される明るい文字盤を「AMメニュー」、切り替え操作で表示される暗い文字盤を「PMメニュー」と呼びます。これ以降、クロックメニュー操作の表記を左右ボタンの別、AMとPMメニューの別、コマンドが割り当てられた時間（0時〜11時）から、「🖰→AM3時 包絡 」のように表記します。

AMメニュー　　　　　　　　　　PMメニュー

🖰↑でAMメニューを表示

文字盤内にマウスポインタを移動すると、キャンセルと表示される。この時点でボタンをはなすと、クロックメニューがキャンセルされる

文字盤の外にマウスポインタを移動すると、PMメニューに切り替わる

POINT クロックメニューが表示されるまでのドラッグ距離は、メニューバー［設定］－「基本設定」を選択して開く「jw_win」ダイアログ「一般(1)」タブの「クロックメニューに移行するドラッグ量」で調整できます。ドラッグしたつもりはないのにクロックメニューが頻繁に表示される場合は、この数値を現在の設定値よりも大きい数値（最大200）にしてください。

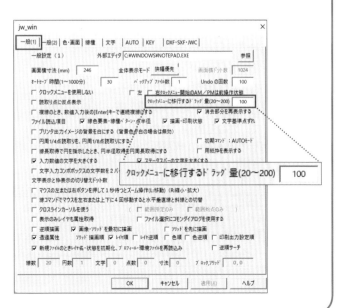

2 🖱️↓ AM6時 属性取得

◉メニューバー［設定］－「属性取得」（→p.
131）は、クロックメニューからも行えます。
クロックメニューで、用紙左下の図の壁芯を
属性取得しましょう。

1 属性取得対象の壁芯にマウスポインタ
を合わせて🖱️↓ AM6時 属性取得 。

　POINT 左ボタンを押したまま、マウスポイ
ンタを下方向に移動し、クロックメニュー
AM6時 属性取得 が表示されたらボタンをは
なします。

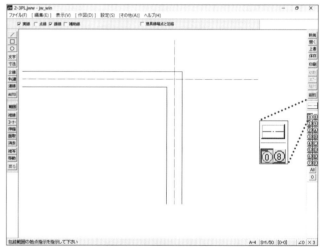

➡️ 書込線、書込レイヤが、🖱️↓ した壁芯と同じ
「線色6・一点鎖2」「0」レイヤになる。

❓ 🖱️↓ AM6時 レイヤ非表示化 となる。または
🖱️↓ した壁芯が消えた→p.323 Q35

　POINT 🖱️↓ AM6時 属性取得 は、作図操作中
いつでも利用できます。

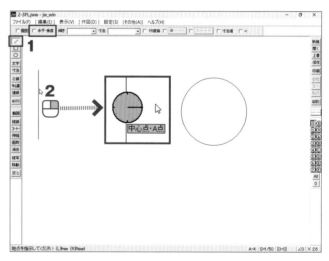

3 🖱️→AM3時 中心点・A点

◉用紙右上の垂直線の中点と円の中心点を結
ぶ線を作図しましょう。

1 「／」コマンドを選択し、コントロール
バー「水平・垂直」のチェックを外す。

2 始点として、左の垂直線にマウスポイン
タを合わせて🖱️→ AM3時 中心点・A点 。

　POINT 右ボタンを押したままマウスポイ
ンタを右方向に移動し、クロックメニュー
AM3時 中心点・A点 が表示されたらボタ
ンをはなします。点指示時に、クロックメ
ニュー🖱️→AM3時 中心点・A点 を利用す
ることで、読み取りできる点が存在しない
線の中点、円の中心点、2点間の中心点を点
指示できます。

➡ **2**の線の中点を始点とした仮線が、マウスポインタまで表示される。

POINT 「／」コマンドに限らず、点指示時に線を🖱→AM3時 中心点・A点 することで、線の中点を指示できます。

3 終点として、円にマウスポインタを合わせて🖱→ AM3 時 中心点・A点 。

➡ 結果の図のように円の中心点を終点とした線が作図される。

POINT 「／」コマンドに限らず、点指示時に円・弧を🖱→AM3時 中心点・A点 することで、円・弧の中心点を指示できます。

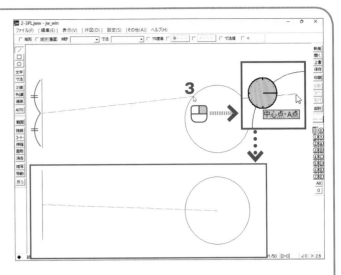

◉長方形の中心に文字種 [10] で文字「平面図」を記入しましょう。長方形の中心として、対角2点の中心点を指示します。

4 「文字」コマンドを選択し、書込文字種を文字種 [10]、基点を（中中）にする。

5 「文字入力」ボックスに「平面図」を入力する。

6 文字位置として、長方形の左上角にマウスポインタを合わせて🖱→ AM3 時 中心点・A点 。

POINT 既存の点にマウスポインタを合わせて🖱→AM3時 中心点・A点 し、次に2点目を🖱することで、2点間の中心点を指示できます。「文字」コマンドに限らず、他のコマンドの点指示時にも共通して利用できます。

➡ **6**で🖱→した点が2点間中心のA点となり、操作メッセージは「2点間中心◆◆B点指示◆◆」と、もう一方の点指示を促すメッセージになる。

7 B 点として、長方形の右下角を🖱。

➡ **6**と**7**で指示した2点間の中心に文字の基点（中中）を合わせ、「平面図」が記入される。

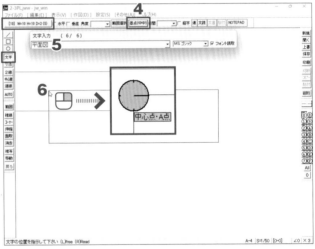

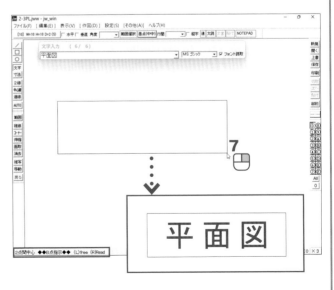

4 🖱→AM3時 包絡

●用紙右下の図をクロックメニューで包絡処理しましょう。

1 右図の位置（包絡範囲の始点位置）から🖱→AM3時 包絡 。

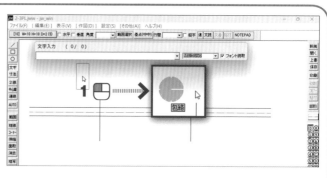

➡ 「包絡処理」コマンドが選択され、**1** の位置を対角とする包絡範囲枠がマウスポインタまで表示される。

POINT 操作メッセージの「包絡範囲の終点を指示して下さい」の後ろに「(L) 包絡処理 (R) 範囲内消去 (Shift+L)(L ←) 中間消去」と表示されています。これは包絡範囲の終点指示を🖱、🖱、🖱←のいずれで行うかによって、異なる結果になることを示しています。

2 包絡範囲枠で右図のように囲み、終点を🖱。

➡ 同じレイヤに同じ線色・線種で作図されている線が、結果の図のように包絡処理される。

3 「戻る」コマンドを選択し、元に戻す。

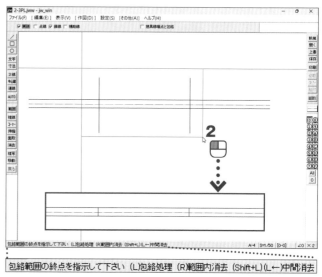

包絡範囲の終点を指示して下さい　(L)包絡処理　(R)範囲内消去　(Shift+L)(L←)中間消去

●包絡範囲として、同じ範囲を囲み、終点を🖱←で指示しましょう。

4 包絡範囲の始点として、右図の位置で🖱。

5 表示される包絡範囲枠で右図のように囲み、終点として、右図の位置から🖱← AM9時 中間消去 。

POINT 左方向に🖱ドラッグし、クロックメニューAM9時 中間消去 が表示された時点でボタンをはなしてください。包絡範囲の終点位置を🖱← AM9時 中間消去 することで、範囲枠内の包絡対象線を包絡処理し、さらに中間の線を消去します。壁に開口を開ける場合などに利用できます。🖱←の代わりに、Shift キーを押しながら終点を🖱しても同じ結果になります。

➡ 結果の図のように包絡処理される。

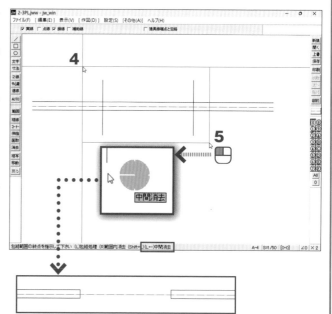

以上で、POINT LESSONは終了です。
練習図面を保存する必要はありません。

STEP 15　階段室入口の開口部を作図する

●作図途中の平面図「j−heimen1」を開き、階段室入口の開口部を作図しましょう。

1 「開く」コマンドを選択し、「jww8_D」フォルダー内の「hozon」フォルダーから1階平面図「j−heimen1」を開く。

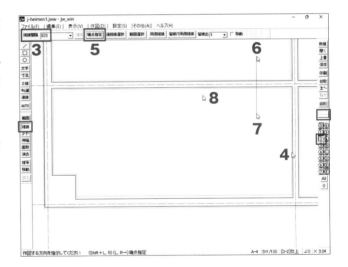

●開口の仕上げを作図するため、既存の仕上線を属性取得しましょう。

2 既存の仕上線を🖱↓ AM6 時 属性取得 。

➡ 書込レイヤが「2：仕上」、書込線が「線色3・実線」になる。

●階段室右の仕上線から920mm左に開口の仕上線を作図しましょう。

3 「複線」コマンドを選択し、コントロールバー「複線間隔」ボックスに「920」を入力する。

4 基準線として、階段室右の仕上線を🖱。

5 コントロールバー「端点指定」ボタンを🖱。

6 端点指定の始点として、右図の位置で🖱。

7 端点指定の終点として、右図の位置で🖱。

8 基準線の左側で作図方向を決める🖱。

●作図した開口部の仕上線から30mm左に躯体線を作図しましょう。

9 既存の躯体線を🖱↓ AM6 時 属性取得 。

➡ 書込レイヤが「1：躯体」、書込線が「線色2・実線」になる。

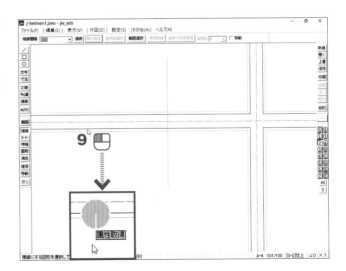

10 「複線」コマンドのコントロールバー「複線間隔」ボックスに「30」を入力し、開口部の仕上線から 30mm 左に複線を作図する。

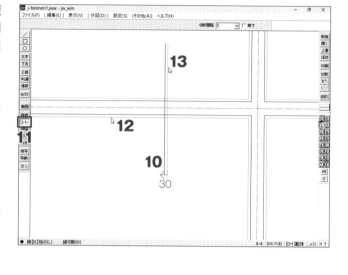

◉「コーナー」コマンドを利用して、開口部左の壁を整えましょう。

11 「コーナー」コマンドを選択する。

12 線（A）として、右図の仕上線を🖱。

13 線【B】として、**8** で作図した仕上線を🖱。

> **POINT** 2本の線の交点に対し、線を残す側で🖱してください。

➡ **12** と **13** の交点に角が作られる。

14 同様の手順（**12 ～ 13**）で、躯体線、仕上線どうしで角を作り、次図のように左の壁の角を整える。

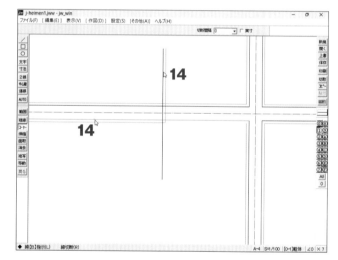

◉右の壁の途切れた躯体線、仕上線を1本に連結しましょう。

15 線（A）として、右図の躯体線を🖱。

16 線【B】として、もう一方の躯体線を🖱。

> **POINT** 「コーナー」コマンドでは、同一線上にある同じ属性（レイヤ・線色・線種）の2本の線を1本に連結できます。

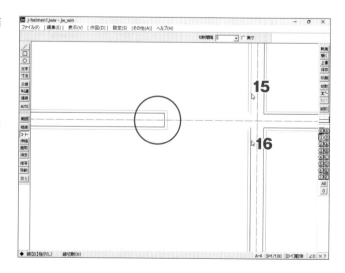

➡ 作図ウィンドウ左上に 1本の線にしました と表示され、**15**と**16**の2本の線が1本に連結される。

17 同様の手順（**15 ～ 16**）で、途切れている仕上線も連結して1本の線にする。

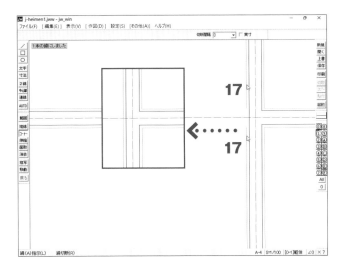

STEP 16 階段室窓の開口部を作図する

◉階段室窓の開口部の仕上線を、通り芯Y1から1390mm上、さらに820mm上に作図しましょう。

1 既存の仕上線を🖰↓ AM6時 属性取得 。

➡ 書込レイヤが「2：仕上」、書込線が「線色3・実線」になる。

2 「複線」コマンドを選択し、通り芯Y1から1390mm上に「端点指定」を利用して右図の長さの複線を作図する。

参考：「複線」コマンド「端点指定」→p.171

3 さらに820mm上に複線を作図する。

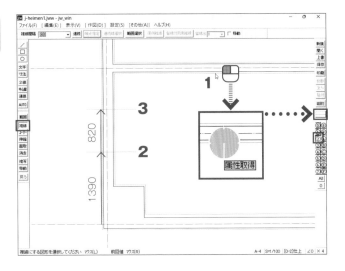

◉作図した仕上線から間隔50mmで躯体線を作図しましょう。

4 躯体線を🖰↓ AM6時 属性取得 し、書込レイヤ「1：躯体」、書込線「線色2・実線」にする。

5 「複線」コマンドで、2本の仕上線から50mm外側に複線を作図する。

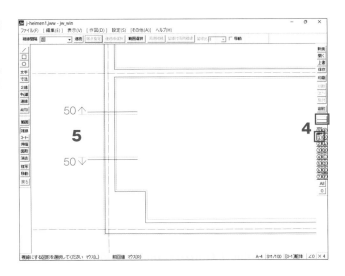

●「包絡処理」コマンドの中間消去を利用して、開口を開けましょう。

6 包絡範囲の始点として、右図の位置から🖰→ AM3 時 包絡 。

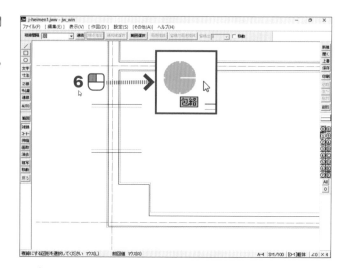

➡ 「包絡処理」コマンドが選択され、**6**の位置を対角とした包絡範囲枠がマウスポインタまで表示される。

7 包絡範囲枠で右図のように囲み、終点を🖰← AM9 時 中間消去 。

➡ 結果の図のように、同じ属性（同じレイヤの同じ線色・線種）の線どうしが、その中間の線を消去して包絡処理される。

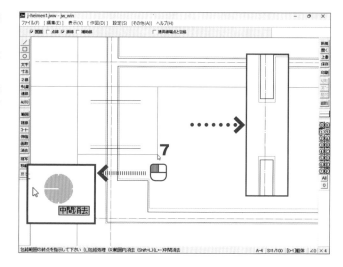

STEP 17 残りの開口部を作図する

●倉庫入口の開口部の仕上線を作図しましょう。

1 既存の仕上線を🖰↓ AM6 時 属性取得 し、書込レイヤ「2：仕上」、書込線「線色3・実線」にする。

2 「複線」コマンドを選択し、倉庫左の壁芯から 1450mm 右、さらに 920mm 右に、右図のように複線を作図する。

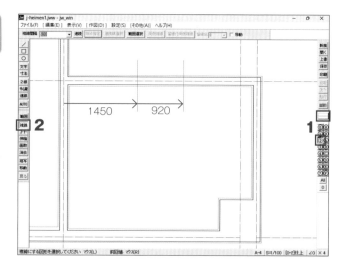

◉作図した仕上線から間隔50mmで躯体線を作図しましょう。

3 既存の躯体線を🖱️↓ AM6時 属性取得 し、書込レイヤ「1：躯体」、書込線「線色2・実線」にする。

4 「複線」コマンドで、開口部左右の仕上線から50mm外側に躯体線を作図する。

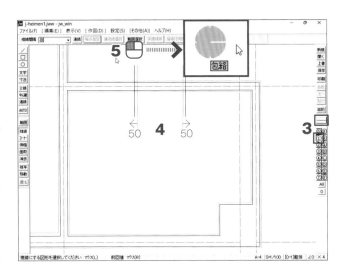

◉「包絡処理」コマンドの中間消去を利用して開口を開けましょう。

5 包絡範囲の始点として、右図の位置から🖱️→ AM3時 包絡 。

➡ 「包絡処理」コマンドが選択され、**5**の位置を対角とした包絡範囲枠がマウスポインタまで表示される。

6 包絡範囲枠で右図のように囲み、終点を🖱️← AM9時 中間消去 。

➡ 結果の図のように、中間の線を消去して包絡処理される。

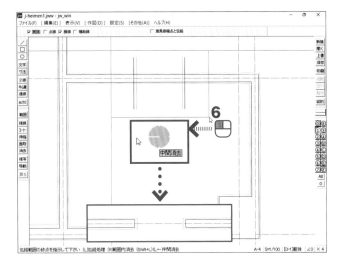

やってみよう

1〜**6**と同様の手順で、エントランスの窓（2カ所）と、入口の開口部を右図の寸法で作図しましょう。開口部の仕上げ厚はすべて50mmです。

POINT 🖱️↓ AM6時 属性取得 を利用して、仕上線、躯体線の線色・線種、書込レイヤを間違わないように作図してください。

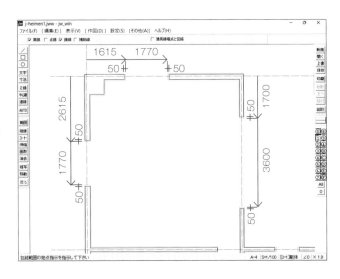

「3」レイヤに、図形コマンドで
建具を作図する

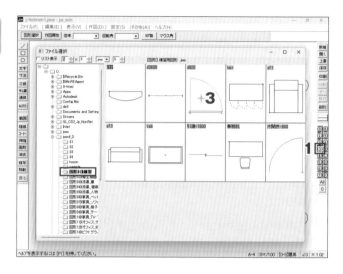

●エントランス扉、倉庫扉、階段扉は、p.97の「自主作図課題③」で、「図形01》練習」フォルダーに図形登録した建具を読み込むことで作図します。「3：建具」レイヤに倉庫の扉を読み込み、作図しましょう。

1　書込レイヤを「3：建具」にする。

2　メニューバー［その他］－「図形」を選択する。

3　「ファイル選択」ダイアログで、「図形01》練習」フォルダーの図形「d920」を🖱🖱で選択する。

➡　基準点をマウスポインタに合わせ、図形「d920」（片開き戸）が仮表示される。作図ウィンドウ左上には●書込レイヤに作図と表示される。

POINT 作図ウィンドウ左上の●書込レイヤに作図は、図形が現在の書込レイヤに作図されることを示します。

❓ ●書込レイヤに作図と表示されない。または◆元レイヤに作図と表示される→p.323　Q36

4　作図位置として、倉庫入口左の仕上線と壁芯の交点を🖱。

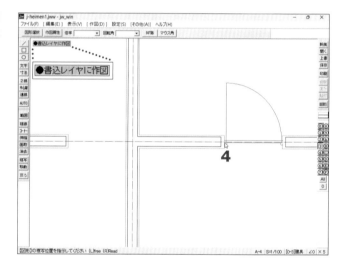

➡　レイヤバーの「3」レイヤボタン上部左半分に要素の存在を示す赤いバーが表示されることから、図形が書込レイヤ「3」に作図されたことがわかる。

●同じ図形を階段室入口に作図しましょう。

5　コントロールバー「90°毎」ボタンを2回🖱し、「回転角」ボックスの数値を「180」にする。

➡　図形が180°回転して仮表示される。

6　作図位置として、階段室入口右の仕上線と壁芯の交点を🖱。

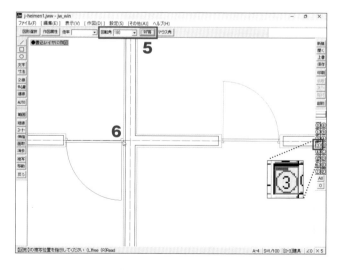

◉エントランス入口の扉を読み込み、作図しましょう。

7 コントロールバー「図形選択」ボタンを🖱️し、「ファイル選択」ダイアログで「d3600」を選択する。

8 コントロールバー「90°毎」ボタンを🖱️し、「回転角」ボックスの数値を「270」にする。

9 作図位置として、エントランス入口上の仕上線と壁芯の交点を🖱️。

10 「図形」コマンドを終了するため、「／」コマンドを選択する。

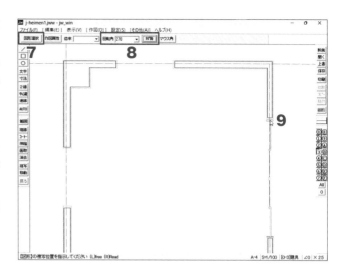

STEP 19 建具平面コマンドで建具を作図する

LESSON 3 1階平面図の作図

◉「建具平面」コマンドの建具は、基本的に書込線色・線種で作図されます。書込線を線色5・実線に変更したうえで、エントランスの通り芯Y2上の開口部に引違い窓を作図しましょう。

1 書込線を「線色5・実線」にする。

2 メニューバー［作図］－「建具平面」を選択する。

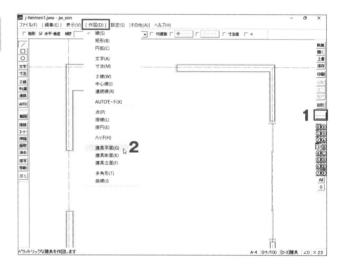

➡ 建具を選択するための「ファイル選択」ダイアログが開く。建具一覧の建具は、一部の線を除き、書込線の線色5・実線で表示される。

3 フォルダーツリーで「jww」フォルダー下「【建具平面A】建具一般平面図」が選択されていることを確認する。

4 建具一覧から［4］の引違いの建具を🖱️🖱️で選択する。

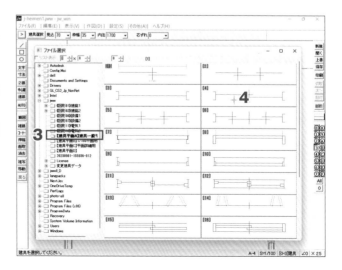

5 コントロールバー「見込」が70、「枠幅」が35、「芯ずれ」が0であることを確認する。「内法」ボックスの ▼ を 🖰し、リストから「(無指定)」を 🖰で選択する。

> **POINT** 「建具平面」は、作図時に「内法」「見込」「枠幅」「芯ずれ」を実寸値で指定します。ここでは、開口部の両端2点を指示して建具を作図するため、「内法」を「(無指定)」にします。

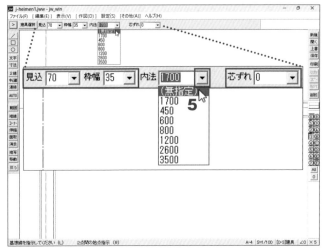

➡ 操作メッセージは「基準線を指示してください (L)」と表示される。

6 建具の基準線として、通り芯 Y2 を 🖰。

➡ 操作メッセージは「任意寸法の建具の基準点を指示してください」になる。

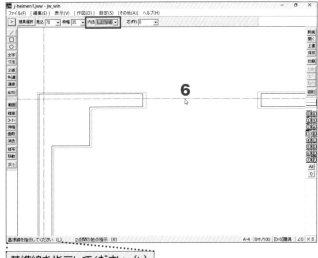

基準線を指示してください (L)

●建具の両端を指示して作図するため、建具の基準点を左端に変更しましょう。

7 コントロールバー「基準点変更」ボタンを 🖰。

➡「基準点選択」ダイアログが開く。

> **POINT** 「建具平面」は、作図時に基準点を「基準点選択」ダイアログの15カ所から選択できます。ここでは建具の両端(外端)を指示して作図するため、左の外端中央を基準点にします。

8 「基準点選択」ダイアログの左外端中央を 🖰。

➡ 基準点が変更され、ダイアログが閉じる。

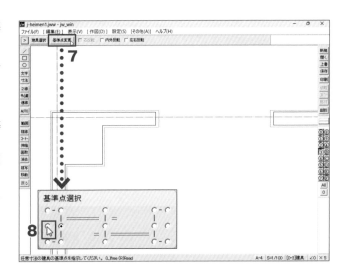

9 任意寸法の建具基準点として、開口部の
左角を🖰。

> **POINT** 基準線として、通り芯Y2を指定したこ
> とで、建具平面の作図位置はY2上に確定して
> います。そのため、**9**、**10**では、指示しやすい開
> 口部の角を🖰します。**9**、**10**は、通り芯と開口部
> の仕上線の交点を🖰しても結果は同じです。

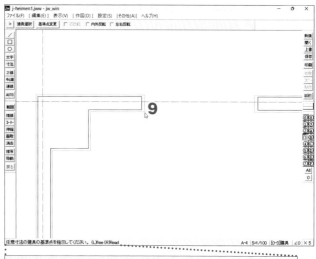

任意寸法の建具の基準点を指示してください。(L)free (R)Read

➡ 引違い窓の左外端が確定し、マウスポインタまで
の幅の引違い窓が仮表示される。操作メッセージは
「建具位置を指示してください」になる。

10 建具位置として、開口部右の角を🖰。

➡ 書込線の線色5・実線で、[4]の引違い窓が作図
され、操作メッセージは「基準線を指示してください」
になる。

> **POINT** 他の建具平面を選択するか、他のコマ
> ンドを選択するまでは、同じ建具平面を続けて
> 作図できます。

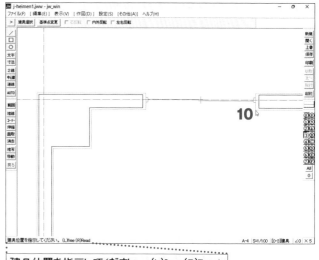

建具位置を指示してください。(L)free (R)Read

●続けて、同じ建具(引違い窓)をエントランスの
X1上の開口部に作図しましょう。

11 基準線として、通り芯X1を🖰。

12 建具基準点として、開口部上の角を🖰。

13 建具位置として、開口部下の角を🖰。

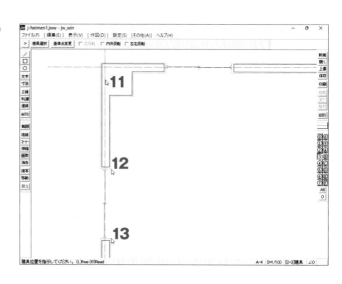

●階段室のすべり出し窓は、他の建具平面を選択して作図しましょう。

14 コントロールバー「建具選択」ボタンを🖱し、「ファイル選択」ダイアログで［3］の建具平面を🖱🖱で選択する。

15 基準線として、通り芯 X1 を🖱。

16 建具基準点として、開口部上の角を🖱。

17 建具位置として、開口部下の角を🖱。

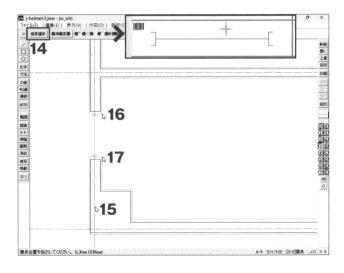

STEP **20** 窓の仕上線を連結する

●窓開口部の仕上線を「包絡処理」コマンドを使って連結しましょう。

1 「1」レイヤボタンを🖱し、「1：躯体」レイヤを非表示にする。

> **POINT** 仕上線の連結を「包絡処理」コマンドで行うため、躯体線を連結しないように「1：躯体」レイヤを非表示にします。

2 包絡範囲の始点から🖱→ AM3 時 包絡 。

3 表示される包絡範囲枠で右図のように開口部を囲み、終点を🖱。

> ➡ 結果の図のように仕上線が連結される。包絡範囲枠内の実線の建具に変化はない。

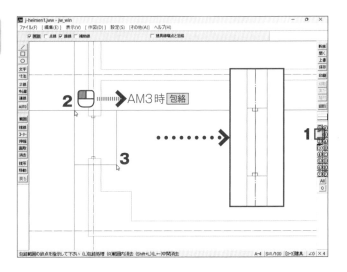

> **POINT** 「建具平面」コマンドで作図された建具は、包絡処理の対象にならない「建具属性」という性質を持っています。そのため、包絡範囲枠内の建具は変形しません。

4 エントランスの 2 カ所の窓開口部も包絡範囲枠で囲み、仕上線を連結する。

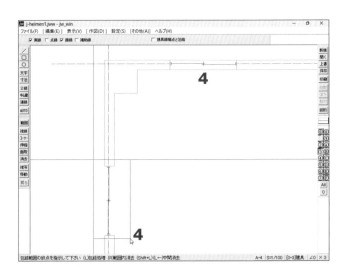

「4」レイヤに階段を作図する

◉「4：階段」レイヤに線色2・実線で階段室の階段を作図しましょう。

1　書込レイヤを「4:階段」、書込線を「線色2・実線」にする。

2　「複線」コマンドを選択し、「端点指定」「連続」などを利用して、階段室右の仕上げ線から右図の寸法で階段線を作図する。

3　書込線を「線色2・補助線種」にし、「中心線」コマンドを選択して右図のように階段の中心線を作図する。

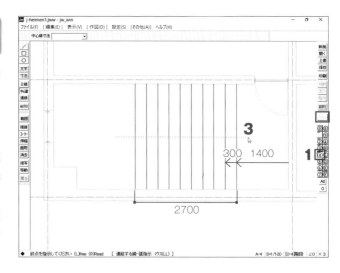

◉手すりを作図しましょう。

4　書込線を「線色2・実線」にする。

5　「2線」コマンドを選択し、中心線の両側に100mm振り分けの手すり線を右図のように作図する。

　　　　　　　参考：「2線」コマンド→p.155

6　「複線」コマンドを選択し、「端点指定」を利用して、階段線から100mm外側に手すり線を右図のように作図する。

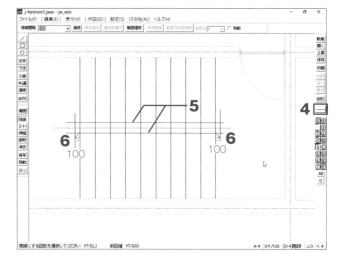

7　「包絡処理」コマンドで、手すりの端部（左右2カ所）を結果の図のように整える。

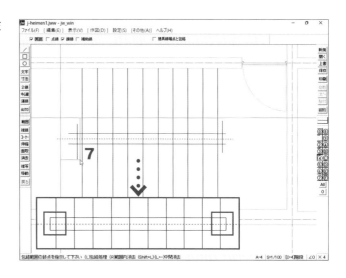

8 「消去」コマンドを選択する。

9 補助線を🖱し、消去する。

◉階段線の手すりに重なる部分を一括して消去
しましょう。

10 「消去」コマンドのコントロールバー「一
括処理」ボタンを🖱。

> **POINT** 「一括処理」では、複数の線の部分消し
> を一括で行います。はじめに部分消しの範囲と
> して、消し始めと消し終わりの基準線を指示
> し、次に部分消しをする対象線を指定します。

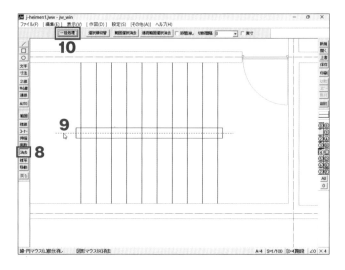

➡ 操作メッセージは「一括部分消し：消し始めの基
準線を指示してください(L)」になる。

11 消し始めの基準線として、上の手すり線
を🖱。

➡ 🖱した線が基準線を示す水色になる。操作メッ
セージは「一括部分消し：消し終りの基準線を指示し
てください」になる。

12 消し終わりの基準線として、下の手すり
線を🖱。

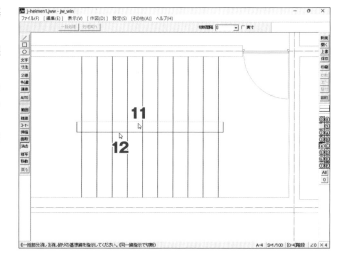

➡ 🖱した線が基準線を示す水色になり、**11**−**12**
間が部分消しの範囲に確定する。操作メッセージは
「一括処理する始線を指示してください」になる。

13 一括処理の始めの線として、左端の階段
線を🖱。

➡ 🖱した線が始線として選択色になり、🖱位置から
マウスポインタまで赤点線が仮表示される。操作メッ
セージは「一括処理する終線を指示してください」に
なる。

14 一括処理の終わりの線として、右端の階
段線を🖱。

【 一括処理する終線を指示してください(L) 】 (R)同一線種選

➡ 赤い点線と交差した階段線が、一括処理(部分消し)の対象線として選択色になる。

15 コントロールバー「処理実行」ボタンを🖱。

➡ 選択色で表示されていた10本の階段線の**11**－**12**間(2本の手すり線の間)が、結果の図のように一括で部分消しされる。

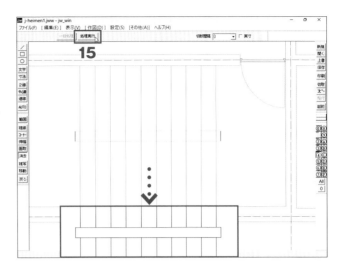

STEP 22 「B」レイヤに切断記号を作図する

◉「B：記号」レイヤに、切断記号を線色1・実線で作図しましょう。

1 書込レイヤを「B：記号」、書込線を「線色1・実線」にする。

2 「／」コマンドを選択し、コントロールバー「15度毎」にチェックを付ける。

> **POINT** 「15度毎」にチェックを付けることで、作図線の角度を15°ごと(0°⇒15°⇒30°…)に固定できます。

3 始点として、右図の位置で🖱。

➡ **3**を始点として、傾きが15°ごとに変化する線がマウスポインタまで仮表示される。

4 終点として、右図の位置で🖱。

5 メニューバー[その他]－「線記号変形」を選択する。

6 「ファイル選択」ダイアログのフォルダーツリーで「jww」フォルダーを🖱🖱。

7 「【線記号変形A】建築1」を🖱で選択する。

8 右側の記号一覧から「幅[1mm]」を🖱🖱で選択する。

> **POINT** 記号一覧で、赤く表示される線は、指示直線(1)の線色・線種で作図されます。

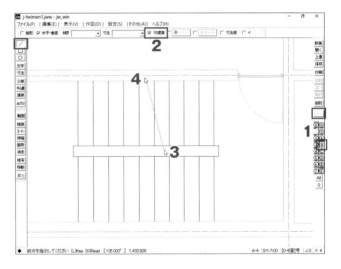

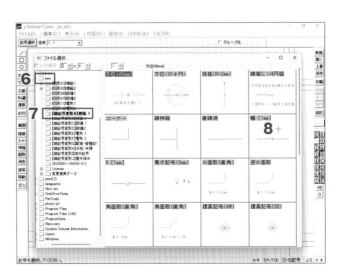

➡ ダイアログが閉じ、操作メッセージが「指示直線(1)を左クリックで指示してください」になる。

9 コントロールバー「グループ化」にチェックを付ける。

> **POINT** 「グループ化」にチェックを付けると、作図される切断記号の5本の線分がひとまとまりとして扱える「グループ」になります。

10 指示直線（1）として、**4** で作図した斜線を🖱。

> ➡ **10** で🖱した線のマウスポインタ位置に切断記号が仮表示され、操作メッセージは「位置をマウスで指示してください」になる。

> **POINT** 線記号は基本的に図寸で管理されているため、作図される大きさは図面の縮尺にかかわらず同じです。大きさを変更するには、コントロールバー「倍率」ボックスに倍率を指定します。

11 コントロールバー「倍率」ボックスを🖱し、「0.7」を入力する。

> ➡ 仮表示の切断記号の大きさが70%に縮小される。

12 記号の位置として、階段の幅の中心付近で🖱。

> ➡ **10** で🖱した斜線の **12** の位置に、**10** の線と同じ線色・線種で切断記号が作図される。

13 「消去」コマンドを選択し、不要な階段線を消去して次図（STEP 23）のように整える。

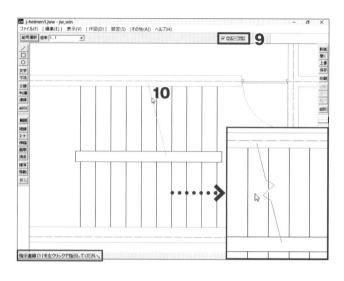

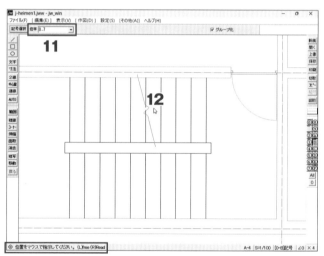

STEP 23 階段の昇り表示を作図する

◉階段の昇り表示を作図しましょう。

1 「／」コマンドを選択し、コントロールバー「15度毎」のチェックを外し、「水平・垂直」と「●－－－」にチェックを付ける。

> **POINT** 「●－－－」にチェックを付けることで、始点に実点の付いた線が作図されます。「●－－－」ボタンを🖱すると、「－－－●」（終点に実点作図）⇒「●－－●」（始点・終点に実点作図）に切り替わります。

2 始点として、右図の階段線を🖱→ AM3 時 中心点・A点。

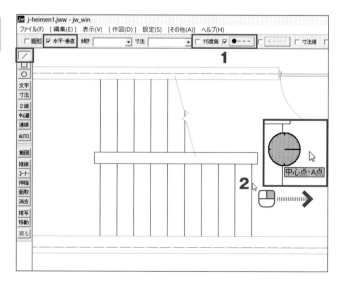

➡ 🖱→した階段線の中点を始点とした線がマウスポインタまで仮表示される。

3 終点として、右図の位置で🖱。

➡ 始点に実点の付いた線が作図される。

◉終点に矢印の付いた線を作図しましょう。

4 コントロールバー「＜ーーー」（始点に矢印作図）にチェックを付ける。

➡ 「●ーーー」のチェックが自動的に外れ、グレーアウトする。

5 「＜ーーー」ボタンを🖱し、「ーーー＞」（終点に矢印作図）にする。

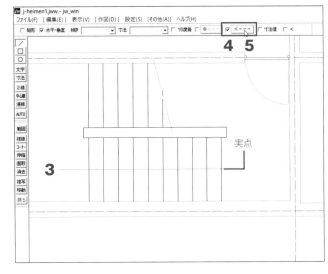

6 始点として、右図の階段線を🖱→ AM3 時 中心点・A点。

➡ 🖱→した階段線の中点を始点とした線がマウスポインタまで仮表示される。

7 終点として、右図の位置で🖱。

➡ 終点に矢印の付いた線が作図される。

POINT 線端点の実点、矢印は、「寸法設定」ダイアログ（→p.144）の「矢印・点色」「矢印設定」欄の「長さ」「角度」ボックスで指定した色と大きさで作図されます。

8 コントロールバー「ーーー＞」のチェックを外す。

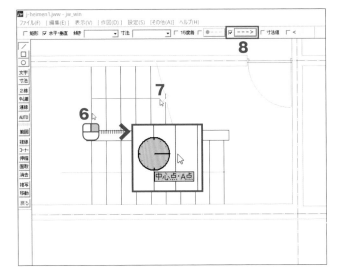

9 「複線」コマンドを選択し、右図のように一番左の階段線から 600mm 左に複線を作図する。

◉階段中心に作図した 2 本の線と、**9** で作図した線の 2 カ所の角を、「包絡処理」コマンドで整えましょう。

10 包絡範囲の始点として、右図の位置から🖱→ AM3 時 包絡。

11 表示される包絡範囲枠で右図のように囲み、終点を🖱。

➡ 次図のように 2 カ所の角が整う。

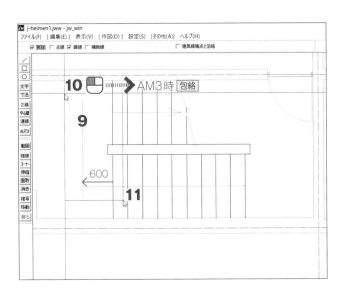

●クロックメニューのオフセットを利用して、文字「UP」を昇り表示の実点から50mm右にずらして記入しましょう。

12 「文字」コマンドを選択し、「書込文字種」を文字種[1]に、基点を「左中」に指定する。

13 「文字入力」ボックスに「UP」を入力する。

14 文字の記入位置として、右図の実点を🖱↓ AM6時 オフセット 。

> **POINT** 既存点から🖱↓ AM6時 オフセット することで、「オフセット」ダイアログが開き、🖱↓した点からの相対座標を指定して点指示できます。点のない位置から🖱↓ AM6時 オフセット した場合は、「軸角・目盛・オフセット設定」ダイアログ（→p.143）が開きます。

➡ **14**の点からの相対座標を指定するための「オフセット」ダイアログが開く。

15 「オフセット」ボックスに「50,0」を入力し、「OK」ボタンを🖱。

➡ 🖱↓した実点から50mm右に文字基点（左中）を合わせ、文字「UP」が記入される。

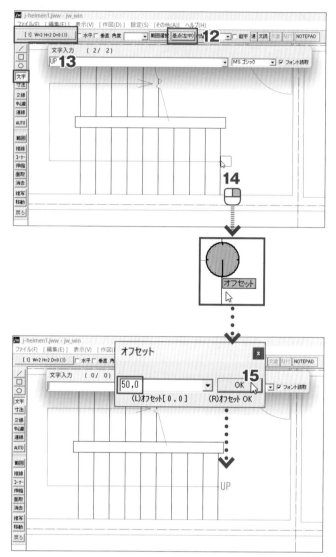

STEP 24 「D」レイヤに寸法を記入する

●はじめに左側の寸法を記入しましょう。

1 書込レイヤを「D：寸法」にする。

2 「寸法」コマンドを選択し、コントロールバー「傾き」ボックスを「90」、引出線タイプを「＝（1）」にする。

3 基準点として、通り芯Y2の左端点を🖱🖱（間隔反転）。

参考：「寸法」コマンド「＝(1)」→p.114/117

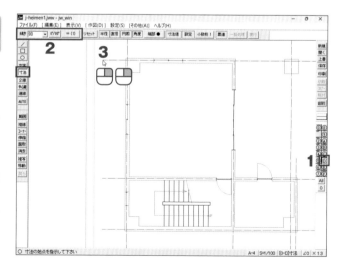

→ **3** の基準点から左に図寸5mmと10mmの位置に、引出線始点と寸法線位置の垂直なガイドラインが表示される。

4 始点として、通り芯 Y1 の端点を🖱。

5 終点として、その上の壁芯端点を🖱。

6 連続終点として、通り芯 Y2 の端点を🖱。

◉全体の寸法を外側に記入しましょう。

7 コントロールバー「リセット」ボタンを🖱し、寸法位置指定を解除する。

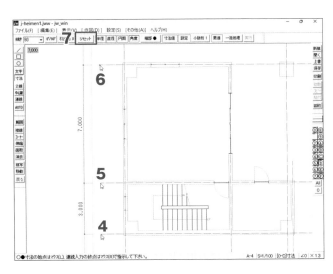

8 コントロールバーの引出線タイプを「＝(2)」にする。

9 基準点として、1段目の寸法線端点を🖱🖱（間隔反転）。

→ **9** の基準点の位置と基準点から左に図寸5mmの位置に、引出線始点と寸法線位置の垂直なガイドラインが表示される。

10 始点として、通り芯 Y1 の端点を🖱。

11 終点として、通り芯 Y2 の端点を🖱。

12 コントロールバー「リセット」ボタンを🖱し、寸法位置指定を解除する。

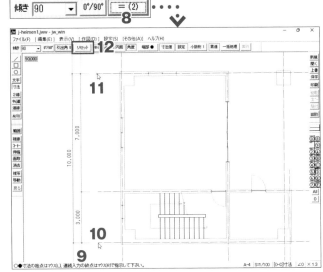

STEP 25 下側の寸法を一括で記入する

◉下側の1段目の寸法を「一括処理」を利用して記入しましょう。

1 コントロールバー「傾き」ボックスを「0」にし、引出線タイプを「＝(1)」にする。

2 基準点として、通り芯 X1 の下端点を🖱。

→ **2** の基準点から下に図寸5mmと10mmの位置に、引出線始点と寸法位置の水平なガイドラインが表示される。

3 コントロールバー「一括処理」ボタンを🖱。

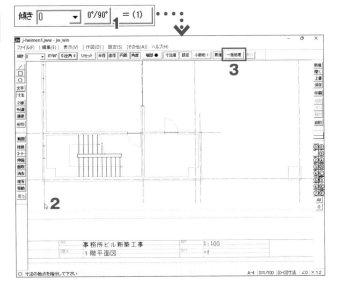

➡ 操作メッセージは「一括処理する始線を指示してください」になる。

4 一括処理の始線として、通り芯 X1 を🖱。

➡ 🖱した線が選択色になり、🖱位置からマウスポインタまで赤い点線が仮表示される。操作メッセージは「一括処理する終線を指示してください」になる。

5 一括処理の終線として、通り芯 X3 を🖱。

POINT 終線指示時、赤い点線に交差する線が寸法一括処理の対象になります。

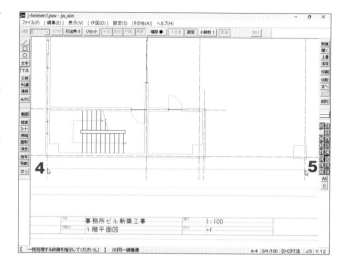

➡ 赤い点線に交差した線が対象として、選択色になる。

POINT この段階で線を🖱することで、対象から除外または追加できます。

6 コントロールバー「実行」ボタンを🖱。

POINT 寸法が図面枠に重なって記入されても後から移動できるので、問題ありません。

■ 一括処理する追加・除外線をマウス(L)で指示してください。 (R)確定

➡ 選択色で表示されていた通り芯・壁芯の端部を寸法の指示点として、通り芯・壁芯間の寸法が右図のように一括で記入される。

7 コントロールバー「リセット」ボタンを🖱し、寸法位置指定を解除する。

●2段目の寸法を下側に作図しましょう。

8 コントロールバーの引出線タイプを「＝(2)」にする。

9 基準点として、寸法線端点を🖱。

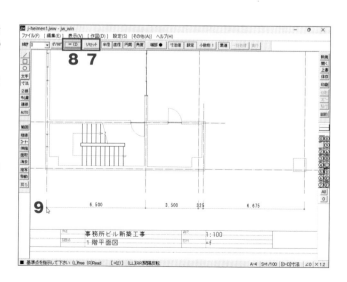

➡ **9**の基準点から図寸5mm下に寸法位置のガイド
ラインが表示される。

10 始点として、通り芯 X1 の端点を🖱。

11 終点として、通り芯 X2 の端点を🖱。

12 連続終点として、通り芯 X3 の端点を🖱。

13 コントロールバー「リセット」ボタンを
🖱し、寸法位置指定を解除する。

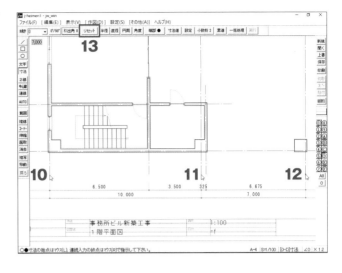

STEP
26 「C」レイヤに部屋名を
記入する

◉「C：部屋名」レイヤに、各部屋名を文字種4で
記入しましょう。

1 書込レイヤを「C：部屋名」にする。

2 「文字」コマンドを選択し、書込文字種を
文字種［4］にする。

3 文字の基点を「中中」に指定する。

4 文字「階段室」「エントランス」「倉庫」
を右図のように記入する。

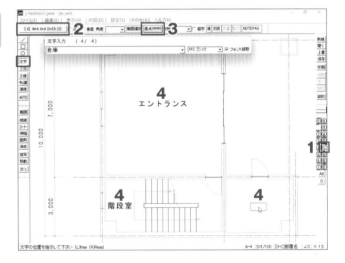

STEP
27 「E」レイヤに自動車の図形を
作図する

◉「E：その他」レイヤに、「図形」コマンドで添景
の自動車を作図しましょう。

1 書込レイヤを「E：その他」にする。

2 メニューバー［その他］−「図形」を選
択し、「jww8_D」フォルダー内の「図形
03》添景_車」フォルダーから図形「2−
普通セダンp」と「2−普通ワンボックスp」
を選択し、右図のように配置する。

❓「図形03》添景_車」フォルダーに上記の図形がな
い→p.324 Q37

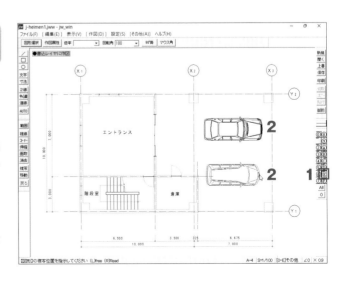

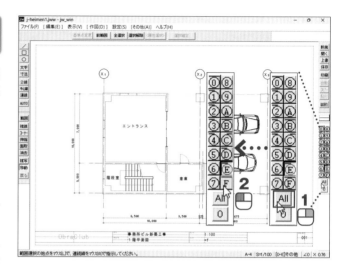

STEP 28 レイアウトを整えるために 平面図全体を移動する

●図面枠を移動しないよう、図面枠のレイヤを表示のみレイヤに、他のレイヤを編集可能レイヤにしましょう。

1 レイヤバーの「All」ボタンを🖱。

> **POINT** 「All」ボタンを🖱すると、すべてのレイヤが一括して編集可能レイヤになります。

2 「F」レイヤボタンを2回🖱。

> ➡ 「F」レイヤが表示のみレイヤになり、図面枠がグレーで表示される。

> **POINT** 寸法が図面枠に重なっていた場合に「F：図面枠」レイヤの要素を移動することのないよう、表示のみレイヤにしておきます。

●「移動」コマンドで平面図全体を移動して、レイアウトを整えましょう。

3 「移動」コマンドを選択する。

4 選択範囲の始点として、右図の位置で🖱。

5 表示される選択範囲枠で平面図全体を囲み、終点を🖱（文字を含む）。

> **POINT** 移動対象に文字を含めるには、選択範囲の終点を🖱します。

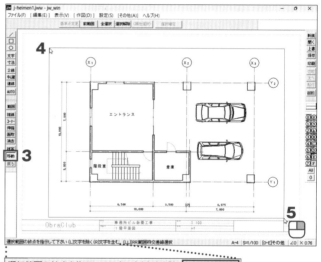

選択範囲の終点を指示して下さい (L)文字を除く (R)文字を含む

➡ 選択範囲枠に入るすべての要素が対象として、選択色になり、自動的に決められた基準点が赤い〇で表示される。

❓ 文字が選択色にならない→p324 Q38

6 コントロールバー「選択確定」ボタンを🖱。

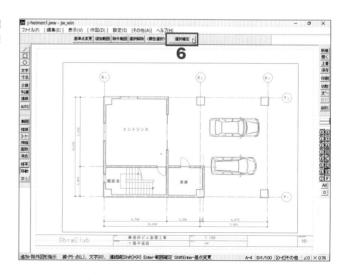

CHAPTER 2 RC造1F・2F平面図を作図する

➡ 作図ウィンドウ左上に◇元レイヤ・線種と表示され、自動的に決められた基準点をマウスポインタに合わせ、移動要素が仮表示される。

POINT 「移動」「複写」コマンドでは、通常、書込レイヤではなく、移動・複写元と同じレイヤに同じ線色・線種で複写・移動されます。◇元レイヤ・線種は、そのことを示すメッセージです。

❓ ◇元レイヤ・線種と表示されない／●書込レイヤに作図と表示される→p.324 Q39

7 移動先として、平面図が図面枠のほぼ中央になる位置で🖱。

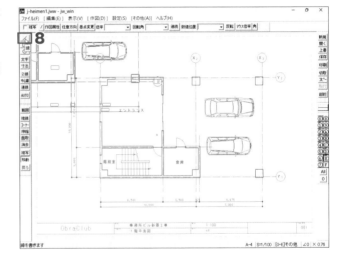

➡ **7**の位置に平面図が移動され、マウスポインタには移動要素が仮表示される。

❓ 文字だけ移動されない→p.324 Q38

8 「移動」コマンドを終了するため、「／」コマンドを選択する。

LESSON 3　1階平面図の作図

これまでは、「移動」や「複写」コマンドを選択した後で操作対象を範囲選択してきましたが、先に「範囲」コマンドで操作対象を選択（**1**）した後で「移動」や「複写」コマンドを選択（**2**）しても同じように、移動・複写が行えます。次のSTEP 29では、先に操作対象を選択して、「データ整理」コマンドを選択して「連結整理」を行いましょう。

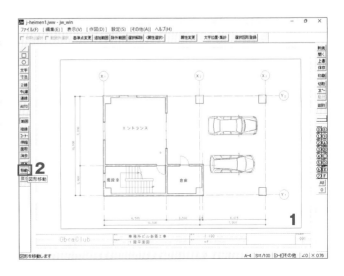

STEP 29 図面全体をデータ整理する

●操作対象を選択してから「データ整理」コマンドを選択して連結整理を行い、上書き保存しましょう。

1 レイヤバー「All」ボタンを🖱。

　➡ すべてのレイヤが編集可能レイヤになる。

2 「範囲」コマンドを選択する。

> **POINT** 「範囲」コマンドでは、操作対象を選択するほか、線色・線種・レイヤの変更などを行えます。

3 コントロールバー「全選択」ボタンを🖱。

> **POINT** 「範囲」コマンドや「移動」「複写」「データ整理」コマンドなどで操作対象を選択するとき、コントロールバーの「全選択」ボタンを🖱することで、編集可能なすべての要素を選択できます。

4 メニューバー［編集］−「データ整理」を選択する。

5 コントロールバー「連結整理」ボタンを🖱。

　➡ 選択された要素の連結整理が行われる。

6 上書き保存する。

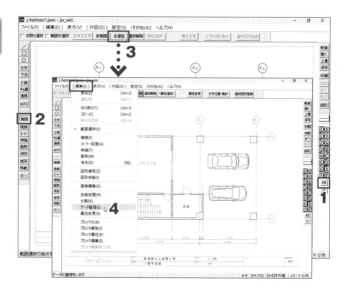
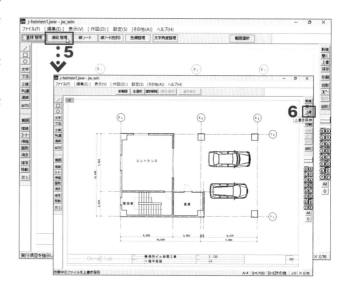

STEP 30 レイヤ分けを確認する

●レイヤ一覧ウィンドウを開き、図面のレイヤ分けを確認しましょう。

1 レイヤバーの書込レイヤ「E」を🖱。

2 レイヤ一覧ウィンドウで、正しいレイヤ分けで作図されていることを確認した後、レイヤ一覧ウィンドウを閉じる。

> **POINT** レイヤ一覧ウィンドウの各レイヤ領域内では、作図ウィンドウと同様に🖱、拡大などによるズーム操作が可能です。

❓ レイヤ分けを間違えて作図した→p.264

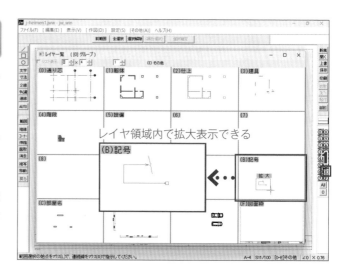

やってみよう

完成した図面を印刷してみましょう。

> **POINT** p.148で記入した埋め込み文字「＝f」は、図面ファイルの更新日付（上書保存した西暦の年月日）に変換されて印刷されます。もし、「＝f」のまま印刷されたとしたら、「＝f」が全角文字で記入されているか、「＝f」の前に空白（スペース）などが記入されていることが原因です。

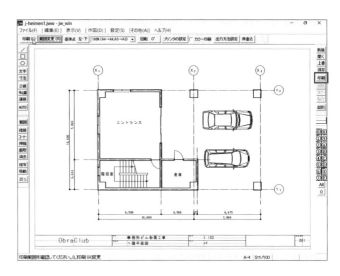

埋め込み文字が思っていた通りに変換されるか、印刷をしてみないとわからないのでは不便です。

メニューバー［設定］－「基本設定」を選択し、「jw_win」ダイアログの「一般（2）」タブの「プリンタ出力時の埋め込み文字（ファイル名・出力日時）を画面にも変換表示する」にチェックを付けることで、記入した埋め込み文字が画面上でも変換された状態で表示されます。

また、保存した日付（西暦）に変換する「＝f」以外にも、以下のようなファイル名や現在の日付に変換表示する埋め込み文字もあります。

・ファイル名：%f
・ファイル名（フルパス）：%F
・保存した日付（元号）：＝J
・現在の日付（元号）：%J

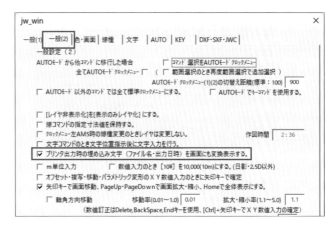

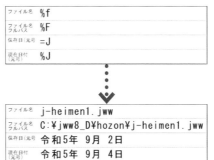

以上で、LESSON 3は終了です。

LESSON 4 ▶ 2階平面図の作図

2階平面図は、1階平面図と共通する部分が多くあります。1階平面図「j−heimen1」を開き、2階平面図と共通する通り芯・階段・躯体・仕上げ・建具の一部などを残して、他を消しましょう。それを「j−heimen2」として保存し、2階平面図を作図します。

2階平面図作図のおおまかな作図手順

① 1階平面図を開いて、2階平面図に不要な部分を消去

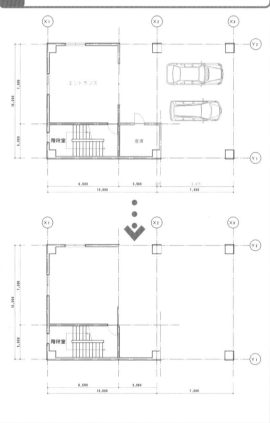

② 消去後の柱・壁・仕上げを整形

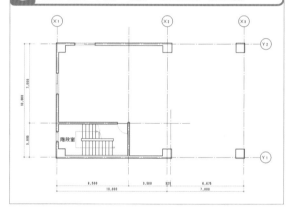

③ 建具を作図し、躯体・仕上げなどを調整

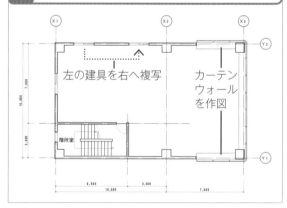

④ **階段を変更**

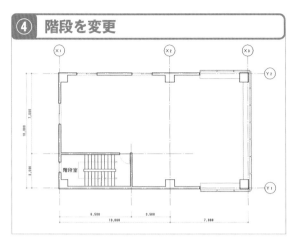

⑤ **トイレ周りの間仕切と建具を作図**

⑥ **「図形」コマンドで衛生機器を読み込み、部屋名を記入**

完成図　2階平面図

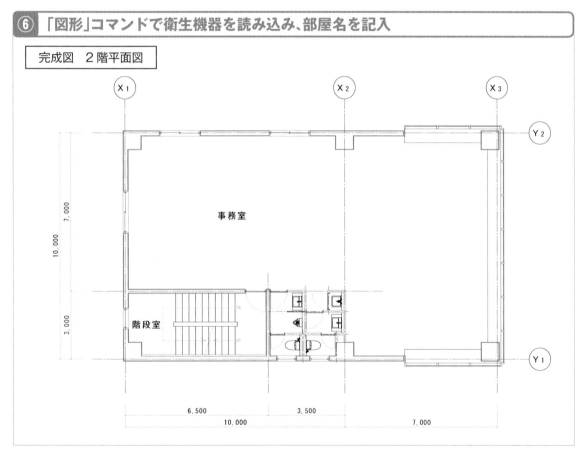

STEP 1　2階平面図に不要な要素を消去する

◉1階平面図を開き、レイヤ一覧ウィンドウで、2階平面図に共通して利用できる要素が作図されているレイヤを非表示にしましょう。

1　1階平面図「j–heimen1」を開く。

2　レイヤバーの書込レイヤ「E」を🖱。

3　レイヤ一覧ウィンドウで、消去しない要素が作図されているレイヤ「0：通り芯」「4：階段」「B：記号」「D：寸法」「F：図面枠」を非表示にする。

4　レイヤ一覧ウィンドウを閉じる。

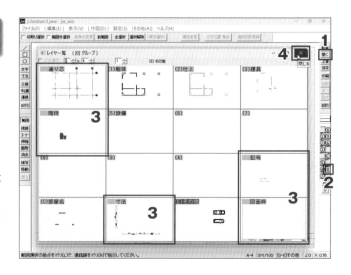

➡ 「0」「4」「B」「D」「F」レイヤに作図されている要素が作図ウィンドウから消える。

◉2階平面図に不要な部屋名、自動車を消去しましょう。

5　「消去」コマンドを選択する。

6　文字「エントランス」「倉庫」を🖱で消去する。

7　上の自動車の右図の線を🖱。

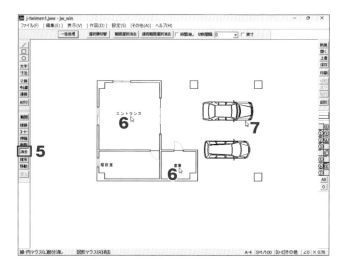

➡ 🖱した自動車全体が消える。

> **POINT** Jw_cadには複数の線・円・弧・実点・文字などの要素をひとまとまりとして扱う「曲線属性」（→p.96）と「ブロック」があります。この自動車は、ブロックであるため、その一部の線や円・弧を🖱すると、図形全体が消去されます。ブロックについてはp.304でもう少し詳しく解説します。

8　もう一方の自動車も🖱し、消去する。

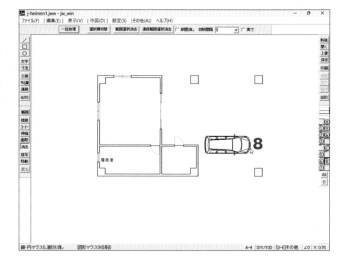

●2階平面図に不要なエントランス右上の壁・建具を範囲選択消去しましょう。

9 コントロールバー「連続範囲選択消去」ボタンを🖑。

> **POINT** 「連続範囲選択消去」では、範囲選択消去後、続けて範囲選択消去ができます。

10 選択範囲の始点として、右図の位置で🖑。

11 選択範囲枠で消去対象のエントランス右上の壁と建具を囲み、終点を🖑。

> ➡ 選択範囲枠に全体が入る要素が消去対象として、選択色になる。

12 コントロールバー「選択確定」ボタンを🖑。

> ➡ 選択色で表示されていた要素が消去され、続けて消去対象を範囲選択する状態になる。

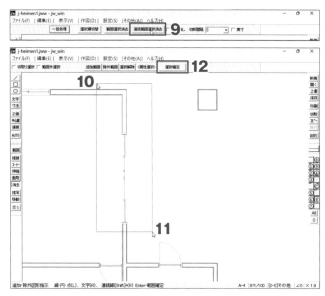

●倉庫入口の壁と建具を消去しましょう。

13 選択範囲の始点として、右図の位置で🖑。

14 選択範囲枠で倉庫入口の壁と建具を右図のように囲み、終点を🖑。

> ➡ 選択範囲枠に全体が入る要素が消去対象として、選択色になる。

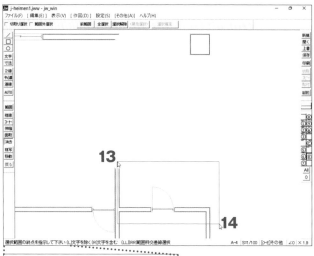

●倉庫右の内部仕上線と内部躯体線も、消去対象に追加しましょう。

15 倉庫右の内部仕上線を🖑。

> **POINT** 選択確定前に要素を🖑（文字は🖑）することで、操作対象に追加することや操作対象から除外することができます。操作対象への追加・除外は、「消去」コマンドに限らず、範囲選択時の操作メッセージに「追加・除外図形指示」が表示されているときは共通して行えます。

> ➡ 🖑した線が消去対象に追加され、選択色になる。

16 倉庫右の内部躯体線を🖑。

> ➡ 🖑した線が消去対象に追加され、選択色になる。

17 コントロールバー「選択確定」ボタンを🖑。

> ➡ 選択色で表示されていた要素が消去される。

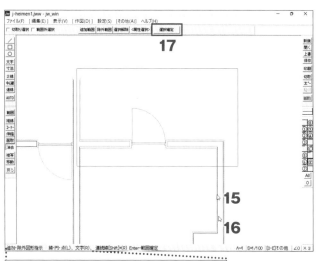

STEP 2 躯体・仕上げを整える

◉Y2通りの壁と柱を「包絡処理」コマンドで整えましょう。

1 包絡範囲の始点として、右図の位置から🖱→ AM3 時 包絡 。

➡「包絡処理」コマンドになり、**1**の位置を対角とした包絡範囲枠がマウスポインタまで表示される。

2 包絡範囲枠で壁の端部と柱を右図のように囲み、終点を🖱。

➡ 次図のように包絡処理される。

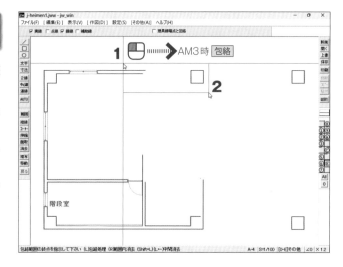

◉Y1通りの壁と柱を整えましょう。

3 包絡範囲の始点として、右図の位置で🖱。

4 表示される包絡範囲枠で壁の端部と柱を右図のように囲み、終点を🖱。

➡ 結果の図のように包絡処理される。

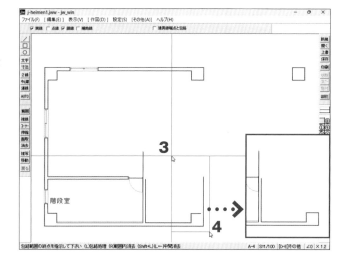

◉階段室入口右の壁を整えましょう。はじめに階段室右と上の壁外側の仕上線・躯体線どうしで角を作りましょう。

5 「コーナー」コマンドを選択する。

6 右の壁外側の躯体線を🖱。

7 上の壁外側の躯体線を🖱。

➡ 結果の図のように**6**と**7**で角が作られる。

8 右の壁外側の仕上線を🖱。

9 上の壁外側の仕上線を🖱。

➡ 次ページの図のように**8**と**9**で角が作られる。

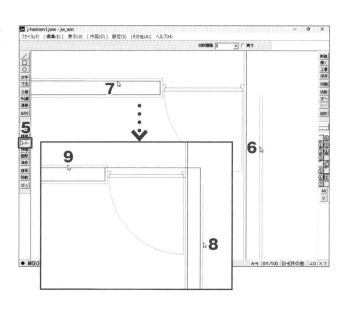

●階段室入口の開口部に重なる仕上線・躯体線を処理して、開口部の左右の壁を整えましょう。

10 開口部に重なる仕上線と躯体線を右図の位置で🖱し、切断する。

参考：「コーナー」線切断→p.81

11 開口部の左右の仕上線どうし、躯体線どうしで、それぞれ角を作り、結果の図のように整える。

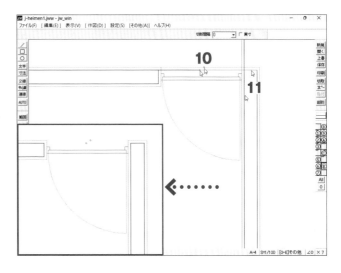

STEP 3 図面名などを変更して別の名前で保存する

●すべてのレイヤを編集可能にし、図面名、図面番号を変更しましょう。

1 レイヤバー「All」ボタンを🖱。

2 「文字」コマンドを選択し、図面名「1階平面図」を「2階平面図」に、図面番号「001」を「002」に書き換える。

参考：文字の書き換え→p.104

●通り芯X1とX2の間の壁芯を短くしましょう。

3 「伸縮」コマンドを選択し、通り芯X1とX2の間の壁芯を右上図のように縮める。

参考：伸縮→p.51

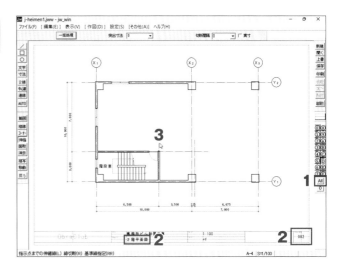

●「jww8_D」フォルダー内の「hozon」フォルダーに「j-heimen2」として、保存しましょう。

4 「保存」コマンドを選択する。

5 図面の保存場所として、「jww8_D」フォルダー内の「hozon」フォルダーを開いた状態で、「新規」ボタンを🖱。

6 「新規作成」ダイアログの「名前」ボックスを「j-heimen2」に、「メモ」ボックスの2行目を「2階平面図」に変更し、「OK」ボタンを🖱。

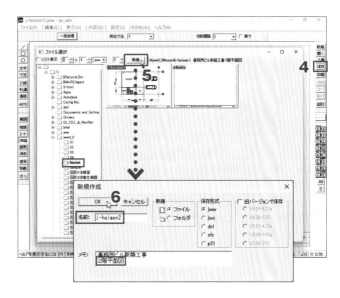

STEP 4 不要な壁芯と寸法を消去する

◉通り芯X2右隣の壁芯と、不要な寸法「6,675」と「325」を消去しましょう。

1 「消去」コマンドを選択する。

2 通り芯X2の右隣の壁芯を🖱して消去する。

3 寸法「6,675」の寸法線を🖱。

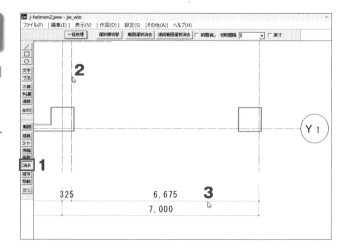

➡ 寸法線とともにその寸法値「6,675」と引出線、端部実点も消去される。

POINT 「寸法をグループ化する」にチェックを付けた設定 (→p.144) で寸法を記入したため、寸法線を🖱することで、同時に記入された寸法値、引出線、端部実点も消去されます。

❓ 寸法値や引出線、端部実点が消えない →p.325 Q40

4 寸法「325」の寸法線を🖱。

➡ 結果の図のように、寸法線と寸法値「325」と引出線、端部実点が消去される。

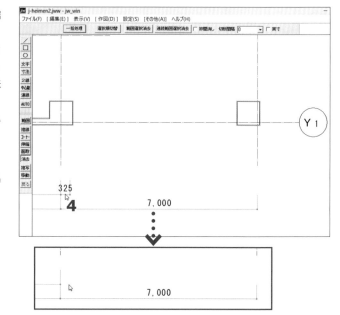

ここで、寸法値「7,000」の右の引出線を伸ばしたいところです。しかし、「寸法をグループ化する」にチェックを付けた設定で記入した寸法は、寸法線、寸法値、引出線、端部実点がひとまとまりのグループになっているため、「伸縮」コマンドで引出線を🖱すると 曲線です と表示されて伸縮できません。引出線を伸ばすには、グループを解除する必要があります。

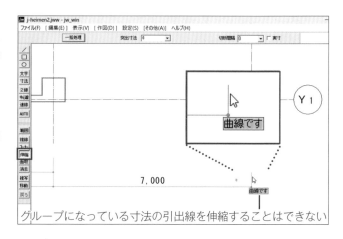

グループになっている寸法の引出線を伸縮することはできない

STEP 5　寸法のグループを解除して引出線を伸ばす

◉寸法「7,000」のグループを解除して右の引出線を伸ばしましょう。

1　「範囲」コマンドを選択する。

2　寸法「7,000」の引出線を🖱。

> **POINT** 引出線を🖱することで、グループになっている寸法部全体が選択されます。寸法線を🖱した場合、 寸法図形です と表示され、グループ（寸法部全体）を選択できません。

3　コントロールバー「属性変更」ボタンを🖱。

4　属性変更のダイアログの「全属性クリアー」にチェックを付ける。

> **POINT** 属性変更のダイアログの「全属性クリアー」にチェックを付けることで、「グループ」を含め、選択要素に付加されたすべての属性が解除されます。

5　「OK」ボタンを🖱。

> ➡ グループが解除され、1セットの寸法図形（寸法線と寸法値「7,000」）と引出線、端部実点に分解される。

6　「伸縮」コマンドを選択する。

7　寸法「7,000」の右の引出線を🖱。

8　伸縮位置として、右図の引出線端点を🖱。

> ➡ 結果の図のように、右の引出線が **8** の位置まで伸びる。

STEP 6　Y2通りの窓を5000mm右に複写する

◉Y2通りの窓を5000mm右に複写しましょう。

1　「複写」コマンドを選択する。

2　選択範囲の始点として、右図の位置で🖱。

3　表示される選択範囲枠で窓とその左右の仕上線・躯体線を囲み、終点を🖱。

> ➡ 選択範囲枠に全体が入る要素が選択色になる。

4　コントロールバー「選択確定」ボタンを🖱。

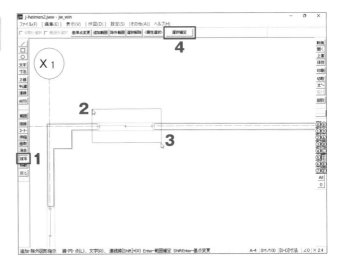

➡　作図ウィンドウ左上に ◇元レイヤ・線種 と表示され、マウスポインタに自動的に決められた基準点を合わせ、複写要素の窓が仮表示される。

❓ ◇元レイヤ・線種 と表示されない、または ●書込 レイヤに作図 と表示される→p.324　Q39

5 コントロールバー「数値位置」ボックスに「5000,0」を入力し、Enter キーを押して確定する。

POINT 「数値位置」ボックスには、複写元から複写先までのX（横）方向とY（縦）方向の距離を「,」（カンマ）で区切って入力します。複写元から右と上は「＋」（プラス）、左と下は「−」（マイナス）値で指定します。

➡　右へ5000mmの位置に複写される。マウスポインタには複写要素が仮表示される。

◉複写した窓に重なる躯体線を消しましょう。

6 「消去」コマンドを選択し、複写した窓に重なる躯体線を、結果の図のように部分消しする。

参考：部分消し→p.34

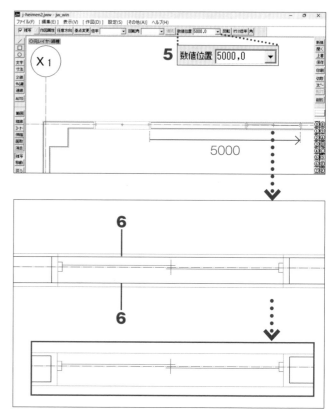

カーテンウォールの作図

◉カーテンウォールと窓台を「3：建具」レイヤに作図しましょう。はじめに、通り芯X3の中央に基本となるユニットを作図します。それを複写して、カーテンウォールと窓台を作図します。

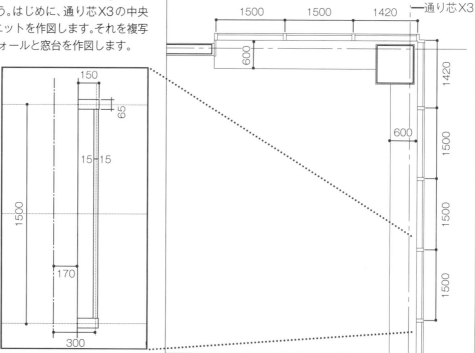

基本ユニット

カーテンウォールの基本ユニットを作図する

◉カーテンウォールの取付基準位置として、通り芯X3とY2から170mm外側に線色5・実線で複線を作図しましょう。

1 書込レイヤを「3:建具」、書込線を「線色5・実線」にする。

2 「複線」コマンドを選択し、通り芯X3から170mm右に取付基準線となる複線を作図する。

3 通り芯Y2から170mm上に取付基準線となる複線を作図する。

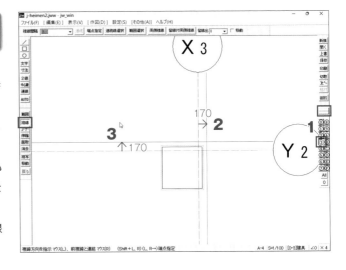

◉カーテンウォールの基本ユニットの作図目安として、補助線を作図しましょう。

4 書込線を「線色2・補助線種」にする。

5 「中心線」コマンドを選択し、通り芯Y1とY2の中心線を右図のように作図する。

6 「複線」コマンドを選択し、**5**で作図した中心線から750mm上と下に複線を作図する。

7 作図した補助線付近を拡大表示する。

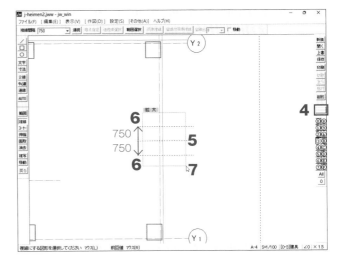

◉基本ユニット両端の方立（65mm×150mm）を、線色5・実線で作図しましょう。

8 取付基準線を🖱↓ AM6時 属性取得 し、書込線を「線色5・実線」にする。

9 「□」コマンドを選択し、コントロールバー「寸法」ボックスに「150,65」を入力する。

10 補助線と取付基準線の交点に矩形の左中を合わせ、右図の2カ所に方立を作図する。

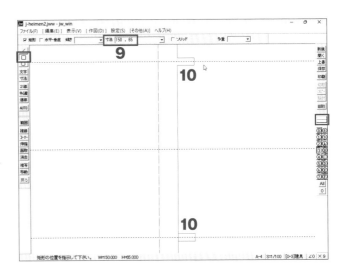

●方立の間にガラス（2本線）を「2線」コマンドで作図するための基準線として、通り芯X3から300mm右に補助線を作図しましょう。

11 既存の補助線を🖱️↓ AM6 時 属性取得 し、書込線を「線色2・補助線種」にする。

12 「複線」コマンドを選択し、通り芯X3から300mm右に「端点指定」を利用して、上下の方立と交差する補助線を作図する。

参考：「複線」端点指定→p.153

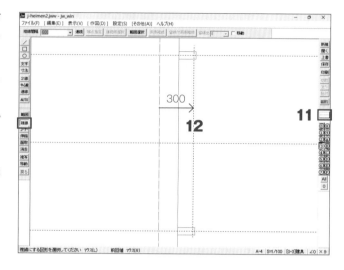

●補助線から振り分け15mmで、方立の間にガラスの2本線を線色5・実線で作図しましょう。

13 🖱️↓ AM6 時 属性取得 を利用し、書込線を「線色5・実線」にする。

14 「2線」コマンドを選択し、コントロールバー「2線の間隔」ボックスに「15」を入力する。

15 補助線を基準線として、方立の間に2線を作図する。

参考：「2線」→p.155

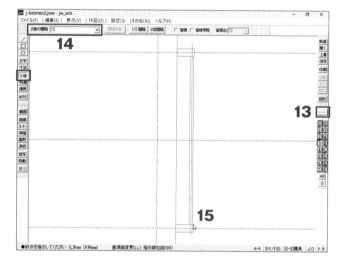

STEP 8 基本ユニットを上側に3つ複写する

●前項で作図した基本ユニットを、上側に3つ複写しましょう。

1 「複写」コマンドを選択する。

2 基本ユニットを、選択範囲枠で右図のように囲み、終点を🖱️。

3 コントロールバー「基準点変更」ボタンを🖱️。

> **POINT** コントロールバー「基準点変更」ボタンを🖱️することで、複写対象が確定し、基準点指示の段階になります。

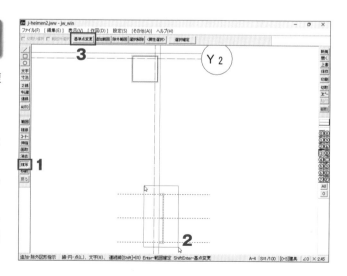

⇒　選択色で表示されていた要素が複写対象として、確定し、操作メッセージは「基準点を指示して下さい」になる。

4　複写の基準点として、基本ユニット下の補助線の右端点を🖱。

⇒　**4**の点を基準点として、複写要素がマウスポインタに仮表示され、操作メッセージは「複写先の点を指示して下さい」になる。

5　複写先の点として、基本ユニット上の補助線の右端点を🖱。

⇒　基本ユニットが**5**に基準点を合わせ、複写される。マウスポインタには複写要素が仮表示され、操作メッセージは「複写先の点を指示して下さい」と表示される。

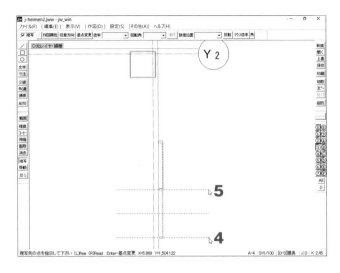

◉さらに基本ユニットを上に2つ複写しましょう。

6　コントロールバー「連続」ボタンを🖱。

⇒　上側にもう1つ複写される。

POINT コントロールバー「連続」ボタンを🖱することで、🖱した回数分、同じ方向・同じ距離に続けて複写できます。

7　コントロールバー「連続」ボタンを🖱。

⇒　さらに上側にもう1つ複写される。

8　「複写」コマンドを終了するため、「／」コマンドを選択する。

POINT 複写によって二重になった方立の線は、後でデータ整理を行い、1本にします。

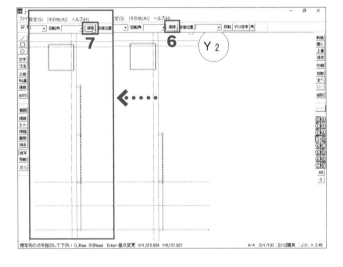

STEP 9　上にはみ出した方立の位置を調整する

◉上にはみ出したユニットのガラス部分を「パラメトリック変形」コマンドで縮め、方立の位置を調整しましょう。

1　メニューバー［その他］－「パラメトリック変形」を選択する。

POINT 「パラメトリック変形」コマンドは、図の一部の線を伸び縮みさせることで図全体の長さ（幅）を変更します。はじめに対象を範囲選択しますが、このとき、伸び縮みする線の片方の端点が選択範囲枠に入るように囲みます。次に変形位置を指示してパラメトリック変形します。

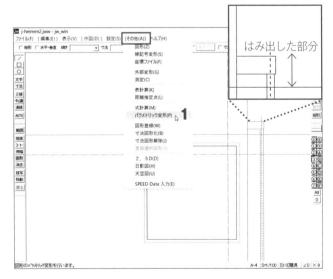

2 選択範囲の始点として、右図の位置で🖱。

➡ **2**の位置を対角とする選択範囲枠がマウスポインタまで表示される。

3 選択範囲枠に方立全体とガラス線の片方の端点が入るように囲み、終点を🖱。

➡ 選択範囲枠に全体が入る要素が選択色で、片方の端点が入る線要素が選択色の点線で、それぞれ表示される。

> **POINT** 選択色の点線で表示されている線が伸び縮みして、それに伴い選択色の要素が移動します。

4 コントロールバー「基準点変更」ボタンを🖱。

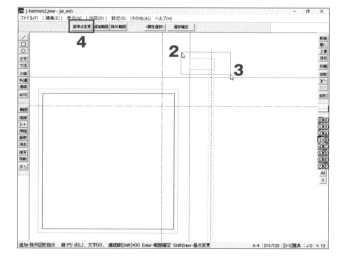

➡ パラメトリック変形の対象が確定し、操作メッセージが「基準点を指示して下さい」になる。

◉パラメトリック変形の基準点として、方立の右辺の中点を指示しましょう。

5 方立の右辺を🖱→ AM3時 中心点・A点 。

➡ 基準点が右辺の中点に確定する。マウスポインタに右辺の中点を合わせ、選択色の点線部分が伸び縮みし、それに伴い選択色の要素が移動する。操作メッセージは、「移動先の点を指示してください」になる。

❓ 操作メッセージが「2点間中心◆◆B点指示◆◆」になる→p.325 Q41

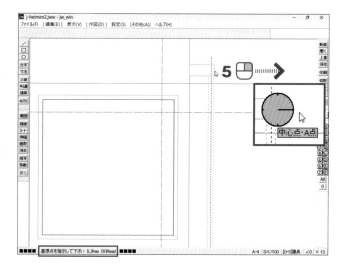

◉移動方向を縦方向に固定して移動先を指示しましょう。

6 コントロールバー「XY方向」ボタンを🖱し、「Y方向」にする。

> **POINT** 「XY方向」（横または縦方向固定）ボタンを🖱で、移動方向が「Y方向」（縦方向固定）⇒「X方向」（横方向固定）⇒「任意方向」（固定なし）に切り替わります。

7 移動先の点として、右図の通り芯X3とカーテンウォールの取付基準線の交点を🖱。

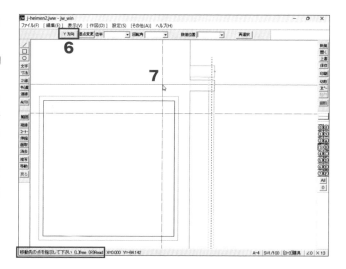

➡ 作図ウィンドウ左上に【図形をパラメトリック変形しました】(0, -80) と表示される。操作メッセージは「移動先の点を指示して下さい」と表示され、マウスポインタの動きに従いパラメトリック変形要素が伸び縮みして仮表示される。

> **POINT** コントロールバー「再選択」ボタンか他のコマンドを選択するまでは、移動先の点を指示することで、選択色の要素を再度パラメトリック変形できます。

8 コントロールバー「再選択」ボタンを🖱。

➡ パラメトリック変形が確定し、パラメトリック変形要素が元の色に戻る。

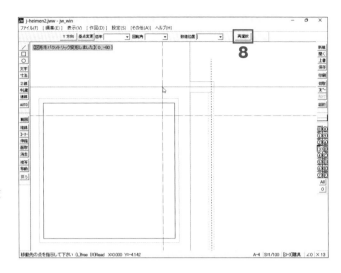

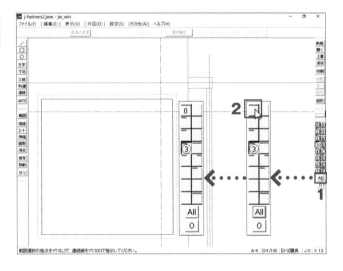

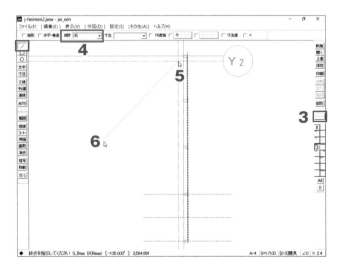

STEP
10 Y2通りにカーテンウォールを反転複写する

◉反転複写の操作を行いやすくするため、書込レイヤと「0：通り芯」レイヤ以外を非表示にしましょう。

1 レイヤバーの「All」ボタンを🖱し、書込レイヤの「3：建具」以外のレイヤを非表示にする。

> **POINT** 「All」ボタンを🖱することで、書込レイヤ以外のレイヤの状態を一括で非表示⇒表示のみ⇒編集可能に変更できます。

2 「0」レイヤボタンを🖱し、表示のみにする。

◉反転複写の基準線として、通り芯Y2とX3の交点から45°の補助線を作図しましょう。

3 既存の補助線を🖱↓ AM6 時 属性取得 し、書込線を「線色2・補助線種」にする。

4 「／」コマンドを選択し、コントロールバー「傾き」ボックスに「45」を入力する。

5 始点として、通り芯 Y2 と X3 の交点を🖱。

6 終点として、右図の位置で🖱。

◉「複写」コマンドを選択し、複写対象として、カーテンウォールの上から3つのユニットを指定しましょう。

7 「複写」コマンドを選択する。

8 カーテンウォールの上から3つのユニットを選択範囲枠で囲み、終点を🖱。

   ➡ 選択範囲枠に全体が入る要素が選択色になる。

9 コントロールバー「選択確定」ボタンを🖱。

   ➡ マウスポインタに従い、自動的に決められた基準点で複写要素が仮表示される。

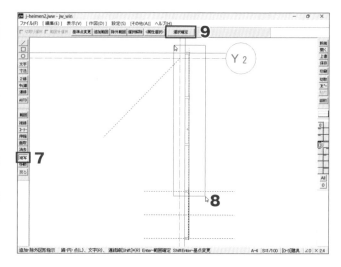

◉45°の補助線を基準線として、選択した3つのユニットを反転複写しましょう。

10 コントロールバー「反転」ボタンを🖱。

11 反転の基準線として、45°の補助線を🖱。

   ➡ 結果の図のように**11**の線に対して3つのユニットが反転複写され、マウスポインタには複写要素が仮表示される。

12 「複写」コマンドを終了するため、「／」コマンドを選択する。

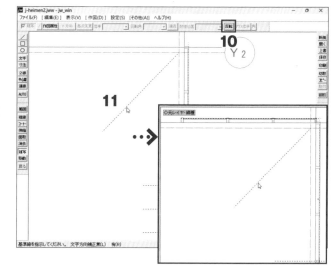

◉複写によって重複した線を1本に整理しましょう。

13 「範囲」コマンドを選択し、コントロールバー「全選択」ボタンを🖱。

   ➡ 編集可能なすべての要素（ここでは「3：建具」レイヤの要素のみ）が選択色になる。

14 メニューバー［編集］−「データ整理」を選択する。

15 コントロールバー「連結整理」ボタンを🖱。

   ➡ 重複した線の整理と連結処理がされる。

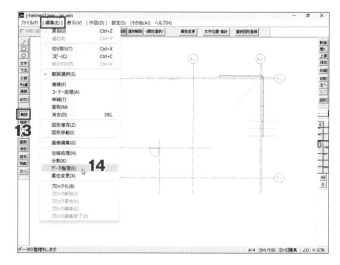

STEP 11　反転複写したカーテンウォールの角と端を整える

●反転複写したカーテンウォールの右上の角を整えましょう。また、カーテンウォールの左端に30mm×335mmの縦枠を作図しましょう。

1　「コーナー」コマンドを選択し、カーテンウォール右上の角を右図のように整える。

2　カーテンウォールの線を属性取得し、書込線を「線色5・実線」にする。

3　「□」コマンドを選択し、30mm×335mmの縦枠の左上を、カーテンウォール左端の方立の左下角に合わせて作図する。

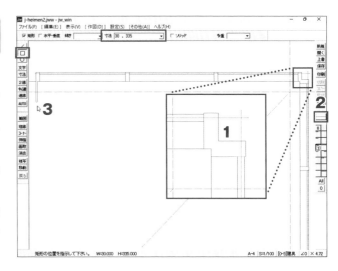

●奥行600mmの窓台を縦枠と柱の間に作図しましょう。

4　「2」レイヤボタンを🖱し、表示のみにする。

5　「複線」コマンドを選択し、コントロールバー「複線間隔」ボックスに「600」を入力する。

6　基準線として、右図のカーテンウォールの取付基準線を🖱。

7　コントロールバー「端点指定」ボタンを🖱。

8　端点指定の始点として、縦枠の左下角を🖱。

9　終点として、柱仕上げの左下角を🖱。

10　基準線の下側で作図方向を決める🖱。

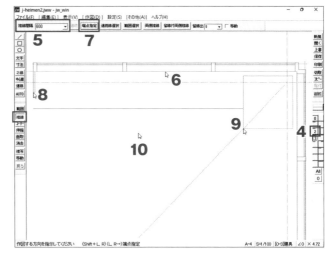

11　「コーナー」コマンドを選択し、縦枠の左辺を🖱。

12　カーテンウォールの取付基準線を🖱。
➡　結果の図のように**11**と**12**の角が作られる。

13　縦枠の左辺と窓台の線で角を作る。

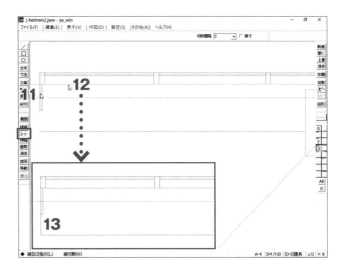

●Y2通りの躯体・仕上げを窓台の左端部まで
伸ばしましょう。

14 レイヤバー「All」ボタンを🖱し、すべて
のレイヤを編集可能にする。

15 「伸縮」コマンドを選択する。

16 窓台の左端の線を🖱🖱し、伸縮の基準線
にする。

17 仕上線・躯体線の計4本を🖱し、基準線
まで伸ばす。

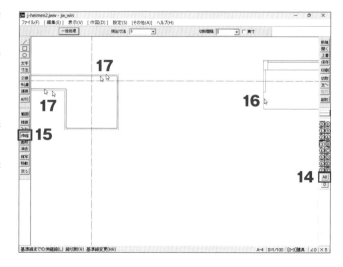

●「包絡処理」コマンドで柱周りを整えましょう。

18 包絡範囲の始点として、右図の位置から
🖱→ AM3時 包絡 。

19 表示される包絡範囲枠で柱を右図のよう
に囲み、終点を🖱。

➡ 結果の図のように包絡処理される。

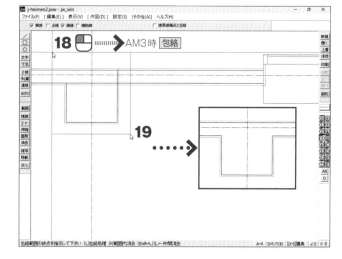

●窓台の左端から50mm左に躯体線を作図し、
躯体の角を整えましょう。

20 既存の躯体線を属性取得し、書込レイヤ
を「1：躯体」、書込線を「線色2・実線」
にする。

21 「複線」コマンドを選択し、窓台の左端の
線から50mm左に躯体線を作図する。

22 「コーナー」コマンドを選択し、躯体の角
を結果の図のように整える。

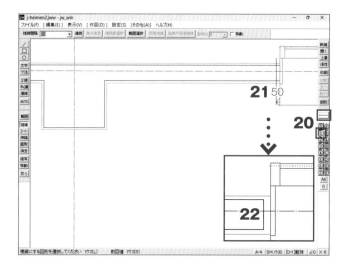

STEP 12　カーテンウォールを下側に反転複写する

●上半分を作図したカーテンウォールとその周りの窓台などを反転複写し、下半分を作図しましょう。

1　「複写」コマンドを選択する。

2　中心線から上部分のカーテンウォールと窓台、その左の躯体線を、選択範囲枠で右図のように囲み、終点を🖱。

3　コントロールバー「選択確定」ボタンを🖱。

> **POINT** 後でデータ整理を行うため、反転複写により柱などの線が重複してもかまいません。また、補助線も後で消去するため、不要な補助線が複写対象に含まれていてもかまいません。

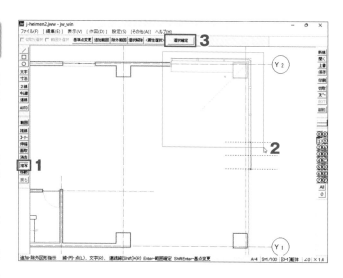

4　コントロールバー「反転」ボタンを🖱。

5　反転の基準線として、通り芯 Y1 と Y2 の中心線を🖱。

> ➡ 結果の図のように反転複写される。

6　「複写」コマンドを終了するため、「／」コマンドを選択する。

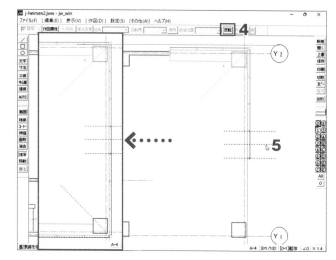

STEP 13　壁・窓台を整える

●Y1通りの躯体線を、反転複写した窓台左端の躯体線まで伸ばしましょう。

1　「伸縮」コマンドを選択する。

2　窓台左端の躯体線を🖱🖱し、基準線にする。

3　Y1通りの躯体線（2本）を🖱し、基準線まで伸ばす。

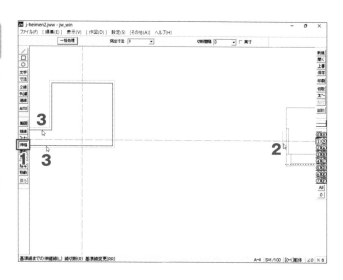

●Y1通りの仕上線を、反転複写した窓台左端ま
で伸ばしましょう。

4 窓台左端の線を🖰🖰し、基準線にする。

5 Y1通りの仕上線（2本）を🖰し、窓台左
端の線まで伸ばす。

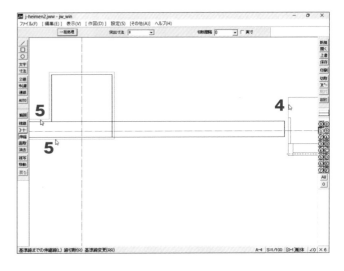

●「包絡処理」コマンドで柱周りを整えましょう。

6 包絡範囲の始点として、右図の位置から
🖰→ AM3 時 包絡 。

7 表示される包絡範囲枠で柱を右図のよう
に囲み、終点を🖰。

➡ 結果の図のように包絡処理される。

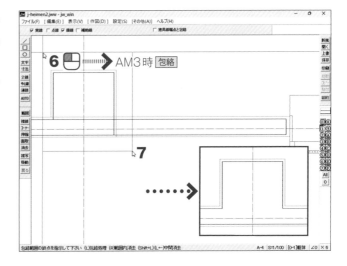

●カーテンウォールの右下角を整え、X3通りの
カーテンウォールに奥行600mmの窓台を作図
しましょう。

8 「コーナー」コマンドを選択し、カーテン
ウォール右下角を右図のように整える。

9 カーテンウォールを属性取得し、書込レ
イヤを「3：建具」、書込線を「線色5・
実線」にする。

10 「複線」コマンドを選択し、X3通りのカー
テンウォールの取付基準線から600mm
内側の柱間に窓台の線を作図する。

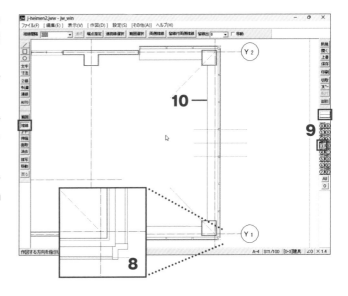

STEP 14 補助線をまとめて消去する

●平面図内の補助線だけをまとめて消します。ここでは消去対象を先に選択しましょう。

1 「範囲」コマンドを選択する。

2 選択範囲枠で平面図全体を囲み、終点を 🖑（文字を除く）。

　　➡ 選択範囲枠に全体が入る文字以外の要素が選択色になる。

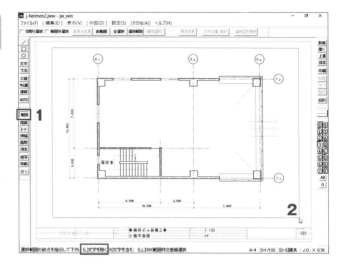

●選択色で表示された要素から、補助線の要素だけを選択しましょう。

3 コントロールバー「＜属性選択＞」ボタンを🖑。

　　➡ 属性選択のダイアログが開く。

　　POINT 属性選択のダイアログで条件を指定することで、選択色で表示されている要素の中から指定条件に合った要素だけを選択します。

4 「補助線指定」を🖑し、チェックを付ける。

5 「補助線指定」と「【指定属性選択】」にチェックが付いていることを確認し、「OK」ボタンを🖑。

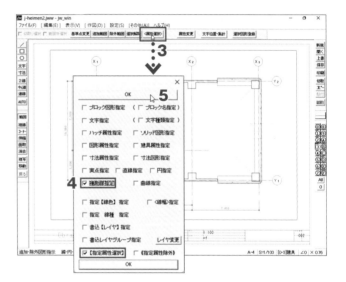

　　➡ 平面図内の補助線のみが対象として選択色になり、他の要素は元の色に戻る。

6 「消去」コマンドを🖑。

　　➡ 選択色で表示されていた補助線が消去される。

7 図面全体を対象として、「連結整理」を行う。

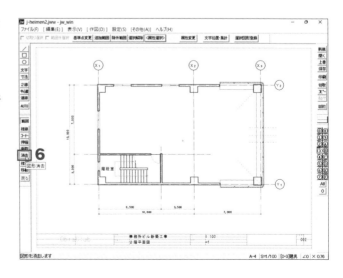

LESSON 4　2階平面図の作図

やさしく学ぶ Jw_cad 8《デラックス版》　**213**

階段の変更

●階段を下左図から下右図のように変更しましょう。

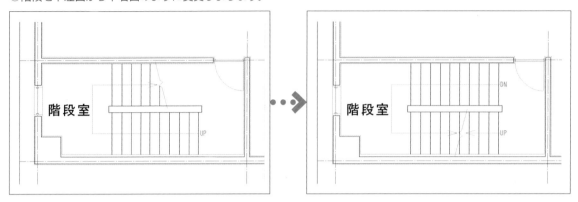

STEP 15 階段を上下反転する

●はじめに「移動」コマンドで階段を上下反転しましょう。ここでは、反転の基準線を使わずに反転します。

1 「移動」コマンドを選択する。

2 選択範囲枠で階段を右図のように囲み、終点を🖱（文字を含む）。

➡ 選択範囲枠に全体が入るすべての要素が選択色になる。

3 コントロールバー「基準点変更」ボタンを🖱。

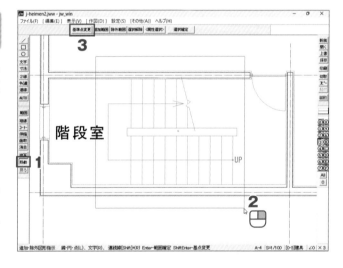

➡ 移動対象が確定し、操作メッセージは「基準点を指示して下さい」になる。

4 基準点として、右図の階段線の端点を🖱。

➡ 4を基準点として、移動要素が仮表示される。

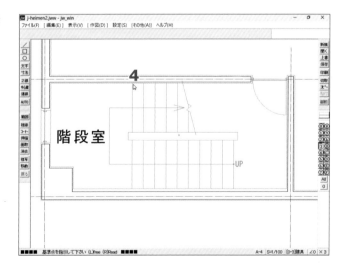

5 コントロールバー「倍率」ボックスの ▾ を🖱し、リストから「1,−1」を選択する。

> **POINT** 「倍率」ボックスの値（X, Y）のY値に −（マイナス）数値を指定することで、移動要素 を上下反転できます。「−1,1」とX値に−（マイ ナス）を指定した場合は左右反転になります。

> ➡ 移動要素が上下反転して仮表示される。操作メッ セージは「移動先の点を指示して下さい」になる。

6 移動先の点として、右図の階段線の端点 を🖱。

> ➡ 移動要素が上下反転して移動される。

7 「移動」コマンドを終了するため、「／」 コマンドを選択する。

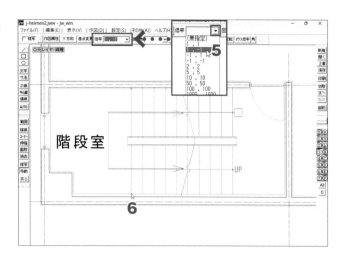

STEP 16 階段をかき加える

◉切断記号の右側に階段線を作図しましょう。

1 既存の階段線を属性取得し、書込レイヤ を「4：階段」、書込線を「線色2・実線」 にする。

2 「複線」コマンドを選択し、基準線として、 切断記号左の階段線を🖱。

> ➡ コントロールバー「複線間隔」ボックスが空白に なり、操作メッセージは「間隔を入力するか、複写する 位置（L）free （R）Readを指定してください」になる。

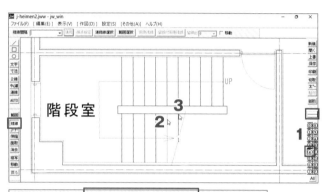

3 複写する位置として、右隣の階段線の端 点を🖱。

> **POINT** 基準線を🖱すると、コントロールバー 「複線間隔」ボックスが空白になります。続けて 作図ウィンドウ上でクリックすることで、基準 線からクリック位置までの間隔を「複線間隔」 ボックスに入力して、その間隔で複線を仮表示 します。

> ➡ コントロールバー「複線間隔」ボックスに**2**−**3** 間の間隔「300」が入力され、**2**から300mm離れたマ ウスポインタ側に複線が仮表示される。操作メッセー ジは「作図する方向を指示してください」になる。

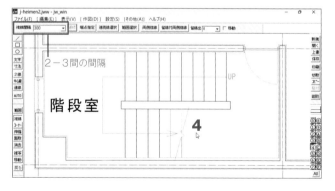

4 基準線の右側で作図方向を決める🖱。

5 コントロールバー「連続」ボタンを必要 な回数（ここでは4回）🖱し、残りの階 段線を作図する。

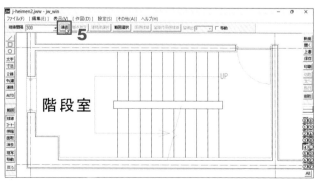

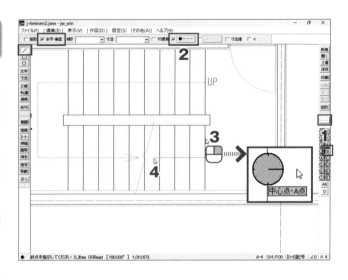

STEP 17 昇り表示を描き加える

●階段に昇り表示を作図しましょう。

1 既存の昇り表示を属性取得し、書込レイヤを「B：記号」、書込線を「線色1・実線」にする。

2 「／」コマンドを選択し、コントロールバー「水平・垂直」と「●－－－」（始点に実点）にチェックを付ける。

3 始点として、右端の階段線を🖱→ AM3 時 中心点・A点 。

4 終点として、右図の位置で🖱。

　　➡ 始点（**3**の線の中点）に実点の付いた線が作図される。

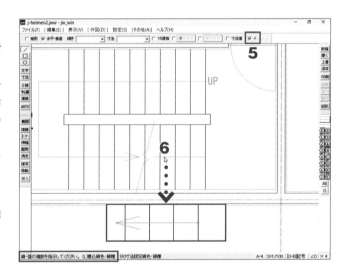

●線の左端に矢印を作図しましょう。

5 コントロールバー「＜」にチェックを付ける。

　　POINT コントロールバー「＜」にチェックを付け、線を🖱することで、🖱位置に近い端点に書込線色・線種の＜（矢印）を作図します。矢印の長さ・角度は「寸法設定」ダイアログ（→p.144）の「矢印設定」欄の「長さ」「角度」の指定に準じます。

6 左端点に近い位置で線を🖱。

　　➡ 結果の図のように、🖱位置に近い端点に書込線色・線種の矢印が作図される。

7 コントロールバー「＜」のチェックを外す。

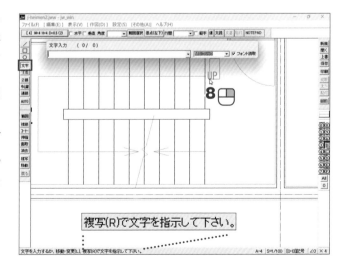

●作図した昇り表示右端に、文字「UP」を複写しましょう。複写元の「UP」と横位置を揃えるため、基点を左中、複写方向をY（縦）方向に固定して複写します。

8 「文字」コマンドを選択し、文字「UP」を🖱（複写）。

　　➡ 現在の基点をマウスポインタに合わせて文字外形枠が仮表示される。

　　POINT 「文字入力」ボックスに文字を入力せずに既存の文字を🖱すると、その文字の複写になります。

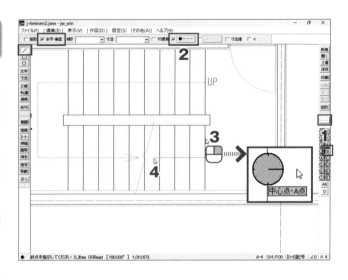
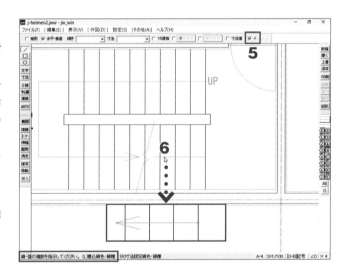
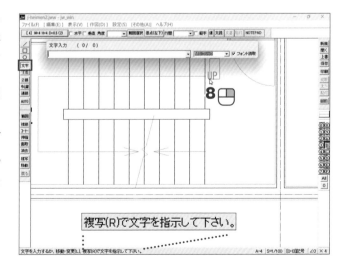

9 コントロールバー「基点」ボタンを🖰し、文字の基点を「左中」にする。

10 コントロールバー「任意方向」ボタンを2回🖰し、「Y方向」にする。

> **POINT** 「任意方向」ボタンを🖰で「X方向」（横方向固定）⇒「Y方向」（縦方向固定）⇒「XY方向」（横または縦方向固定）と、複写方向を固定できます。

11 複写先として、右図の昇り表示の右端点を🖰。

> ➡ 横位置を揃えて、**11**の位置に文字「UP」が複写される。

> **POINT** 「文字」コマンドでの文字の移動・複写は、元の文字と同じレイヤに移動・複写されます。

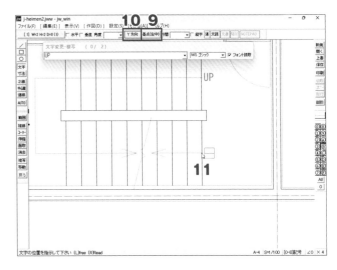

● 複写元の文字「UP」を、「DN」に書き換えましょう。

12 複写元の文字「UP」を🖰。

13 「文字変更・移動」ボックスの「UP」を「DN」に変更し、Enterキーで確定する。

> ➡ 結果の図のように、**12**の文字「UP」が「DN」に変更される。

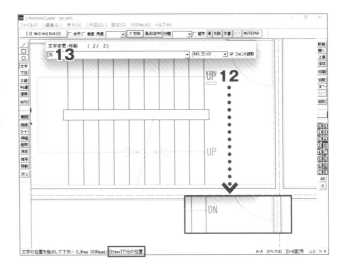

STEP 18 トイレ間仕切壁の壁芯を作図する

● トイレ周りを拡大表示し、間仕切の壁芯を、「0：通り芯」レイヤに「線色6・一点鎖1」で作図しましょう。

1 書込レイヤを「0：通り芯」、書込線を「線色6・一点鎖1」にする。

2 「複線」コマンドの「端点指定」を利用し、右図のように壁芯を作図する。

参考：「複線」端点指定→p.153

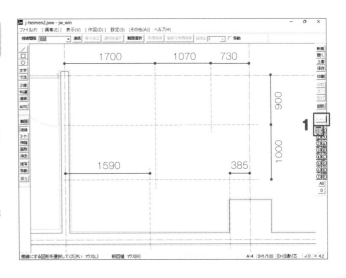

STEP 19　表示範囲を記憶する

●トイレ周りを集中して作図するため、現在の拡大表示範囲を記憶しましょう。

1 トイレ周りを拡大表示した状態で、ステータスバー「画面倍率」ボタンを🖱。

➡ 「画面倍率・文字表示 設定」ダイアログが開く。

2 「画面倍率・文字表示 設定」ダイアログの「表示範囲記憶」ボタンを🖱。

➡ ダイアログが閉じ、現在の表示範囲が記憶される。

POINT これにより、🖱↗ は用紙全体表示ではなく、記憶した範囲の表示になります。表示範囲記憶の情報は図面ファイルにも保存されます。

3 上書き保存する。

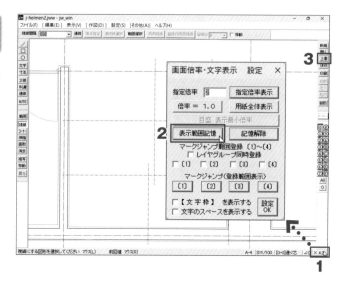

STEP 20　トイレ間仕切を作図する

●トイレ間仕切を、「2：仕上」レイヤに線色3・実線で、45mm振り分けで作図しましょう。

1 既存の仕上線を属性取得し、書込レイヤを「2：仕上」、書込線を「線色3・実線」にする。

2 「2線」コマンドを選択し、コントロールバー「2線の間隔」ボックスに「45」（45,45）を入力する。

参考：「2線」→p155/157

3 間仕切を右図のように作図する。

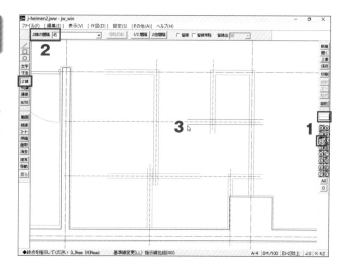

●「包絡処理」コマンドを利用して間仕切の交差部分を整えましょう。

4 包絡範囲の始点として、右図の位置から🖱→ AM3 時 包絡 。

5 コントロールバーの「実線」以外にはチェックが付いていないことを確認し、表示される包絡範囲枠で間仕切の交差部分を右図のように囲み、終点を🖱。

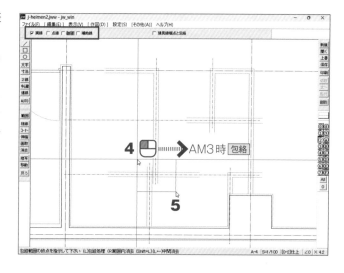

6 残り3カ所の間仕切の交差部分も包絡処理し、右図のように整える。

◉右下の柱周りを拡大表示し、柱周辺の間仕切を整えましょう。

7 🖱↘ 拡大 で、右下の柱周りを拡大表示する。

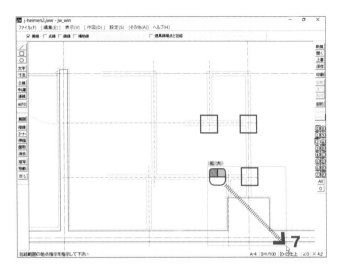

8 「伸縮」コマンドを選択し、柱周辺の間仕切線を右図のように整える。

◉STEP 19で記憶した表示範囲にしましょう。

9 作図ウィンドウにマウスポインタをおいて 🖱↗ (範囲)。

> **POINT** 表示範囲記憶をした場合、🖱↗操作は、用紙全体表示の 全体 ではなく、(範囲) と表示され、記憶した範囲を表示します。

> ➡ 前ページSTEP 19で記憶した表示範囲（トイレ周り）になる。

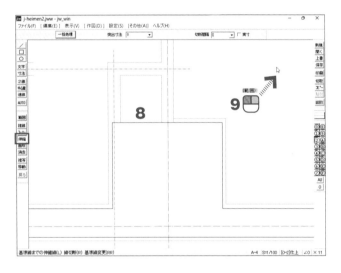

STEP 21 間仕切の開口部を作図する

◉男子トイレ入口の開口部（780mm）を作図しましょう。

1 「複線」コマンドを選択し、コントロールバー「複線間隔」ボックスに「780」を入力する。

2 基準線として、男子トイレ左の仕上線を🖱。

3 コントロールバー「端点指定」ボタンを🖱。

4 端点指定の始点として、右図の位置で🖱。

5 端点指定の終点として、右図の位置で🖱。

6 基準線の右側で作図方向を決める🖱。

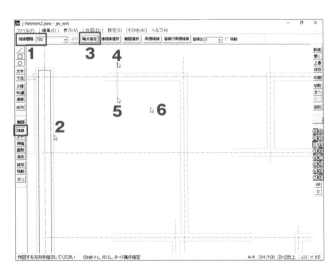

7 包絡範囲の始点位置から🖱→ AM3 時 ［包絡］し、包絡範囲枠に開口部の間仕切線 の端点が入るように囲み、終点を🖱。

> **POINT** 間仕切線の左端点と**6**で作図した線の 両端点が包絡範囲枠に入るように囲むことで、 2本の間仕切線と**6**で作図した線が交差してい る場合も、交差していない場合も、開口部の角 を作れます。

➡ 次図のように開口部の角が作られる。

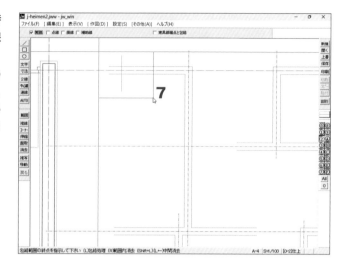

●女子トイレ入口の開口部（780mm）を作図し ましょう。

8 「複線」コマンドを選択し、コントロール バー「複線間隔」ボックスの「780」を 確認する。

9 基準線として、女子トイレ左の間仕切線 を🖱。

10 端点指定の始点として、右図の位置から 🖱→ AM3 時［端点指定］。

> **POINT** コントロールバー「端点指定」ボタンを 🖱せずに、端点指定の始点位置から🖱→するこ とで端点指定の指示ができます。**10**では既存 点のない位置を始点とするため🖱→しました。 既存点を始点として、指示する場合は既存点を 🖱→ AM3 時［端点指定］します。

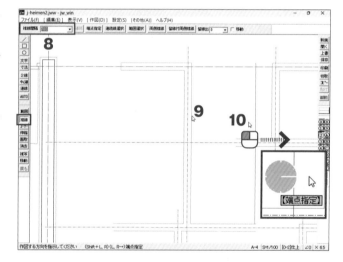

➡ **10**の位置が「端点指定」の始点として、確定し、マ ウスポインタまで複線が仮表示される。操作メッセー ジは【端点指定】終点を指示してください」になる。

11 端点指定の終点として、右図の位置で🖱。

12 基準線の右側で作図方向を決める🖱。

13 🖱→ AM3 時［包絡］を利用して、結果の図 のように角を整える。

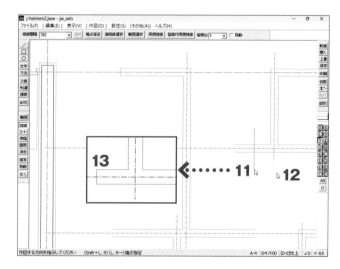

◉同様に、個室（2カ所）の入口の開口部
(650mm)を作図しましょう。

14 「複線」コマンドを選択し、各仕上線
から 650mm の位置に、🖱️→ AM3 時
【端点指定】を利用して、右図のように複線
（2 本）を作図する。

15 包絡範囲の始点位置から🖱️→ AM3 時
包絡 し、包絡範囲枠に 3 本の間仕切線の
端点が入るように囲み、終点を🖱️。

　➡ 結果の図のように角が作成される。

16 同様に、もう一方の開口部の角も作成す
る。

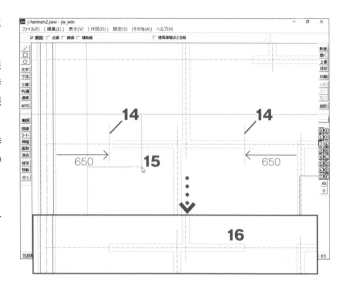

◉流しの開口部を作図しましょう。

17 「複線」コマンドを選択し、上下の壁
芯 から 80mm 内 側 に、🖱️→ AM3 時
【端点指定】を利用して、右図のように複線
を作図する。

18 包絡範囲の始点位置から🖱️→ AM3 時
包絡 し、包絡範囲枠に **17** で作図した
線の端点が入るように囲み、終点を🖱️←
AM9 時 中間消去 。

　➡ 結果の図のように開口が空く。

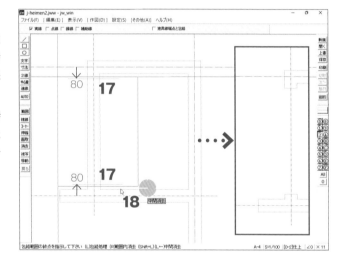

STEP
22

窓の開口部を作図する

◉トイレの窓の開口部の仕上げを、「2：仕上」レ
イヤに線色3・実線で作図しましょう。

1 書込レイヤが「2：仕上」、書込線が「線色 3・
実線」であることを確認する。

2 「複線」コマンドを選択し、開口部の仕上
線を右図のように作図する。

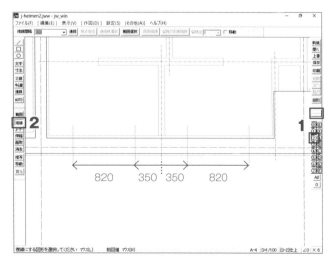

●作図した仕上線から間隔50mmで躯体線を作図し、開口を開けましょう。

3 既存の躯体線を属性取得し、書込レイヤ「1：躯体」、書込線「線色2・実線」にする。

4 右図のように、各仕上線から間隔50mmで躯体線（4本）を作図する。

5 包絡範囲の始点位置から🖱→ AM3時 包絡 し、包絡範囲枠に開口部の躯体線と仕上線の端点が入るように囲み、終点を🖱← AM9時 中間消去 。

➡ 結果の図のように開口が開く。

6 同様に、もう一方の開口も開ける。

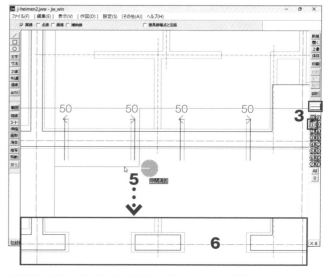

●開口部の仕上線を「包絡処理」で連結しましょう。躯体線は連結しないため、「1：躯体」レイヤを非表示にして行います。

7 「2：仕上」レイヤを書込レイヤにし、「1：躯体」レイヤを非表示にする。

> **POINT** 書込レイヤを非表示にすることはできないため、「2：仕上」レイヤを書込レイヤに変更した後、「1：躯体」レイヤを非表示にします。仕上線の連結は、「コーナー」コマンドで仕上線を🖱でも行えます（→p.172）。

8 包絡範囲枠で右図のように開口部を囲み、終点を🖱。

9 同様に、もう一方の開口の仕上線も連結する。

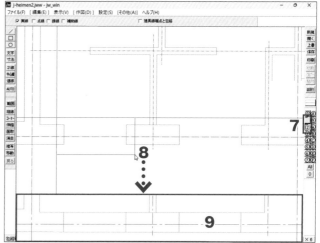

STEP 23 窓を作図する

●「建具平面」コマンドを利用して、前項で作図した開口部に窓を作図しましょう。

1 書込レイヤを「3:建具」、書込線を「線色5・実線」にする。

2 メニューバー［作図］－「建具平面」を選択し、「【建具平面A】建具一般平面図」から〔3〕の建具平面を選択する。

3 コントロールバー「見込」ボックスに「75」を入力し、「枠幅」35、「内法」（無指定）、「芯ずれ」0にする。

4 基準線として、通り芯Y1を🖱。

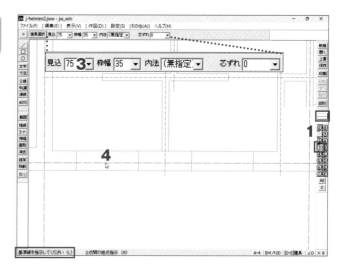

5 コントロールバー「基準点変更」ボタンを🖱。

6 「基準点選択」ダイアログの左外端中央を🖱。

7 基準点として、開口部の左角を🖱。

8 建具位置として、開口部の右角を🖱。

9 続けて基準線として、通り芯 Y1 を🖱し、もう一方の開口部にも同じ建具を作図する。

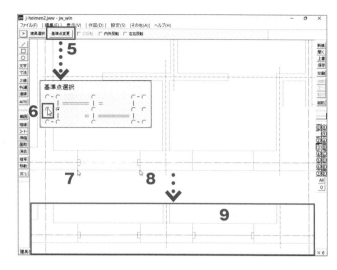

STEP 24　片開き戸を作図する

◉「建具平面」コマンドを利用して、女子トイレ入口に片開き戸を作図しましょう。

1 コントロールバー「建具選択」ボタンを🖱し、「ファイル選択」ダイアログの「【建具平面 A】建具一般平面図」から〔8〕片開き戸を選択する。

2 コントロールバー「見込」ボックスに「110」、「枠幅」ボックスに「25」を入力し、「内法」(無指定)、「芯ずれ」0 にする。

3 基準線として、右図の壁芯を🖱。

4 基準点として、開口部の左端（間仕切と壁芯の交点）を🖱。

　➡ **4**に左外端を合わせ、片開き戸が右図のように仮表示される。

5 コントロールバー「内外反転」を🖱し、チェックを付ける。

　POINT 扉の開きの向きは、コントロールバー「内外反転」と「左右反転」のチェックの有無で調整します。

　➡ 仮表示の扉の開きが内開きになる。

6 建具位置として、開口部右の角を🖱。

　➡ 内開きの扉が作図される。

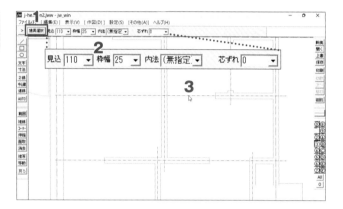

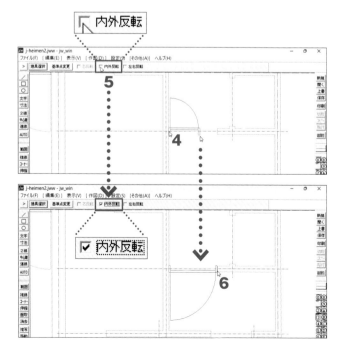

●同じ建具を同じ向きで、男子トイレ入口と個室の入口に作図しましょう。

7 基準線として、男子トイレ入口の壁芯を🖱し、開口部の両端を🖱して片開き戸を作図する。

8 基準線として、男子トイレ個室入口の壁芯を🖱し、開口部の両端を🖱して片開き戸を作図する。

●同じ建具を、女子トイレ個室の入口と流しの開口に、扉の開きの向きを調整して作図しましょう。

9 基準線として、女子トイレ個室入口の壁芯を🖱。

10 基準点として、開口部の左端を🖱。

11 コントロールバー「左右反転」にチェックを付ける。

　➡ 仮表示の扉の左右の開きが逆になる。

12 建具位置として、開口部の右端を🖱。

13 基準線として、流し開口の壁芯を🖱し、扉の開きの向きを調整して、右図のように片開き戸を作図する。

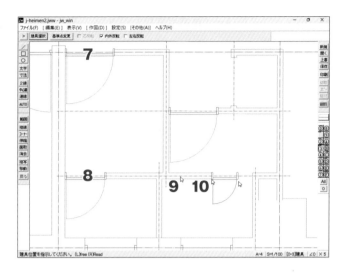

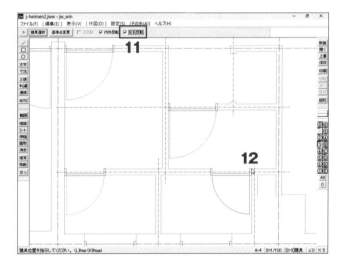

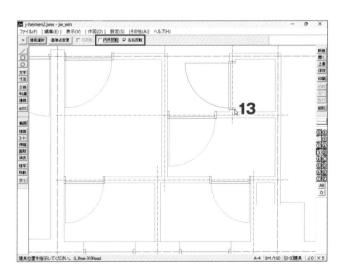

STEP 25 ライニングと間仕切板を作図する

◉ライニングと男子トイレの間仕切板を、「5：設備」レイヤに「線色2・実線」で作図しましょう。

1　書込レイヤを「5：設備」、書込線を「線色2・実線」にする。

2　「複線」コマンドを選択し、間仕切から間隔100mmでライニングを右図5カ所に作図する。

3　「□」コマンドを選択し、780mm×40mmの間仕切板の右辺中点を、仕上線と壁芯の交点に合わせて作図する。

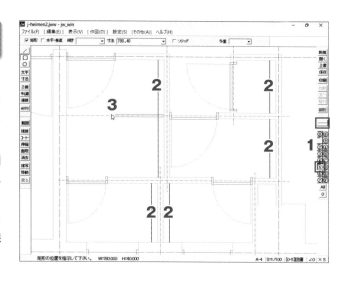

4　🖱→ AM3時 包絡 で表示される包絡範囲枠で右図のように囲み、間仕切板に重なるライニングの線を、結果の図のように部分消しする。

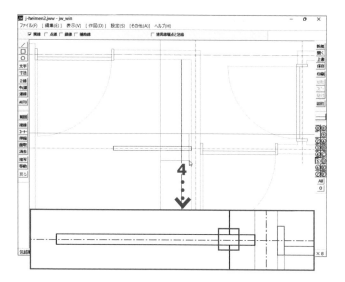

STEP 26 JWK図形で用意されている衛生機器を読み込む

◉女子トイレに洋便器を作図しましょう。衛生機器は、メーカーのダウンロードサイトから入手した図形を利用します。

1　メニューバー［その他］－「図形」を選択し、「jww8_D」フォルダー下の「図形02》衛生機器」フォルダーを🖱。

2　「ファイルの種類」ボックスの🔽を🖱し、リストから「.jwk」を🖱で選択する。

POINT 「図形02》衛生機器」フォルダーに収録されている図形データは、DOS版 JW_CAD の図形形式「JWK」です。そのため、「ファイルの種類」ボックスで「.jwk」を指定します。

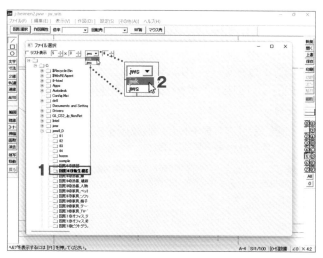

→ 「図形02》衛生機器」フォルダー内のJWK形式
の図形が一覧表示される。

本書では、(株) LIXILがインターネットで公開している
衛生機器の図形をご提供いただき、付録CD-ROMに収
録しています (p.11でコピー済み)。
LIXIL製品のCADデータは、以下のサイトからダウン
ロードできます。
https://www.biz-lixil.com/service/cad/

3 図形一覧の「BCK21S_005_SA」を🖲🖲
で選択する。

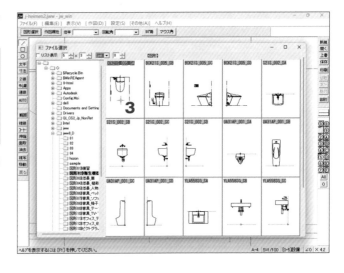

● 女子トイレ個室のライニングの中点に洋便器
の基準点を合わせて作図しましょう。

4 コントロールバー「90°毎」ボタンを🖲し、
「回転角」ボックスを「90」にする。

5 作図位置として、女子トイレ個室のライニン
グを🖲→ AM3時 中心点・A点 。

→ 🖲→した線の中点に基準点を合わせて洋便器が
作図される。

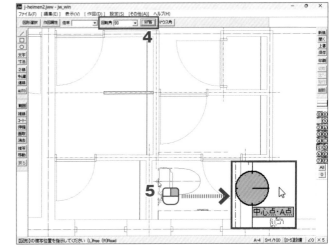

● 同じ洋便器をさらに180°回転し、男子トイレ
個室のライニングの中点に基準点を合わせて作
図しましょう。

6 コントロールバー「90°毎」ボタンを2
回🖲し、「回転角」ボックスを「270」に
する。

7 作図位置として、男子トイレ個室のライニン
グを🖲→ AM3時 中心点・A点 。

→ 🖲→した線の中点に基準点を合わせて洋便器が
作図される。作図された洋便器の操作パネルは、入口
のドアに重なっている。

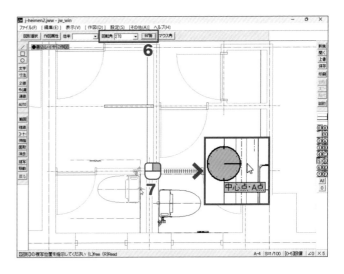

✎ やってみよう

続けて、コントロールバー「図形選択」ボタン
を🖱️し、小便器、手洗い器、流しを🖱️→ AM3時
中点点・A点 を利用して、右図のように、ライニ
ングの中点に合わせて作図しましょう。

図形には、配置の基準点を示すガイドの線や排
水・給水ポイントを示す×や○などの記号が、補
助線または鎖線などで記入されています。それら
が不要な場合は、次項の方法で消去しましょう。

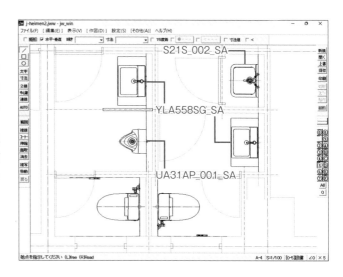

STEP 27　衛生機器の線色2・実線以外の要素を消去する

◉線色2の実線以外の要素を消去しましょう。

1 レイヤバー「All」ボタンを2回🖱️し、「5:
設備」以外のレイヤを表示のみレイヤに
する。

> **POINT** 配置した図形には、衛生機器の姿図の
> 他、給水・排水ポイントを示す補助線や鎖線な
> どが作図されています。

2 「範囲」コマンドを選択する。

3 選択範囲の始点として右図の位置で🖱️。

4 選択範囲枠で衛生機器を囲み、終点を🖱️。

> ➡ 選択範囲枠に全体が入る編集可能な要素が選択
> 色になる。

5 コントロールバー「<属性選択>」ボタンを
🖱️。

> **POINT** 「属性選択」では、現在選択されている要
> 素の中からダイアログで選択した条件に合う
> 要素だけを選択したり、あるいは除外したりす
> ることができます。ここでは、線色2の実線以外
> の要素を消去対象とするため、選択されている
> 要素から線色2の実線の要素を除外します。

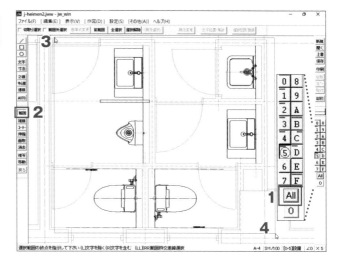

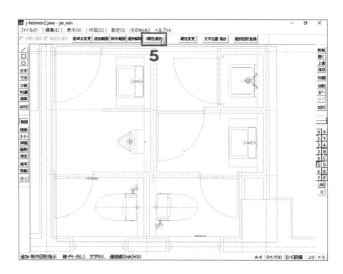

6 属性選択のダイアログの「指定【線色】指定」を🖱。

　➡ 「線属性」ダイアログが開く。

7 「線属性」ダイアログで「線色2」が選択されていることを確認し、「Ok」ボタンを🖱。

　POINT 「線色2」が選択されていない場合は、「線色2」ボタンを🖱で選択して「Ok」ボタンを🖱します。

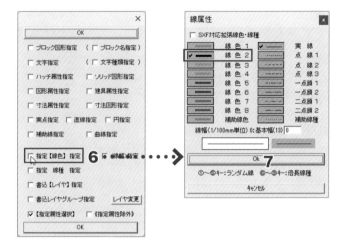

8 属性選択のダイアログの「指定　線種　指定」を🖱。

　➡ 「線属性」ダイアログが開く。

9 「実線」が選択されていることを確認し「Ok」ボタンを🖱。

10 「《指定属性除外》」にチェックを付ける。

　POINT 「属性選択」では、現在選択されている要素の中から、ダイアログで選択した条件に合う要素だけを選択したり、除外したりします。**10** のチェックを付けたため、選択されている要素から**6〜9**で指定した「線色2」かつ「実線」の要素が除外されます。

11 「OK」ボタンを🖱。

　➡ 選択されていた要素から線色2の実線が除外され、元の色に戻り、それ以外の要素は選択色のままである。

12 「消去」コマンドを🖱。

　➡ 選択色の要素が消去される。

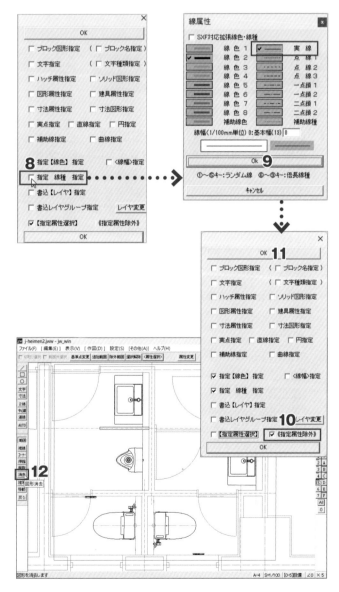

STEP 28　リモコンを消去する

◉洋便器のリモコンの位置は展開図で指示することを前提として、ここでは平面図のリモコンを消去しましょう。

1　「範囲」コマンドを選択する。

2　一方のリモコンを範囲選択する。

3　コントロールバー「追加範囲」ボタンを🖱。

> **POINT** 範囲選択後にコントロールバーの「追加範囲」ボタンを🖱することで、追加する要素を選択範囲枠で囲んで選択できます。「範囲」コマンドに限らず、「複写」「移動」コマンドなど、対象を範囲選択するコマンドで共通して利用できます。

4　もう一方のリモコンの左上で🖱。

5　選択範囲枠でもう一方のリモコンを囲んで🖱。

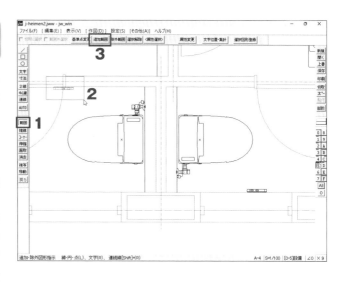

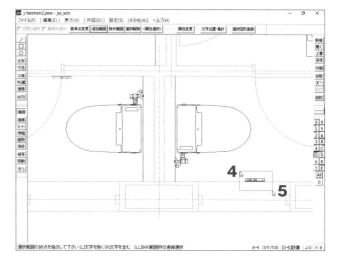

➡ 選択範囲枠に入る要素が追加選択され、選択色になる。

6　「消去」コマンドを🖱。

➡ 選択色の2つのリモコンが消去される。

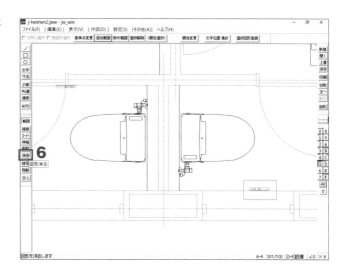

STEP 29　表示範囲記憶を解除し用紙全体表示にする

●トイレ周りの作図が完了したので、🖰 操作で用紙全体が表示されるように、p.218 STEP 19で記憶した表示範囲を解除しましょう。

1　ステータスバー「画面倍率」ボタンを🖰。

　→　「画面倍率・文字表示　設定」ダイアログが開く。

2　「画面倍率・文字表示　設定」ダイアログの「記憶解除」ボタンを🖰。

　→　ダイアログが閉じ、「表示範囲記憶」が解除される。

3　🖰↗ 全体 し、用紙全体表示にする。

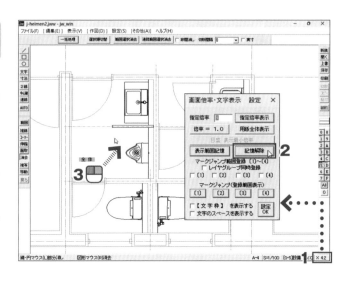

STEP 30　文字「階段室」と同じ文字種で「事務室」を記入する

●文字「階段室」と同じ文字種類で記入するため、「階段室」を属性取得しましょう。

1　レイヤバー「All」ボタンを🖰し、すべてのレイヤを編集可能レイヤにする。

2　「文字」コマンドを選択する。

3　文字「階段室」を🖰↓ AM6 時 属性取得 。

　POINT　「文字」コマンド選択時に文字要素を属性取得すると、書込文字種が同じ文字種に、書込レイヤが同じレイヤになります。

　→　書込レイヤが「C：部屋名」になり、コントロールバー「書込文字種」が、「階段室」と同じ文字種[4]になる。

4　右図の位置に文字「事務室」を記入する。

●2階平面図が完成しました。データ整理を行い、上書保存しましょう。

5　図面全体を対象として、「連結整理」を行う。

6　上書き保存する。

以上で、LESSON 4は終了です。

CHAPTER 3
敷地図と日影図を作図する

LESSON 1 　敷地図と面積表の作図

「jww8_D」フォルダー内の「03」フォルダーから、A2の図面枠が作図された図面「a2waku」を開きましょう。その縮尺を1/200に変更したうえで、敷地図の座標ファイルを用意して、敷地図と面積表を作図しましょう。「座標ファイル」コマンドを利用することで、測量座標値（X,Y）から敷地図を作成できます。
※三斜による敷地図の作図と面積表の作成については、p.300「LESSON 7　三斜による敷地図と面積表の作図」にて解説しています。

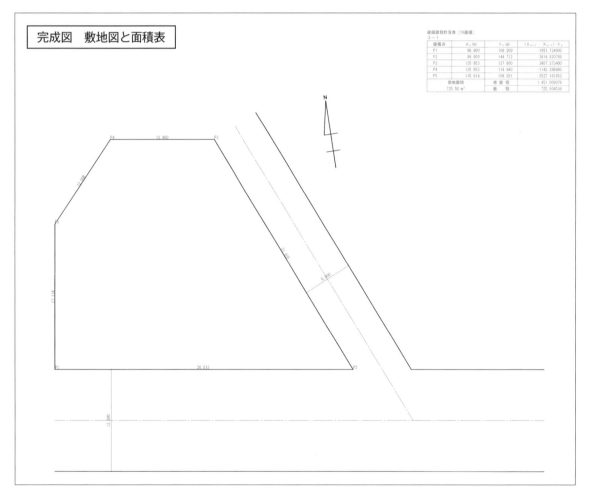

完成図　敷地図と面積表

STEP 1 図寸固定で縮尺を変更する

●A2図面枠「a2waku」を開き、縮尺を1/200に変更しましょう。

1 「開く」コマンドを選択し、「jww8_D」フォルダー内の「03」フォルダーから「a2waku」を開く。

2 ステータスバー「縮尺」ボタンを🖱。

3 「縮尺・読取　設定」ダイアログの「図寸固定」を🖱で選択する。

> **POINT**「図寸固定」を選択することで、既存の要素の用紙に対する大きさ（図寸）を固定し、縮尺だけが変更されます。

4 縮尺を「1/200」にし、「OK」ボタンを🖱。

> ➡ 図面枠の用紙に対する大きさはそのままに、縮尺が1/200に変更される。

●件名などを記入し、「03」フォルダーに名前「3-1」として保存しましょう。

5 「文字」コマンドを選択し、「事務所名」を任意の事務所名に書き換え、文字種4で、件名「共同住宅新築工事」、図面名「敷地図・日影図」、縮尺「1:200」、日付「＝J」（半角文字）を記入する。

6 「保存」コマンドを選択し、「03」フォルダーに、名前「3-1」として保存する。

参考：別の名前で保存→p.148

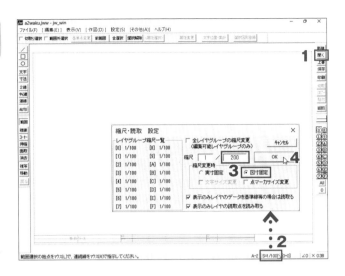
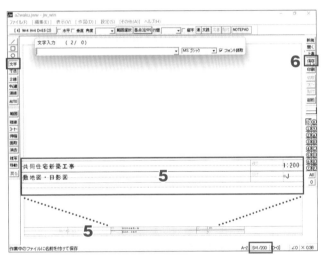

STEP 2 座標ファイルを作成する

●はじめに、測量座標値を記入した座標ファイルを作成しましょう。

1 メニューバー［その他］－「座標ファイル」を選択する。

2 コントロールバー「新規ファイル」ボタンを🖱。

> ➡ メモ帳（「基本設定」コマンドの「一般（1）」の外部エディタで指定しているエディタ）が開く。

> **POINT** 座標値（X,Y）が記述されているテキスト形式の座標ファイルが用意されている場合は、STEP 2の操作は不要です。次項「STEP 3 座標ファイルを読み込む」から行います。

◉メモ帳に右表の座標値を入力し、座標ファイルを作成しましょう。

単位：m	X	Y
P1	98.800	108.200
P2	98.800	144.713
P3	125.853	127.800
P4	125.853	114.940
P5	115.914	108.201

3 メモ帳の1行目にP1の座標値（X座標とY座標の間は半角スペース（空白）を空ける）を記入する。

> **POINT** 小数点以下の0は省略できます。読み込み時に単位m⇔mm切り替えができるため、m単位で記入します。測量座標におけるX,Y（Xが垂直方向、Yが水平方向）とJw_cad画面上でのX,Y（Xが水平方向、Yが垂直方向）は逆ですが、読み込み時にXY順を指定できるため、測量座標におけるX,Yの順で記入します。

半角スペース

4 同様に、2行目以降にP2～P5の座標を記入する。

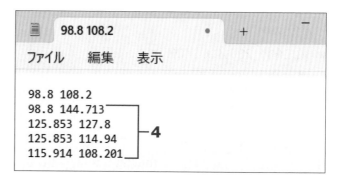

5 メモ帳のメニューバー［ファイル］－「名前を付けて保存」を選択する。

6 「名前を付けて保存」ダイアログで、保存する場所（右図はCドライブの「jww」フォルダー）を指定し、ファイル名（ここでは「01」）を入力する。

7 「保存」ボタンを🖱。

8 メモ帳の画面に戻るので（右上図）、タイトルバー右上の☒（閉じる）を🖱し、メモ帳を閉じる。

座標ファイルを読み込む

◉作成した座標ファイルを読み込みましょう。

1 「座標ファイル」コマンドのコントロール
バー「ファイル名設定」ボタンを🖰。

2 「開く」ダイアログで「ファイルの場所」（前
項で座標ファイルを保存した「jww」フォ
ルダー）を指定し、座標ファイル（前項
で保存した「01（.txt）」）を🖰。

3 「開く」ボタンを🖰。

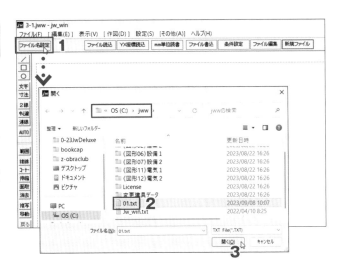

4 m単位の座標ファイルを読み込むため、
コントロールバー「mm単位読書」ボタ
ンを🖰し、「m単位読書」にする。

5 コントロールバー「YX座標読込」ボタン
を🖰。

> **POINT** 座標ファイルのXとYの数値を入れ替
> えて読み込むため、「YX座標読込」を選択しま
> す。XとYの数値をそのまま読み込む場合は、
> 「ファイル読込」を選択します。

> **POINT** 座標ファイル読込は、座標原点（0,0）を
> 基準点（マウスポインタの位置）として読み込
> みます。そのため、作図例のように各座標が原
> 点と離れている場合、**5**の操作後、作図ウィンド
> ウに何も表示されません。座標ファイルによる
> 敷地図を作図ウィンドウ上に仮表示するため
> に、**6**の操作を行い、基準点を座標原点（0,0）か
> ら変更します。

6 コントロールバー「基準位置座標」ボッ
クスの▼を🖰し、表示されるリストの「（無
指定）」下の「108.2，98.8」（座標ファ
イルの先頭の数値）を🖰で選択する。

> ➡ **6**で選択した座標にマウスポインタを合わせ、**7**
> の図のように敷地図が仮表示される。

> ❓ 仮表示される敷地図の形状が右図とは異なる
> → p.325 Q42

7 作図位置を🖰。

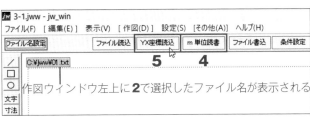

作図ウィンドウ左上に**2**で選択したファイル名が表示される

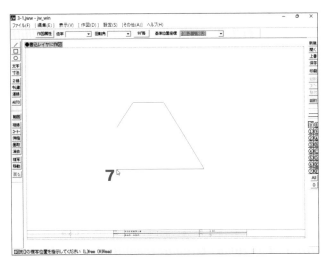

➡ 書込レイヤに書込線色・線種で、座標ファイルによる敷地図が作図される。

8 書込線色・線種で書込レイヤに作図された敷地の、P1 と P5 の点を結ぶ線を、「／」コマンドで作図する。

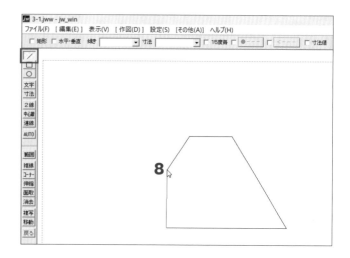

STEP 4 面積表を作成する

◉「外部変形」コマンドを利用して、面積表を作成しましょう。

1 メニューバー［その他］－「外部変形」を選択する。

2 「ファイル選択」ダイアログの「名前」欄の「ZAHYOU.BAT」（座標面積計算）を🖱🖱。

3 コントロールバーの「座標番号追加」ボタンを🖱。

> **POINT** 「座標番号追加」では、面積表作成に加え、敷地図に座標番号と辺長を記入します。

4 座標面積計算対象の敷地図（閉じた図形）を🖱。

> **POINT** 連続線は🖱で選択できます。**4**の操作の代わりに選択範囲枠で囲むことでも選択できます。なお、座標面積計算の対象は、線要素で構成されている閉じた図形で、辺の数は200以下であることが条件です。

➡ 🖱した敷地図が選択色になる。

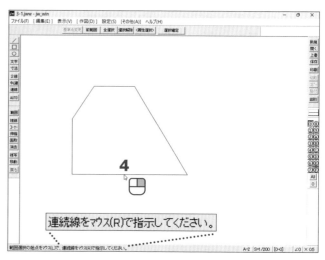

連続線をマウス(R)で指示してください。

CHAPTER 3 敷地図と日影図を作図する

5 コントロールバー「選択確定」ボタンを🖱。

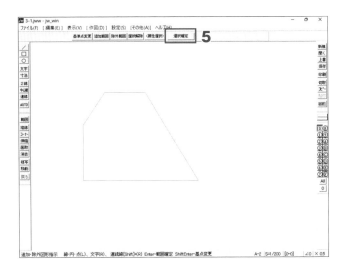

6 座標原点（0,0）を指示するため、P1
の点にマウスポインタを合わせ、🖱↓
AM6時 オフセット 。

> **POINT** 作図元の座標ファイルと同じ座標値
> で面積表を作成するには、座標原点として、
> 読み込んだ座標ファイルの原点（0,0）を指
> 示します。そのため、ここでは、STEP 3の**6**
> で選択したP1の座標「108.2,98.8」(m)か
> ら、左に108.2m、下に98.8mの位置を指
> 示します。

7 「オフセット」ダイアログの入力ボック
スに「－108200,－98800」(mm単位)
を入力し、「OK」ボタンを🖱。

8 座標面積計算の始点（No.1に相当）を🖱。

9 計算する方向の座標点（No.2に相当）を
🖱。

10 面積表を書き込む位置（面積表の左上角の
位置）を🖱。

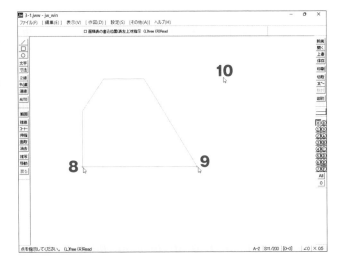

LESSON 1　敷地図と面積表の作図

11 「敷地名称」として「3−1」を入力し、Enter キーを押す。

> **POINT** 敷地名称を明記しない場合は、入力しないで Enter キーを押して次手順に進みます。

設定(S) [その他(A)] ヘルプ(H)

敷 地 名 称 ： 3−1 **11**

12 「座標点番号の前に追加する文字」として「P」を入力して Enter キーを押す。

設定(S) [その他(A)] ヘルプ(H)

座標点番号の前に追加する文字 ： P **12**

13 「初期番号指定」は入力しないで Enter キーを押す。

> **POINT** 入力しない場合、最初の点が「1」になります。

設定(S) [その他(A)] ヘルプ(H)

初期番号指定(1〜8001 無指定:1)： **13**

14 「レイヤ指定」として「8」を入力し、Enter キーを押す。

> **POINT** 入力しない場合、書込レイヤに作図されます。

設定(S) [その他(A)] ヘルプ(H)

レイヤ指定(0〜F 無指定:書込レイヤ)： 8 **14**

15 「コマンド入力」ボックスの末尾を🖱し、半角スペースを空けて「/y」を入力し、Enter キーを押す。

> **POINT** 「コマンド入力」ボックスの文字に続けて半角スペースを空けることで、オプション指定を入力できます。敷地図の座標を読み込むときに(→p.235 STEP 3の**5**)「YX座標読込」ボタンをクリックしたため、ここで「/y」を入力します。その他、下記のオプションが指定できます。
> /m* 文字種を指定(*は1〜10(文字種))
> /t* 頂点に実点を作図
> (*は1〜8(実点の線色))

設定(S) [その他(A)] ヘルプ(H)

コマンド入力 −> $1"3−1" $2"P" /L8 /y
15

➡ **14**で指定した「8」レイヤが書込レイヤになり、右図のように、対象にした図形の各頂点に座標点番号を割り振り、面積表が作図される。

❓ 黒いウィンドウが開いたまま残る→p.327 Q49

座標面積計算表 [YX座標]
3 − 1

座標点	Xn(m)	Yn(m)	(Xn+1 − Xn−1)・Yn
P1	98.800	108.200	−1851.734800
P2	98.800	144.713	3914.920789
P3	125.853	127.800	3457.373400
P4	125.853	114.940	−1142.388660
P5	115.914	108.201	−2927.161653
敷地面積		倍 面 積	1,451.009076
725.50 m²		面 積	725.504538

STEP 5 寸法値の向きを修正する

◉逆向きに自動作図された辺の寸法値の向きを、反転移動することで修正しましょう。

1 「範囲」コマンドを選択する。

2 選択範囲の始点を🖐。

3 表示される選択範囲枠で逆向きの寸法値を囲み、終点を🖐（文字を含む）。

➡ 選択範囲枠に入る文字要素が選択色になる。

POINT 囲んだ寸法値以外の要素が選択色になっている場合は、選択色の要素を🖐し、元の色に戻してから**4**へ進んでください。

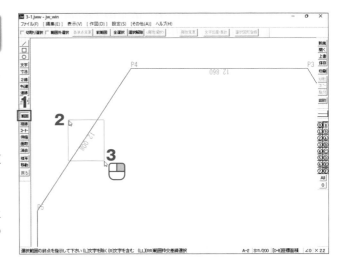

4 「移動」コマンドを選択する。

5 コントロールバー「反転」ボタンを🖐。

6 反転の基準線として、右図の線を🖐（文字方向補正有）。

➡ 逆向きの文字が結果の図のように補正され、反転する。

POINT 反転基準線を🖐（文字方向補正有）は、文字が逆向きに記入されている場合に限り、その方向を補正したうえで反転します。正常に記入されている文字を反転して逆向きにはしません。

7 他の逆向きの個所（3カ所）も同様の手順（**1 ～ 6**）で修正する。

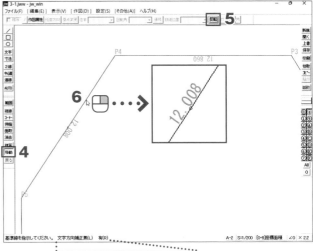

文字方向補正無(L) 有(R)

やってみよう

書込レイヤを「0」、書込線を「線色2・実線」にし、「複線」「/」「コーナー」コマンドなどを利用して、12m、6m道路を作図しましょう。
さらに、書込線を「線色1・一点鎖2」にし、右図のように道路中心線を作図しましょう。

STEP 6　道路幅員を記入する

◉「／」コマンドで、「0」レイヤに道路幅員を記入
しましょう。

1 書込線を「線色1・実線」にする。

2 「／」コマンドを選択し、コントロールバー
「水平・垂直」のチェックを外す。

3 コントロールバー「寸法値」にチェック
を付ける。

> **POINT**「寸法値」にチェックを付けることで、寸
> 法値付きの線が作図できます。

4 コントロールバー「●ーーー」にチェッ
クを付ける。

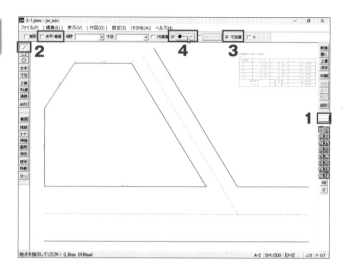

5 「●ーーー」（始点に実点）ボタンを2回
🖱し、「●ーー●」（両端点に実点）にする。

> **POINT**「●ーー●」では、両端点に実点の付いた
> 線を作図できます。

6 始点として、右図の道路境界線にマウ
スポインタを合わせ、🖱↑ AM0 時 鉛直・
円周点 。

> **POINT**「／」コマンドで、始点指示時に線を
> 🖱↑ AM0時 鉛直・円周点 することで、線上を始点
> とした鉛直線を作図できます。

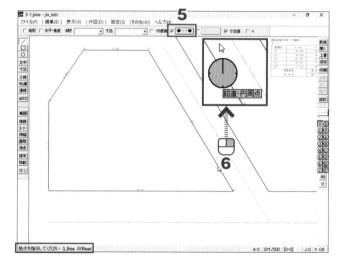

➡ **6**で🖱↑した道路境界線上からマウスポインタ
まで鉛直線が仮表示される。

7 終点として、右図の道路線を🖱← AM9 時
線上点・交点 。

> **POINT** 点指示時に線を🖱← AM9時 線上点・交点
> し、次に位置を指示することで、線上の任意位
> 置を点指示できます。

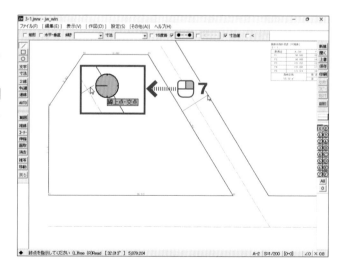

CHAPTER 3　敷地図と日影図を作図する

➡ 🖯←した線上を終点にすることが確定し、操作メッセージは「線上点指示」になる。

8 線上点として、道路幅員を作図する右図の位置を🖯。

➡ 🖯位置に、両端点が実点で寸法値付きの鉛直線が作図される。

POINT 寸法値は、始点⇒終点に対して左側に記入されます。記入される実点の線色、寸法値の文字種は、「寸法設定」ダイアログ（→p.113）の「矢印・点色」「文字種類」で指定の線色と文字種です。

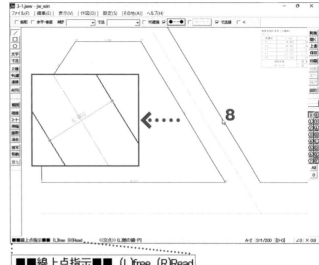

■■線上点指示■■ (L)free (R)Read

◉同様に12m道路の幅員も記入しましょう。

9 始点として、右図の道路線を🖯↑AM0 時 鉛直・円周点 。

➡ 🖯↑した道路線上から鉛直線が仮表示される。

10 終点として、右図の道路境界線を🖯← AM9 時 線上点・交点 。

➡ 🖯←した線上を終点にすることが確定し、操作メッセージは「線上点指示」になる。

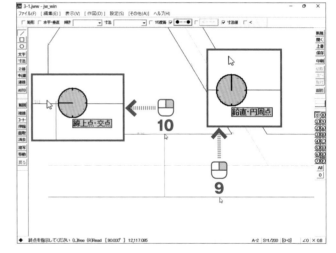

11 線上点として、道路幅員を作図する位置を🖯。

➡ 🖯位置に両端点が実点で寸法値付きの鉛直線が作図される。

12 コントロールバー「●−−●」と「寸法値」のチェックを外す。

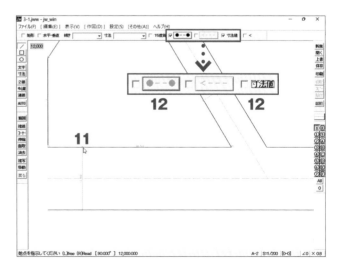

◉6m道路からの角度を指定して方位を示す線を作図するために、6m道路を軸角（作図上の0°）に設定しましょう。

> **POINT** 通常、水平方向が0°ですが、一時的に指定角度を作図上の0°（軸角）にすることができます。軸角の角度は数値入力で指定するほかに、既存線を指示することでも指定できます。

1 メニューバー［設定］－「角度取得」－「軸角」を選択する。

> ➡ 作図ウィンドウ左上に 軸角取得 と表示され、操作メッセージは「軸角取得　基準線を指示してください」になる。

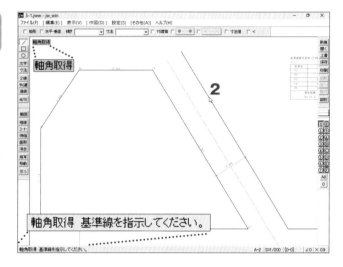

2 軸角取得の基準線として、6m道路の線を🖱。

> ➡ 🖱した線の角度（-57.98719281°）が軸角に設定され、ステータスバー「軸角」ボタンは「∠0」から「∠-57.9872」と表示が切り替わる。

> **POINT** 「-57.98719281°」（6m道路の線の角度）が作図上の0°となります。「／」コマンドのコントロールバー「水平・垂直」にチェックを付けて線を作図すると、6m道路に平行な線と鉛直な線が作図できます。

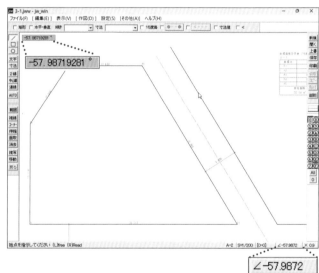

◉軸角とした6m道路から、-23度14分24.32秒の方位を示す線を作図しましょう。

3 書込線を「線色2・実線」にする。

4 「／」コマンドのコントロールバー「傾き」ボックスに「-23@@14@24.32」を入力する。

> **POINT** 度分秒単位での入力は、度の代わりに「@@」、分の代わりに「@」を入力します。入力後、Enterキーを押すと「傾き」ボックスの表示は「-23°14'24.32」に変わります。

5 始点として、右図の位置で🖱。

6 終点として、右図の位置で🖱。

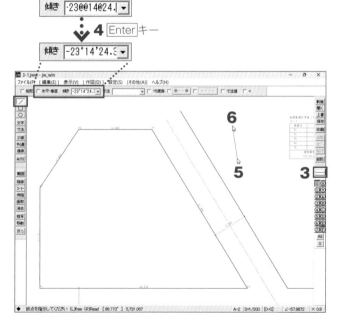

CHAPTER 3　敷地図と日影図を作図する

STEP 8 軸角を解除する

◉ STEP 7で設定した軸角を解除し、水平方向が0°になるように戻しましょう。

1 ステータスバー「軸角」ボタンを🖱。

→ 「軸角・目盛・オフセット 設定」ダイアログが開く。

2 チェックの付いた「軸角設定」を🖱。

→ ダイアログが閉じて軸角が解除され、ステータスバー「軸角」ボタンの表示も「∠0」に戻る。

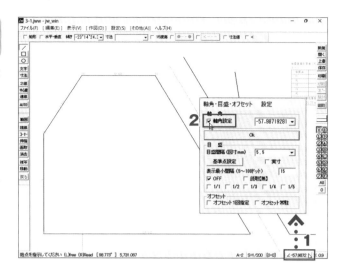

STEP 9 方位記号を作図する

◉「線記号変形」コマンドで、方位線を方位記号に変形作図しましょう。

1 メニューバー［その他］－「線記号変形」を選択し、「ファイル選択」ダイアログの「【線記号変形 A】建築 1」から「方位(40mm)」を🖱🖱で選択する。

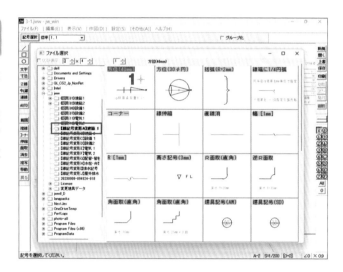

2 コントロールバー「グループ化」にチェックを付ける。

3 指示直線（1）として、方位線の北側（上側）を🖱。

→ 🖱位置に近い端点側を北として、**2**の線が方位記号に変形作図される。

以上で、LESSON 1は終了です。

4 上書き保存する。

5 必要に応じて印刷を行う。

❓ A2用紙の図面をA4用紙に縮小印刷するには →p.326 Q43

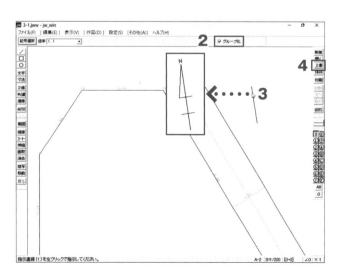

LESSON 2 ▶ 日影図作図のための 建物ブロックの作成

日影図を作図するには、建物外形平面図に高さを定義し、高さ情報を持った建物ブロックを作成します。高さは、平面図における線の端点（座標点）にm単位で定義します。高さ定義をした建物ブロックは、「日影図」「天空図」コマンドで共通して利用できます。

右図のように、4本の線で作図されている建物Aの平面図には4つの座標点があります。これらの座標点に高さを定義します。1つの座標点に対して定義できる高さは1つです。建物Bの場合、平面上の点aに対して1と2の2つの高さがあります。この場合は、平面図を建物高さ別の2つのブロックに分けて別々のレイヤに作図し、レイヤごとに高さを定義します。

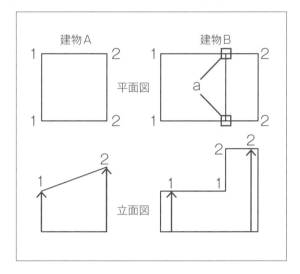

LESSON 2では、以下の集合住宅の平面を高さ別のブロックに分けて別々のレイヤに作図し、高さを定義しましょう。

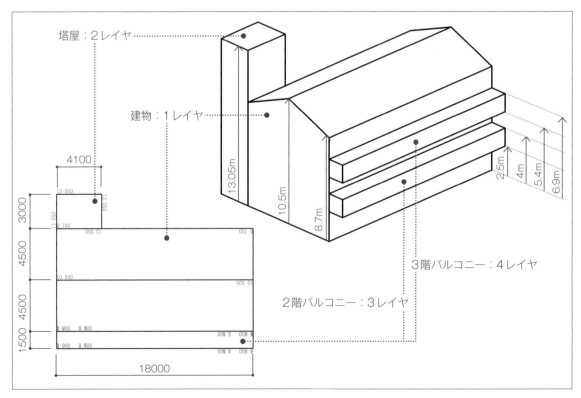

STEP 1 レイヤ名を設定する

◉用紙サイズA4、縮尺1/100とし、レイヤ名を設定しましょう。

1 用紙サイズを A4、縮尺を 1/100 に設定する。

2 レイヤ名を「1：建物」「2：塔屋」「3：2階バルコニー」「4：3階バルコニー」と設定する。 参考：レイヤ名の設定→ p.130

3 「保存」コマンドを選択し、「jww8_D」フォルダー内の「03」フォルダーに名前「3−2」として保存する。

STEP 2 切妻屋根の建物ブロックを作成する

◉「1：建物」レイヤに、切妻屋根の建物ブロックとして18000mm×4500mmの2つの長方形を線色2・実線で作図しましょう。

1 書込レイヤを「1：建物」、書込線を「線色2・実線」にする。

2 「□」コマンドを選択し、18000mm×4500mmの長方形（建物ブロック）を右図のように作図する。

3 基準点として、**2** で作図した建物ブロックの左下角を🖰。

4 矩形の左上を **3** に合わせ、作図位置を決める🖰。 参考：長方形の作図→ p.62

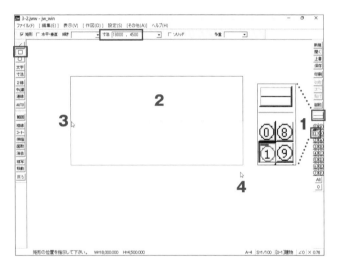

◉4つの角に建物の高さ8.7mを定義しましょう。

5 メニューバー［その他］−「日影図」を選択する。

6 コントロールバー「高さ（m）」ボックスに「8.7」（m単位）を入力する。

7 高さを定義する左下角に近い位置で、下辺を🖰。

→ 🖰位置に近い端点（左下角）に高さ8.7mが定義され、🖰した線上に数値「8.700」が記入される。

POINT 高さ定義の文字のサイズは、メニューバー［設定］−「基本設定」を選択して開く「jw_win」ダイアログ「文字」タブの「日影用高さ…の文字サイズの種類指定」ボックスで指定されている文字種と同じ大きさです。

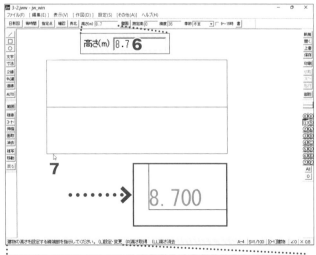

建物の高さを設定する線端部を指示してください。（L設定・変更

LESSON 2 日影図作図のための建物ブロックの作成

POINT 高さ定義のときは、点ではなく、その点を端点とする線を🖱️します。**7**で左下角に近い位置で左辺を🖱️した場合、左辺上に高さ数値が記入されますが、左下角の座標点に高さが定義されたことに変わりはありません。

8 高さを定義する右下角に近い位置で下辺を🖱️。

➡️ 右下角の座標点に高さ8.7mが定義され、線上に数値「8.700」が記入される。

9 同様に右上角に近い位置で上辺を、左上角に近い位置で上辺を🖱️し、同じ高さ8.7mを定義する。

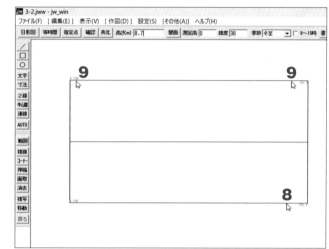

● 切妻の頂点の高さ10.5mを定義しましょう。

10 コントロールバー「高さ（m）」ボックスに「10.5」（m単位）を入力する。

11 高さ定義する左端点に近い位置で中心の線を🖱️。

➡️ 左端の座標点に高さ10.5mが定義され、線上に数値「10.500」が記入される。

POINT **11**で高さを定義した座標点は、2つの長方形の左辺の端点でもあります。**11**の点付近で、2つの長方形のいずれかの左辺を🖱️しても同じ高さを定義できます。

12 右端点に近い位置で中心の線を🖱️。

● 形状をアイソメ表示で確認しましょう。

13 コントロールバー「確認」ボタンを🖱️。

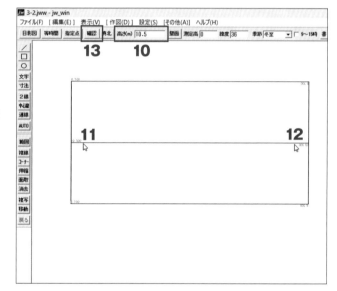

➡️ 右図のように、アイソメ図が表示される。

❓ アイソメ図が表示されない→p.326 Q44

❓ 表示される形状がおかしい→p.326 Q45

POINT コントロールバーの「左」「右」「上」「下」ボタンを🖱️することで、ワイヤーフレームのアイソメ図を回転して確認することができます。

14 形状を確認できたら、コントロールバー「≪」ボタンを🖱️し、「確認」を終了する。

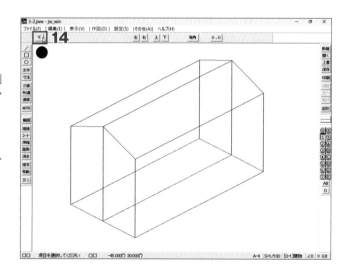

STEP 3 塔屋のブロックを作成する

◉「2：塔屋」レイヤに、塔屋として4100mm× 3000mmの長方形を作図しましょう。

1 書込レイヤを「2：塔屋」にし、「1：建物」 レイヤを表示のみにする。

2 「□」コマンドを選択し、コントロールバー 「寸法」ボックスに「4100,3000」を入 力する。

3 建物ブロックの左上角に、矩形の左下を 合わせ、右図のように塔屋を作図する。

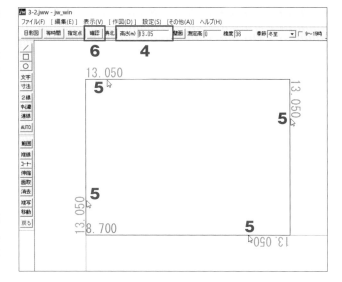

◉塔屋ブロックに高さ13.05mを定義しましょ う。

4 メニューバー［その他］－「日影図」を 選択し、コントロールバー「高さ（m）」ボッ クスに「13.05」を入力する。

5 各辺を㊨し、4つの角に高さを定義する。

◉形状をアイソメ表示で確認しましょう。

6 コントロールバー「確認」ボタンを㊨。

→ 塔屋のアイソメ図が表示される。

POINT 表示のみレイヤ、非表示レイヤに作図さ れているブロックはアイソメ表示されません。 「1：建物」レイヤの建物ブロックを表示するに は、「1：建物」レイヤを編集可能にします。

7 「1：建物」レイヤを編集可能にする。

→ 右図のように、塔屋と建物のアイソメ図が表示さ れる。

❓ アイソメ図が表示されない→p.326 Q44

8 形状を確認できたら、コントロールバー 「《《」ボタンを㊨し、「確認」を終了する。

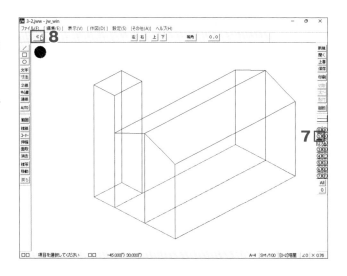

LESSON 2 日影図作図のための建物ブロックの作成

STEP 4 2階バルコニーブロックを作成する

◉「3：2階バルコニー」レイヤに2階バルコニーとして、18000mm×1500mmの長方形を作図しましょう。

1 書込レイヤを「3：2階バルコニー」にし、「1：建物」レイヤを表示のみにする。

2 「□」コマンドを選択し、コントロールバー「寸法」ボックスに「18000,1500」を入力する。

3 建物ブロックの左下角に、矩形の左上を合わせ、右図のように2階バルコニーを作図する。

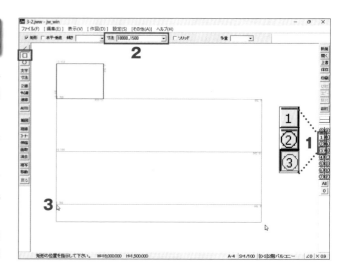

◉2階バルコニーに高さ（上端4m、下端2.5m）を定義しましょう。

4 メニューバー［その他］−「日影図」を選択し、コントロールバー「高さ（m）」ボックスに「4,2.5」を入力する。

> **POINT** バルコニーのように宙に浮いたブロックは、「高さ（m）」ボックスに「上端の高さ，下端の高さ」を「，」（カンマ）で区切って入力します。

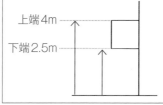

上端4m
下端2.5m

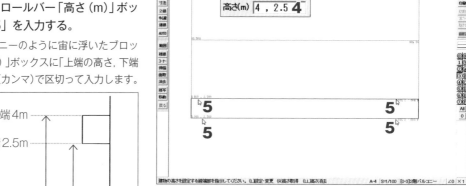

5 各辺を🖱し、端部4カ所に高さを定義する。

◉形状をアイソメ表示で確認しましょう。

6 コントロールバー「確認」ボタンを🖱。

7 「1：建物」レイヤを編集可能にする。

8 形状を確認できたら、コントロールバー「〈〈」ボタンを🖱し、「確認」を終了する。

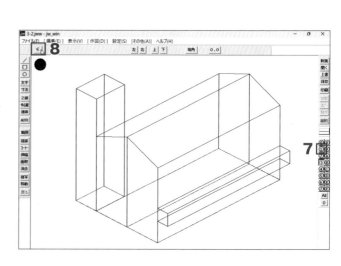

3階バルコニーブロックを作成する

◉3階バルコニーは2階バルコニーと平面上の位置は同じですが、高さが異なるため、別のレイヤに作図します。

1 書込レイヤを「4：3階バルコニー」にし、「3：2階バルコニー」レイヤを非表示にして、「1：建物」レイヤを表示のみにする。

2 「□」コマンドを選択し、18000mm×1500mmの矩形の左上を、建物ブロックの左下角に合わせ、右図のように3階バルコニーを作図する。

◉3階バルコニーに高さ（上端6.9m、下端5.4m）を定義しましょう。

3 メニューバー［その他］－「日影図」を選択し、コントロールバー「高さ（m）」ボックスに「6.9,5.4」（上端の高さ,下端の高さ）を入力する。

4 各辺を🖰し、端部4カ所に高さを定義する。

◉形状をアイソメ表示で確認しましょう。

5 コントロールバー「確認」ボタンを🖰。

6 「1：建物」「3：2階バルコニー」レイヤを編集可能にする。

7 形状を確認できたら、コントロールバー「〈〈」ボタンを🖰し、「確認」を終了する。

以上で、LESSON 2は終了です。

8 上書き保存する。

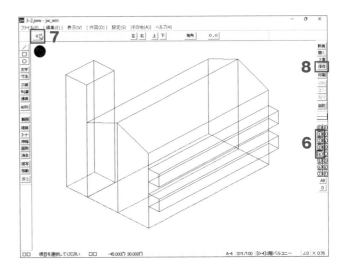

2つの図面を合わせて日影図を作図

別々の図面ファイルとして保存した2枚の図面を合わせて1枚の図面にする場合や、作図中の図面に他の図面の一部を複写(コピー)する場合は、Jw_cadを2つ起動してそれら2枚の図面を開き、「コピー」&「貼付」を行います。

ここでは、LESSON 2で作図・保存した図面「3-2」(S＝1/100)から建物ブロックをコピーして、LESSON 1で作図・保存した敷地図「3-1」(S＝1/200)の指定位置に貼り付けましょう。「コピー」&「貼付」では実寸法を保って貼り付けられるため、2つの図面の縮尺が違っても問題ありません。

また、「コピー」&「貼付」で1つにした図面に5m・10mラインをかき加え、日影図を作図しましょう。

図面「3-1」「3-2」を作図していない場合は、「jww8_D」フォルダー内の「sample」フォルダーに収録されている「S3-1」「S3-2」を利用してください。

指定位置に「コピー」&「貼付」

図面ファイル「3-1」

図面ファイル「3-2」

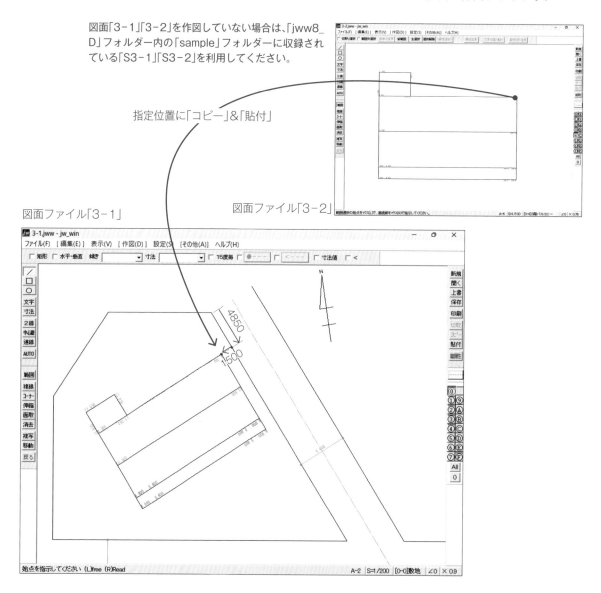

●図面ファイル「3-1」を開き、建物ブロックを
コピーする位置の目安を作るため、6m道路境界
線上、頂点から4850mmの位置に点を作図しま
しょう。

1 図面「3-1」を開き、書込レイヤを「0」
にし、「8：座標面積」レイヤを非表示に
する。

2 メニューバー［その他］－「距離指定点」
を選択する。

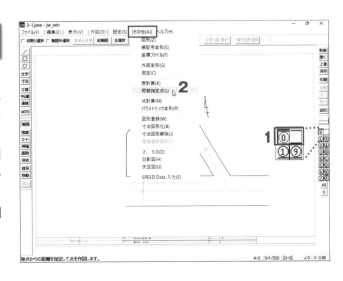

3 コントロールバー「仮点」にチェックを
付ける。

> **POINT** 「距離指定点」コマンドは指示点から指
> 定距離の位置に点を作図するコマンドです。
> 「仮点」にチェックを付けると、書込線色の仮点
> （印刷されず、編集対象にならない点）を作図し
> ます。チェックを付けない場合は、書込線色の
> 実点を作図します。

4 コントロールバー「距離」ボックスに
「4850」を入力する。

5 始点として、右図の頂点を🖐。

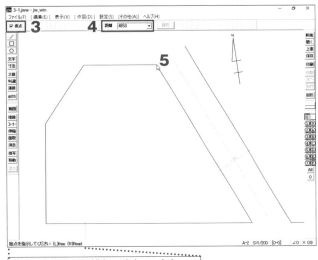

始点を指示してください (L)free (R)Read

6 線上距離の対象線として、6m道路境界線
を🖐。

> ➡ 結果の図のように、🖐した6m道路境界線上、**5**の
> 頂点から4850mmの位置に仮点が作図される。

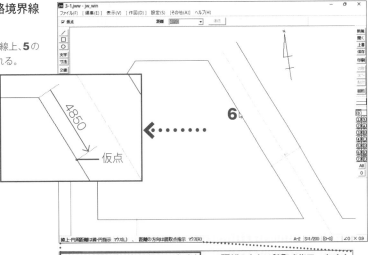

4850

仮点

線上・円周距離は線・円指示 マウス(L) 、 距離の方向は読取点指示 マウス(R)

◉6m道路境界線に鉛直な補助線を仮点から作図しましょう。

1 書込線を「線色2・補助線種」にする。

2 「／」コマンドを選択する。

3 メニューバー［設定］－「角度取得」－「線鉛直角度」を選択する。

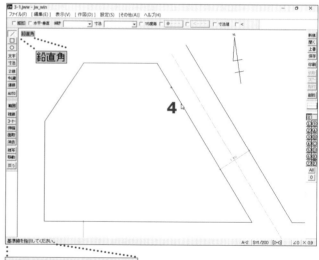

➡ 作図ウィンドウ左上に 鉛直角 と表示され、操作メッセージは、「基準線を指示してください」になる。

4 基準線として、6m道路境界線を🖱。

> **POINT** メニューバー［設定］－「角度取得」－「線鉛直角度」は、指示線に対する鉛直角度を、コントロールバーの「傾き」「回転角」などの角度入力ボックスに取得します。「／」コマンドに限らず、他のコマンド選択時にも同様に利用できます。

➡ 🖱した線に鉛直な角度が作図ウィンドウ左上に表示され、コントロールバー「傾き」ボックスにその角度が取得される。

5 始点として、仮点を🖱。

6 終点として、右図の位置で🖱。

7 前ページ STEP 1 と同様にして、作図した線上の **5** の点から 1500mm の位置に仮点を作図する。

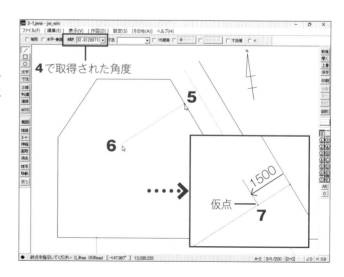

STEP 3 コピー元を指定する

● Jw_cadをもう1つ起動するため、敷地図
「3-1」を開いているJw_cadを最小化しましょ
う。

1 タイトルバー右上の■（最小化）を🖱。

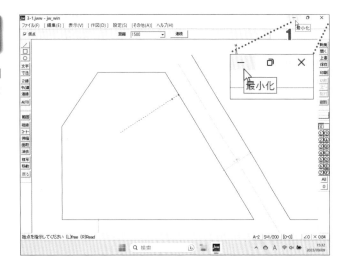

➡ 敷地図「3-1」を開いたJw_cadがタスクバーに
最小化される。

● もう1つJw_cadを起動しましょう。

2 デスクトップの「Jw_cad」アイコンを
🖱🖱し、Jw_cadをもう1つ起動する。

最小化されたJw_cad

● 新しく起動したJw_cadで、建物ブロックを
作図した図面「3-2」を開きましょう。

3 「開く」コマンドを選択する。

4 「ファイル選択」ダイアログで「jww8_D」
フォルダー内の「03」フォルダーから「3
-2」を🖱🖱し、開く。

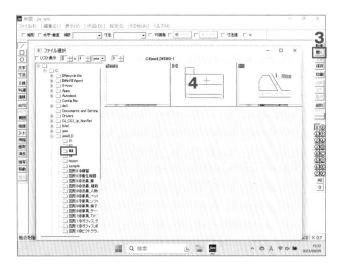

●開いた図面で、コピー対象として建物ブロックを指定しましょう。

5 「範囲」コマンドを選択し、選択範囲の始点として右図の位置で🖱。

➡ **5** の位置を対角とする選択範囲枠がマウスポインタまで表示される。

6 選択範囲枠でコピー対象の建物ブロック全体を右図のように囲み、終点を🖱（文字を含む）。

　POINT 高さ定義の文字もコピーするため、必ず終点を🖱（文字を含む）してください。

➡ 選択範囲枠に全体が入る要素が、コピー対象として選択色になる。

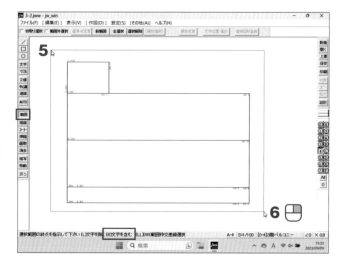

●建物の右上角をコピーの基準点にしましょう。

7 コントロールバー「基準点変更」ボタンを🖱。

➡ 操作メッセージが「基準点を指示して下さい」になる。

8 コピーの基準点として、建物の右上角を🖱。

➡ **8** の🖱位置に基準点を示す赤い○が表示される。

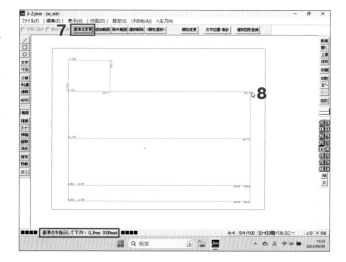

●選択した要素を他の図面ファイルにコピーするための指示をしましょう。

9 「コピー」コマンドを🖱。

➡ 作図ウィンドウ左上に コピー と表示される。

　POINT **9** の操作により、選択した要素がWindowsのクリップボード（一時的にデータを保存する場所。ユーザーには見えない）にコピーされます。この後、貼り付け先の図面を開き、「貼付」コマンドを選択することで、その図面に貼り付けられます。

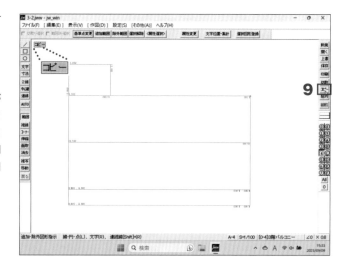

◉貼り付け先の図面「3-1」で、貼り付け指示を
しましょう。

1 タスクバーの Jw_cad アイコンを🖱。

2 表示される 2 つのウィンドウのうち、敷
地図「3-1」を開いたウィンドウを🖱。

　➡ 敷地図「3-1」を開いた Jw_cad が最大化（最小化
前のサイズ）される。

3 敷地図「3-1」を開いた Jw_cad で、「貼
付」コマンドを🖱。

　➡ 作図ウィンドウ左上に ●書込レイヤに作図 と表示
され、マウスポインタに建物ブロックが仮表示される。

　POINT 作図ウィンドウ左上の ●書込レイヤに作図
は、仮表示の要素すべてが現在の書込レイヤに
作図されることを意味します。

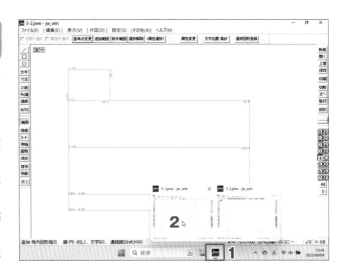

◉元の図面と同じレイヤ分けで作図するように
指定しましょう。

4 コントロールバー「作図属性」ボタンを
🖱。

　➡「作図属性設定」ダイアログが開く。

5「作図属性設定」ダイアログの「◆元レイ
ヤに作図」にチェックを付け、「Ok」ボタ
ンを🖱。

　POINT「◆元レイヤに作図」にチェックを付
けることで、貼り付け要素はコピー元と同じレ
イヤ分けで作図されます。ここで指定した設定
は、Jw_cad を終了するまで有効です。

　➡ ダイアログが閉じ、作図ウィンドウ左上 ◆元レ
イヤに作図 と表示される。

◉貼り付ける建物ブロックの角度を、あらかじめ
作図しておいた補助線と同じ角度にしましょう。

6 メニューバー［設定］－「角度取得」－「線
角度」を選択する。

　➡ 作図ウィンドウ左上に 線角度 と表示され、操作
メッセージは、「基準線を指示してください」になる。

7 基準線として、右図の補助線を🖱。

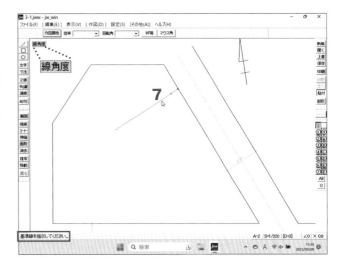

→ コントロールバー「回転角」ボックスに**7**の補助
線の角度が取得され、貼り付け要素の建物ブロックの
仮表示がその角度に回転する。

POINT メニューバー［設定］－「角度取得」－
「線角度」は、指示線の角度をコントロールバー
の「傾き」「回転角」などの角度入力ボックスに
取得します。「貼付」コマンドに限らず、他のコ
マンド選択時も同様に「線角度」を利用できま
す。

8 作図位置として、あらかじめ作図してお
いた補助線上の仮点を🖰。

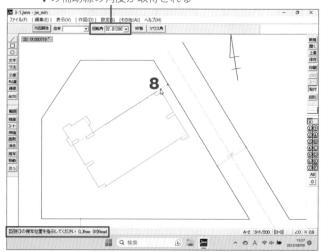

7の補助線の角度が取得される

→ **8**に基準点を合わせて作図される。マウスポイン
タには、同じ貼り付け要素が仮表示される。

POINT 他のコマンドを選択するまでは、同じ
要素を続けて貼り付け（作図）できます。

9 「貼付」コマンドを終了するために「／」
コマンドを選択する。

10 上書き保存する。

POINT ここでは、他の図面の内容をコピーす
るためにJw_cadを2つ起動しましたが、他の
図面を参照、測定するために複数のJw_cadを
起動することもできます。

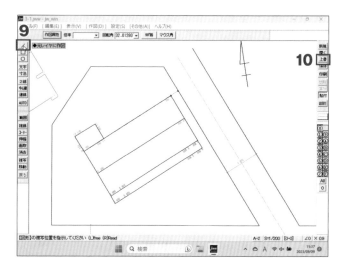

STEP 5 コピー元のJw_cadを
終了する

●コピー元の図面「3-2」を開いたJw_cadを終
了しましょう。

1 タスクバーのJw_cadアイコンを🖰し、
「3-2」を開いているJw_cadを🖰。

→ **1**で選択したJw_cadが最大化される。

2 タイトルバーの☒（閉じる）を🖰し、終
了する。

POINT コピー、参照などのために起動した
Jw_cadは、作業終了後、必ず最大化したうえ
で終了してください。最小化したまま終了する
と、次にJw_cadを起動したときにタスクバー
の配置が崩れます。

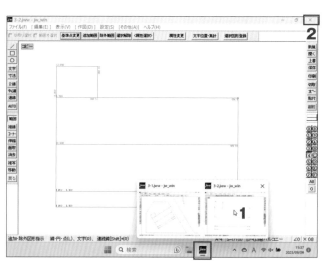

STEP 6 レイヤ分けを確認して レイヤ名を設定する

◉コピー元の平面図と同じレイヤ分けで作図されたことを確認しましょう。

1 レイヤバーの書込レイヤを🖱してレイヤー一覧ウィンドウを開き、コピー元と同じレイヤ分けでコピーされていることを確認する。

> **POINT** ◆元レイヤに作図 を指定（→p.255）したため、各ブロックは、右図のように元の図面と同じレイヤ分けで作図されます。レイヤ名はコピーされないため、編集中の図面のレイヤ名は変更されません。

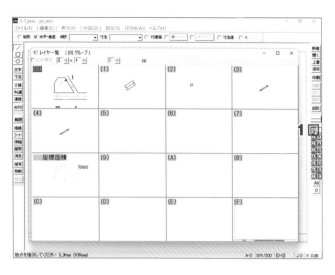

◉各レイヤ名を設定しましょう。

2 下記のレイヤ名を設定する。

0：敷地
1：建物
2：塔屋
3：2階バルコニー
4：3階バルコニー
5：5・10mライン
C：等時間日影図
D：指定点
E：日影図

3 「5」レイヤを🖱し、書込レイヤにする。

4 「0」レイヤを表示のみにする。

5 「8」レイヤが非表示であることを確認し、レイヤ一覧ウィンドウを閉じる。

参考：レイヤ名の設定→p.130

STEP 7 5m・10mラインを作図する

◉「5：5・10mライン」レイヤに、12m道路のみなし境界線を「線色3・点線3」で、5mラインを線色3・点線2でそれぞれ作図しましょう。

1 書込線を「線色3・点線3」にする。

2 「複線」コマンドを選択し、12m道路線から5mの位置にみなし境界線を作図する。

3 書込線「線色3・点線2」とし、6m道路中心線から5m外側に複線を作図する。

4 各敷地境界線から5m外側に複線を作図する（3カ所）。

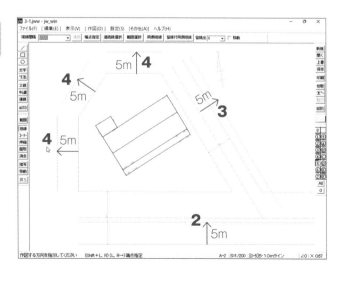

LESSON 3　2つの図面を合わせて日影図を作図

5 12m道路のみなし境界線から5m外側に複線を作図する。

6 「面取」コマンドを選択する。

7 コントロールバー「丸面」を選択する。

8 コントロールバー「寸法」ボックスに「5000」を入力する。

> **POINT** 「面取」コマンドは、2本の線の交点を指定の形状と寸法で面取りします。2本の線の指示方法は「コーナー」コマンドの場合と同じで、2本の線の交点に対して、残す側で🖱️します。

9 対象線（A）として、右図の5mラインを🖱️。

10 対象線【B】として、右図の5mラインを🖱️。

→ 🖱️した2本の線がR5000で面取りされる。

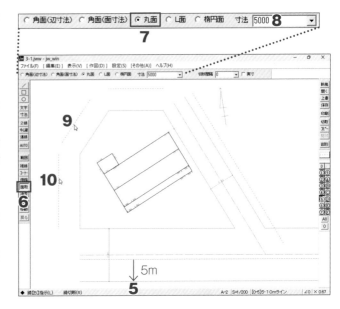

11 対象線（A）として、右図の5mラインを🖱️。

12 【B】として、**5**で作成した5mラインを🖱️。

→ 🖱️した2本の線がR5000で面取りされる。

13 同様の手順（**11〜12**）で、**12**の5mラインと6m道路の5mラインを面取りする。

14 同様に、他の2カ所も面取りする。

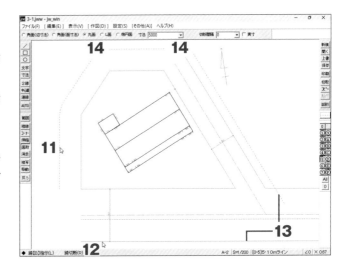

やってみよう

5mラインからさらに5m外側に、10mラインを作図しましょう。

4〜12と同様（ただし、「丸面」コマンドの「寸法」ボックスの数値は「10000」）にして作図することができます。あるいは、5mラインを円弧部分も含めて、「複線」コマンドでさらに5m外側に平行複写することでも作図できます。

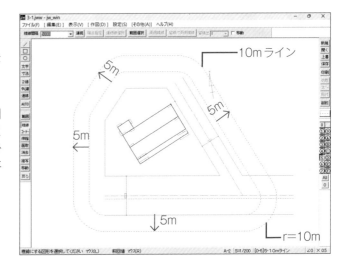

STEP 8　真北を設定する

◉日影計算に必要な真北を設定しましょう。

1 　方位記号が作図されている「0：敷地」レイヤを書込レイヤにする。

2 　メニューバー［その他］－「日影図」を選択する。

3 　コントロールバー「真北」ボタンを🖱。

4 　真北線の半分より北側（上側）を🖱。

　➡ 　結果の図のように、🖱した端点側に文字「真北」と角度が記入される。

　POINT 真北線を🖱した場合は度単位で、🖱した場合は度分秒単位で、真北線上に方位角が記入されます。

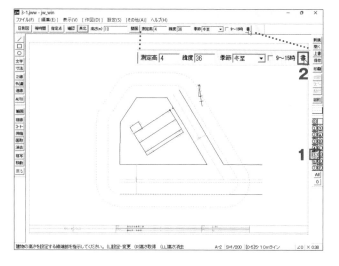

STEP 9　計算条件を設定して記入する

◉日影計算条件を設定し、その内容を図面の左下に記入しましょう。

1 　書込レイヤを「5：5・10m ライン」にする。

2 　「日影図」コマンドのコントロールバー「測定高」ボックスを 4（m 単位）、「緯度」を 36（°）、「季節」を冬至とし、「書」ボタンを🖱。

　POINT 「季節」ボックスの▼を🖱で「春秋分」「夏至」「任意時期」を選択できます。「任意時期」を選択した場合、表示される「日影」ダイアログで日赤緯を入力して任意の時期を指定します。

3 　条件を記入する位置として、図面の左下付近を🖱。

　➡ 　🖱位置に測定条件が記入される。

　POINT 測定条件は、メニューバー［設定］－「基本設定」を選択して開く「jw_win」ダイアログの「文字」タブにある「日影用高さ…の文字サイズの種類指定」ボックスで指定されている文字種で記入されます。

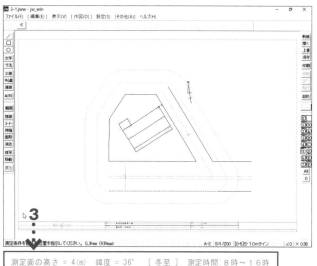

●「C：等時間日影図」レイヤに、2時間と3時間の
等時間日影図を「線色5・実線」で作図しましょう。

1　書込レイヤを「C：等時間日影図」にし、
書込線を「線色5・実線」にする。

2　「日影図」コマンドのコントロールバー「等
時間」ボタンを🖱。

➡　コントロールバーが右図の表示に変わる。

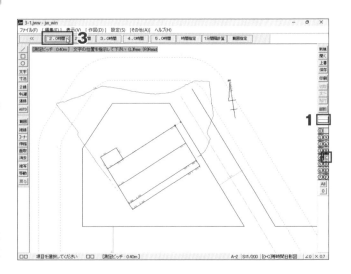

3　コントロールバー「2.0時間」ボタンを🖱。

➡　2時間の等時間日影線が書込線で作図され、作図
ウィンドウ左上に［測定ピッチ0.40m］文字の位置を
指示して下さい…と表示される。

> **POINT** 文字の記入位置を指示すると、測定
> ピッチを記入します。記入しない場合は、位
> 置を指示せずに次の操作を行ってください。
> **3**でコントロールバー「時間指定」ボタンを🖱す
> ると、任意の時間を指定できます。また、「1分間
> 隔計算」ボタンを🖱すると、「10秒間隔計算」に
> 切り替わり、計算精度が高くなります。

4　コントロールバー「3.0時間」ボタンを🖱。

➡　3時間の等時間日影線が作図される。

> **POINT** 建物に対して用紙サイズが小さいと、
> 等時間日影図は作図されません。また、建物の
> 角部分は誤差が生じやすいため、等時間日影図
> が作図されない場合があります。

●建物角付近の等時間日影図を作図しましょう。

5　コントロールバー「範囲指定」ボタンを🖱。

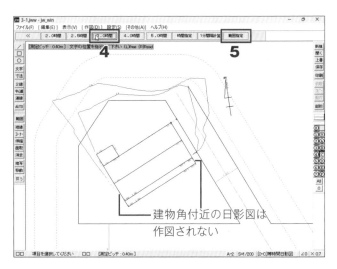

建物角付近の日影図は
作図されない

6　等時間日影図作図範囲の始点を🖱。

7　選択範囲枠で作図範囲を囲み、終点を🖱。

> **POINT** 選択範囲枠は真北に平行に表示されま
> す。最初に表示される枠サイズが最小のサイズ
> です。コントロールバー「10秒間隔計算」ボタ
> ンを🖱で、より高精度な「4秒間隔計算」に切り
> 替えできます。

8　作図する等時間日影図の時間ボタン（こ
こでは「2.0時間」「3.0時間」）を🖱。

➡　指定範囲の等時間日影図が作図される。

9　コントロールバー「《《」ボタンを🖱し、「等
時間」を終了する。

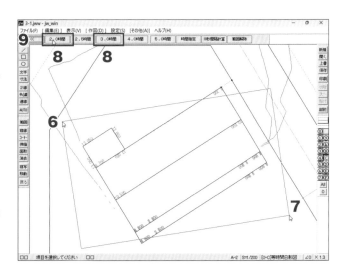

2時間の等時間日影線は、10mラインをオーバーしている部分があります。

● 10mラインと2時間等時間日影線の交点およびその中心を測定点として指定点日影計算をしましょう。

1 書込レイヤを「D：指定点」にする。

2 「日影図」コマンドのコントロールバー「指定点」ボタンを🖰。

　➡ コントロールバーの表示が変わり、操作メッセージは「測定点を設定してください」になる。

3 測定点として、10mラインと2時間等時間日影線の交点を🖰。

　➡ 🖰した交点に番号と実点が記入される。

4 次の測定点として🖰→ AM3時 中心点・A点 を利用し、10mラインと2時間等時間日影線の2つの交点の中心点を指示する。

参考：2点間の中心点を点指示→ p.169

5 次の測定点として、もう一方の交点を🖰。

6 コントロールバー「10秒間隔計算」ボタンを🖰。

　POINT 「1分間隔計算」よりも高精度な計算結果が得られます。コントロールバー「グラフ無」ボタンを🖰し、「グラフ作図」とすると、指定点日影の結果のグラフも作図されます。

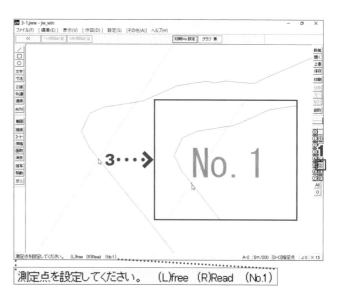

7 計算結果を記入する位置を🖰。

　➡ 結果の図のように、🖰位置にNo.1〜3の測定点の計算結果が記入される。

8 コントロールバー「〈〈」ボタンを🖰し、「指定点」を終了する。

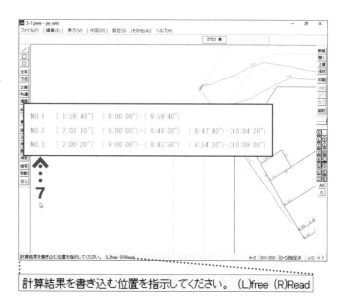

LESSON 3　2つの図面を合わせて日影図を作図

STEP 12 日影図を作図する

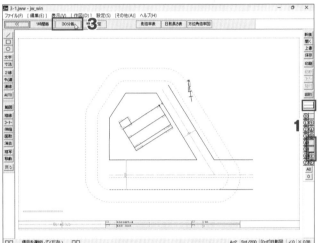

●「E：日影図」レイヤに、線色6で30分ごとの
日影図を作図しましょう。

1 書込線を「線色6・実線」に、書込レイヤ
を「E：日影図」とし、「C：等時間日影図」
「D：指定点」レイヤを非表示にする。

2 「日影図」コマンドのコントロールバー「日
影図」ボタンを🖱。

　➡ コントロールバーが右図の表示に変わる。

3 コントロールバー「30分毎」ボタンを🖱。

　➡ 1時間ごとの日影図が実線、30分ごとの日影図が
　点線で作図される。

> **POINT** 指定時間の日影図だけを作図する場
> 合は、コントロールバー「時間指定」ボタンを🖱
> し、「日影」ダイアログで作図する時間を指定し
> ます。

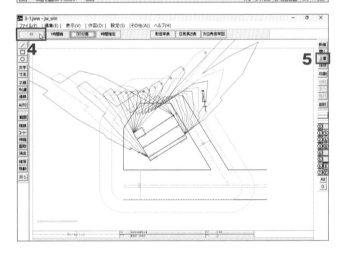

4 コントロールバー「〈〈」ボタンを🖱し、「日
影図」を終了する。

以上で、LESSON 3は終了です。

5 上書き保存する。

定義済みの高さを変更する
場合は、高さ変更する要素
が作図されているレイヤを
書込レイヤにしたうえで、
「日影図」コマンドのコント
ロールバー「高さ（m）」ボッ

クスに変更後の高さを入力し、高さを変更する座
標点を端点とする線を🖱してください。

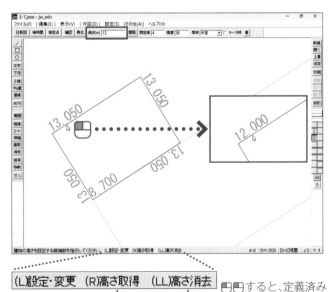

🖱すると、その高さをコントロールバー
「高さ(m)」ボックスに取得する

（L)設定・変更　(R)高さ取得　(LL)高さ消去

🖱🖱すると、定義済み
の高さを消去する

CHAPTER 3　敷地図と日影図を作図する

CHAPTER 4
その他の作図テクニック

LESSON 1　作図済み要素の線色とレイヤを変更

作図済み要素の線色・線種・レイヤを変更することを「属性変更」と呼びます。

ここでは、「04」フォルダーに収録されている教材図面「4−1」を開き、作図済みの要素のレイヤや線色の変更を練習しましょう。

右図は教材図面「4−1」のレイヤ一覧です。本来、「2:仕上」レイヤにあるべき、線色3・実線の仕上線の一部が、他のレイヤに作図されています。

「4：階段」レイヤに仕上線　　　「3：建具」レイヤに仕上線

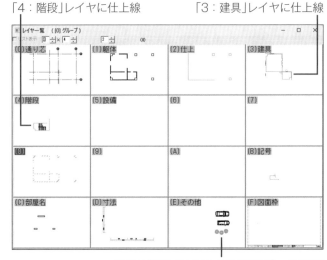

植栽は「線色3」だが、その線種は「一点鎖線」

STEP 1　特定の線色・線種の要素を指定のレイヤに変更する

◉「線色3・実線」の要素を「2：仕上」レイヤに変更しましょう。

1　「範囲」コマンドを選択する。

2　選択範囲の始点として、図面の左上で🖱。

3　表示される選択範囲枠にすべての仕上線が入るように囲み、終点を🖱（文字を除く）。

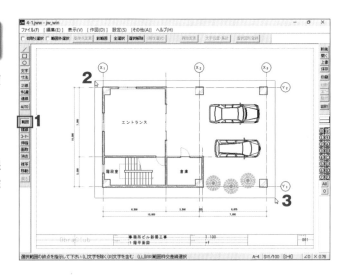

➡ 範囲選択枠内の編集可能な文字以外の要素がすべて選択され、選択色になる。

4 コントロールバー「＜属性選択＞」ボタンを🖑。

> **POINT** 選択色で表示されている要素の中から、属性選択のダイアログで指定する条件に合う要素のみを選択、あるいは除外することができます。

5 属性選択のダイアログが開くので、「指定【線色】指定」を🖑。

6 さらに開く「線属性」ダイアログで、「線色3」を選択し、「Ok」ボタンを🖑。

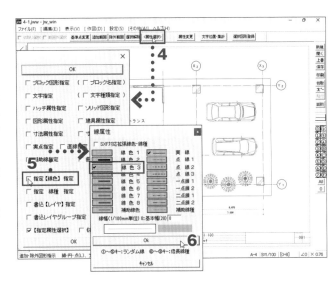

7 属性選択のダイアログの「指定 線種 指定」を🖑。

8 「線属性」ダイアログで、「実線」を選択し、「Ok」ボタンを🖑。

9 属性選択のダイアログで、「指定【線色】指定」「指定 線種 指定」「【指定属性選択】」にチェックが付いていることを確認し、「OK」ボタンを🖑。

> **POINT** 4〜9の指定により、3で選択した要素から「線色3」かつ「実線」の要素のみを選択します。

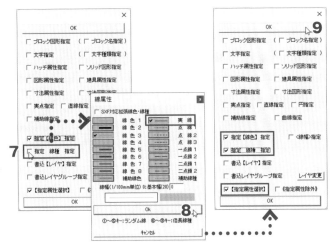

➡ 「線色3」かつ「実線」の要素のみが選択色になり、他の要素は対象から除外されて元の色になる。

10 指定した条件（線色3・実線）の要素のみが選択されたことを確認し、レイヤ変更先の「2：仕上」レイヤを🖑して書込レイヤにする。

11 コントロールバー「属性変更」ボタンを🖑。

12 「属性変更」のダイアログの「書込【レイヤ】に変更」にチェックを付け、「OK」ボタンを🖑。

➡ 選択色の要素が、書込レイヤの「2」レイヤに変更される。

13 書込レイヤ「2」レイヤボタンを🖑して開くレイヤ一覧ウィンドウで、線色3・実線の要素が「2」レイヤに変更されたことを確認する。

線色3でも、線種が「実線」ではない要素は対象から除外される

図面枠以外を「線色1」「0」レイヤに変更する

●図面枠以外の要素の線色をすべて線色1にし、レイヤを「0」レイヤに変更しましょう。

1 変更後の「0」レイヤを書込レイヤにし、図面枠が作図されている「F」レイヤを表示のみレイヤにする。

2 「範囲」コマンドを選択し、コントロールバー「全選択」ボタンを🖮。

　➡ 編集可能なすべての要素が選択される。

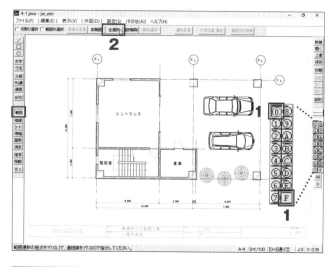

3 コントロールバー「属性変更」ボタンを🖮。

　➡ 属性変更指定のためのダイアログが開く。

4 「指定【線色】に変更」を🖮。

　➡ 線色指定のための「線属性」ダイアログが開く。

5 「線属性」ダイアログで「線色1」を選択し、「Ok」ボタンを🖮。

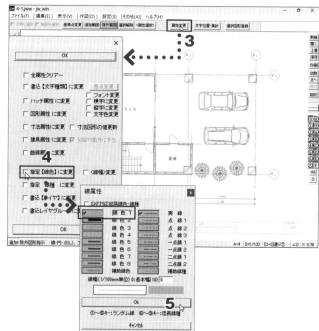

6 「文字色変更」を🖮。

　➡ 線色指定のための「線属性」ダイアログが開く。

7 「線属性」ダイアログで「線色1」を選択し、「Ok」ボタンを🖮。

　POINT 文字の色も「線色1」に変更するため、**6**、**7**の指定をします。色変更された文字の文字種は「任意サイズ」に変更されます。

8 「書込【レイヤ】に変更」にチェックを付ける。

9 属性変更のダイアログの「OK」ボタンを🖮。

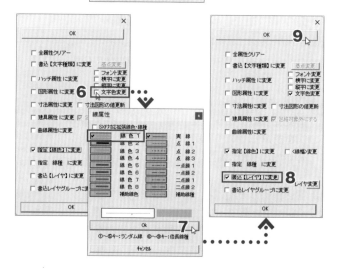

CHAPTER 4　その他の作図テクニック

→ 右図のように、寸法値と自動車以外の要素が線色1
に変更される。

POINT 自動車はブロック（→p.305）であるた
め、レイヤは変更されますが、その線色や線種
は変更されません。また、寸法図形（→p.121）
の寸法値の文字色は変更されません。

10 レイヤー覧ウィンドウを開き、**2** で選択し
たすべての要素が「0」レイヤに変更され
ていることを確認する。

ブロックである自動車は線色変更されない

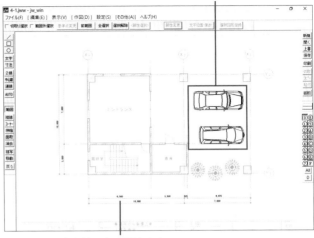

寸法図形の寸法値は色変更されない

POINT
LESSON

寸法図形の寸法値の文字色を変更するには

基本設定で寸法値の文字種の「色No.」を変更することで、寸法図形の寸法
値の色を変更できます。まずは、寸法値の文字種を確認するところから始め
ましょう。

1 「寸法」コマンド選択する。

2 寸法値にマウスポインタを合わせ、🖰↓
AM6時 属性取得。

　→ **2** が記入されているレイヤが書込レイヤにな
るとともに、作図ウィンドウ左上に右図のように
寸法値の文字種が表示される。

3 メニューバー［設定］－「基本設定」を
選択し、「jw_win」ダイアログの「文字」
タブを🖰。

4 「既に作図されている文字のサイズも変
更する」にチェックを付ける。

5 「文字種2」の「色No.」ボックスの数
値を「1」にし、「OK」ボタンを🖰。

　→ 寸法値の文字色が線色1の色に変更される。

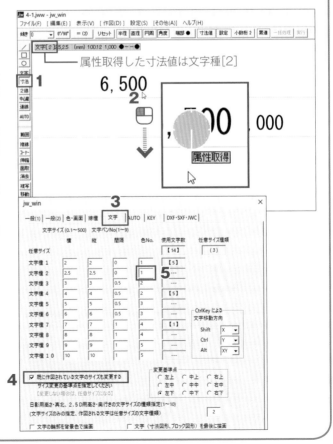

LESSON 2 ▶ 図面に画像を貼り付ける

Jw_cadではBMP形式の画像に限り、「画像編集」コマンドの「画像挿入」で図面に挿入できます。しかし、デジタルカメラやインターネットなどで広く利用されているJPEG形式の画像を挿入するには、JPEG形式に対応した「Susie Plug-in」を「jww」フォルダーにセットする必要があります。ここでは、付録CD-ROMに収録された「WIC Susie Plug-in」をセットしたうえで、「04」フォルダーに収録された教材図面「4-2」を開き、指定位置にJPEG形式の製品画像を挿入しましょう。

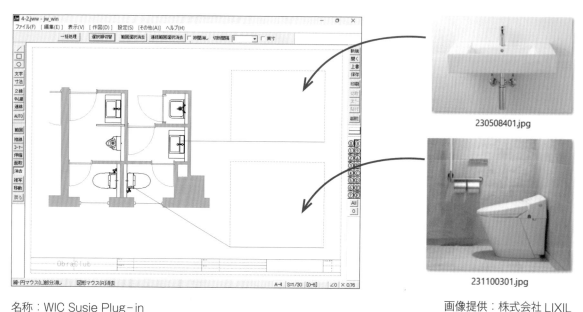

230508401.jpg

231100301.jpg

画像提供：株式会社 LIXIL

http://www.biz-lixil.com/service/cad/

名称：WIC Susie Plug-in

バージョン：2.1

機能：JPEG、PNG、GIF、TIFF など各種画像ファイルを
　　　利用するための Susie Plug-in

作者名：TORO

料金：無料

URL：http://toro.d.dooo.jp/

収録ファイル名：iftwic21.zip

Susie Plug-inを
セットする

●JPEG形式の画像を挿入するために必要な
JPEG形式に対応した「Susie Plug-in」を付録
CD-ROMからセットしましょう。Jw_cadは終
了したうえで、セットしてください。

1 エクスプローラーを起動し、付録 CD –
ROM（またはダウンロードして展開した
「jww8_dx」フォルダー）を開く。

2 「iftwic21（.zip）」を🖱🖱。

> **POINT** 「アプリを選択して.zipファイルを開
> く」ウィンドウが表示された場合は「エクスプ
> ローラー」を🖱🖱で選択してください。

3 「iftwic21.zip」ウィンドウが開き、内部
のファイルが表示されるので、「iftwic.
spi」を🖱。

4 表示されるショートカットメニューの「コ
ピー」を🖱。

5 フォルダツリーでCドライブの「jww」
フォルダーを🖱。

6 表示されるショートカットメニューの「貼
り付け」を🖱。

以上でセット完了です。

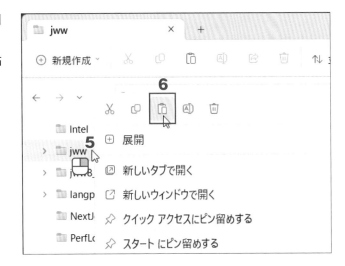

JPEG画像を挿入する

●教材図面「4-2」を開き、補助線色の点線で作図されている枠内に洗面器、洋便器の製品画像を挿入しましょう。

1 書込レイヤが「8」レイヤであることを確認する。

2 メニューバー［編集］-「画像編集」を選択する。

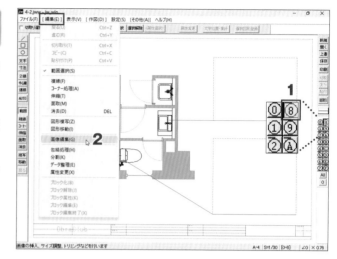

3 コントロールバー「画像挿入」ボタンを🖲。

➡ 画像ファイルを選択するための「開く」ダイアログが開く。

4 フォルダーツリーでCドライブの「jww8_D」フォルダーを🖲🖲し、その下の「04」フォルダーを🖲。

5 「ファイルの種類」ボックスを🖲し、リストから「WIC-jpeg (*.jpeg, *.jpe, *.jpg, …)」を選択する。

➡ 「04」フォルダー内のJPEG形式のファイルが表示される。

6 「230508401 (.jpg)」を🖲。

> **POINT** 「開く」ダイアログでの画像ファイルの表示状態は、「その他のオプション」を🖲して表示されるリストから選択できます。また、「プレビューウィンドウを表示」を🖲することで、選択した画像をプレビューで確認できます。

7 「開く」ボタンを🖲。

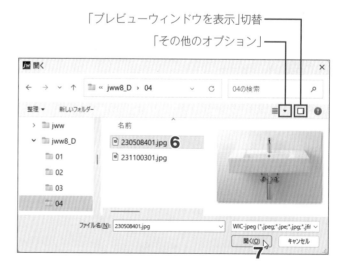

8 画像の挿入位置として、上の枠の左下角を🖱。

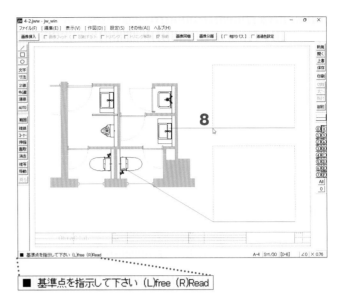

■ 基準点を指示して下さい (L)free (R)Read

➡ 右図のように、**8**の位置に左下角を合わせ、横幅を図寸100mmとして、**6**で選択した画像が挿入される。

POINT 画像は、その横幅が図寸100mmの大きさで挿入されます。大きさの調整は挿入後に行います。

9 コントロールバー「画像挿入」ボタンを🖱。

10 「開く」ダイアログで「231100301（.jpg）」を🖱🖱。

POINT ファイルを🖱🖱することで、「開く」ボタンを🖱する操作を省略できます。

11 画像の挿入位置として、下の枠の左下角を🖱。

➡ **11**の位置に左下角を合わせ、横幅を図寸100mmとして、**10**で選択した画像が挿入される。

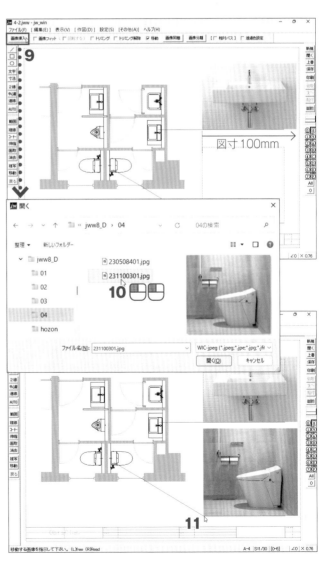

◉挿入した画像を補助線枠の大きさに変更しましょう。

1 コントロールバー「画像フィット」を🖱。

> **POINT** 「画像フィット」では、画像上の2点とそれに対応する大きさ変更後の2点を指示することで、画像の大きさを変更します。その際、画像の縦横比は変更されません。

2 画像の始点として、画像の左下角を🖱。

3 画像の終点として、画像の右上角を🖱。

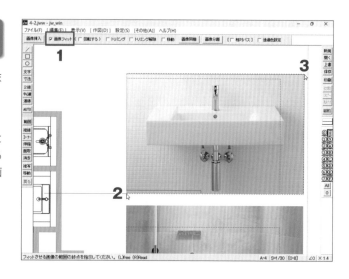

4 フィットさせる（大きさを合わせる）範囲の始点として、補助線枠の左下角を🖱。

5 フィットさせる範囲の終点として、補助線枠の右上角を🖱。

> **POINT** 画像に重なり補助線枠が表示されていない場合は、拡大操作を行って画面を再表示してください。それでも表示されない場合は、p.280のHINTを参照してください。

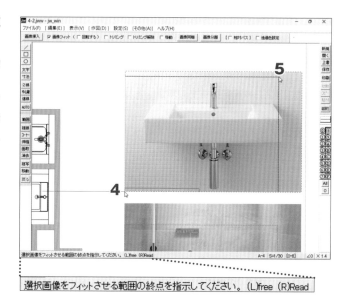

選択画像をフィットさせる範囲の終点を指示してください。 (L)free (R)Read

➡ 横幅を補助線枠の大きさに合わせ、大きさ変更される。

> **POINT** 画像とフィットさせる範囲の縦横比が異なる場合、画像の縦横比を保ち、画像の長いほうの辺（右図では横幅）がフィットするように大きさ変更されます。そのため、短いほうの辺（右図では縦の上下）に余白ができます。

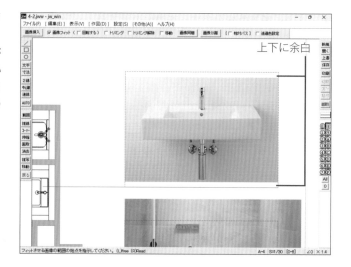

STEP 4　画像をトリミングする

◉洋便器の画像は、補助線枠の範囲をトリミングすることで大きさを調整しましょう。

1 コントロールバー「トリミング」にチェックを付ける。

2 トリミング範囲の始点として、枠の左下角を🖱。

3 表示される範囲枠で画像の残す部分を囲み、終点として補助線枠の右上角を🖱。

> **POINT** 2、3では、作図済みの長方形の角を🖱しましたが、読み取り点のない位置を🖱で指示することもできます。トリミングの形状は長方形に限られます。

➡ 右図のように、2と3を対角とする長方形の範囲が表示されます。

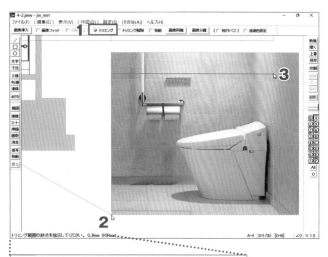

トリミング範囲の終点を指示してください。(L)free (R)Read

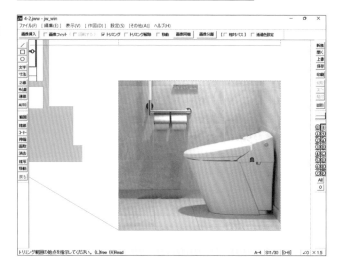

「トリミング」は、Jw_cadの図面上で画像を表示する範囲を指示する機能です。画像ファイル自体は加工されないため、コントロールバー「トリミング解除」にチェックを付け、トリミングを解除する画像を🖱することで、再び画像全体が表示されます。

「トリミング解除」にチェックを付ける

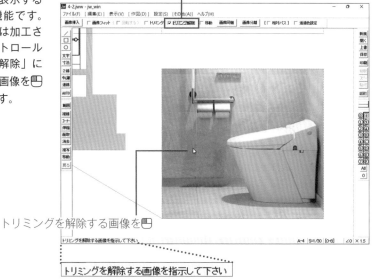

トリミングを解除する画像を🖱

トリミングを解除する画像を指示して下さい

図面上の画像表示位置には、外部の画像ファイルを表示するための表示命令文が右図のように記入されています。これによって、指定場所にある画像ファイルを指定サイズで表示させているという仕組みです。そのため、挿入元の画像ファイルを消去したり、図面ファイルを上書き保存してから他へ渡して開いたりした場合、画像は表示されません。この図面ファイルを他のパソコンで開いたときにも常に画像が表示されるようにするには、次項 STEP 5 の「画像同梱」が必須です。

STEP 3の操作後、「画像同梱」せずに上書き保存した「4-2.jww」を他のパソコンで開くと、下図のように、画像挿入位置に画像は表示されず、画像サイズを示す水色の点線枠が表示される

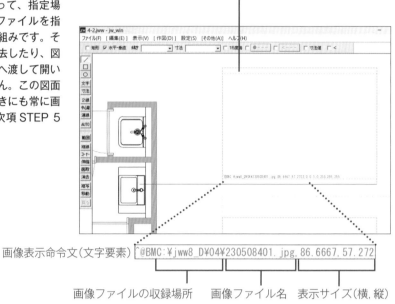

画像表示命令文（文字要素）　^@BMC:¥jww8_D¥04¥230508401.jpg, 86.6667, 57.272

画像ファイルの収録場所　　画像ファイル名　表示サイズ（横, 縦）

STEP 5　画像を同梱して上書き保存する

◉挿入した画像ファイルを図面ファイルに同梱して上書き保存しましょう。

1 コントロールバー「画像同梱」ボタンを🖱。

2 同梱を確認するメッセージウィンドウが開くので、「OK」ボタンを🖱。

3 同梱結果のメッセージウィンドウが開くので、「OK」ボタンを🖱。

4 「上書」（上書き保存）コマンドを🖱。

> **POINT** 画像を図面ファイルとともに保存するため、**1**〜**3**の画像同梱を行いました。なお、「画像同梱」を行わずに図面を保存した場合、作図ウィンドウ左上に 同梱されていない画像データ があります… とメッセージが表示されます。

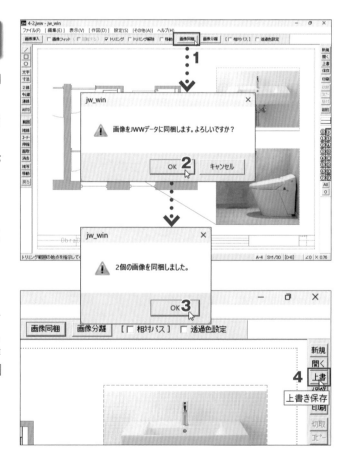

図面上に挿入した画像ファイルが Jw_cad の図面ファイルに同梱されるため、Jw_cad の図面ファイルのファイルサイズは大きくなります。

また、画像同梱した図面ファイルを Jw_cad で開くと、「jww」フォルダー内に隠しフォルダーが一時的に作成され、そのフォルダー内に同梱画像が BMP ファイルとして展開されます。このフォルダーは Jw_cad 終了時に自動的に消えるので、覚えのないフォルダーだからといって Jw_cad の起動中にこのフォルダーを削除しないでください。

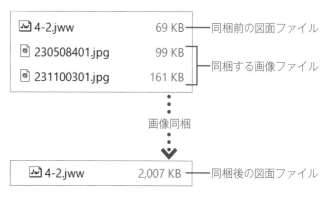

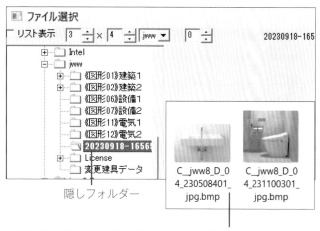

隠しフォルダー

一時的に展開された同梱画像ファイルが収録されている
（Jw_cad の「ファイル選択」ダイアログでは画像ファイルは表示されない）

画像は文字要素として扱われる

前ページのHINTで説明したように、図面上に記入された画像表示命令文（文字要素）によって画像が表示されているため、画像は文字要素として扱われます。

「範囲」「複写」「移動」コマンドなどで操作対象を範囲選択する際、画像も対象として選択するには、画像の左下に記入されている画像表示命令文全体が選択範囲枠に入るように囲み、その終点を🖱️（文字を含む）します。
画像表示命令文が選択色になれば、画像が選択されたことになります。

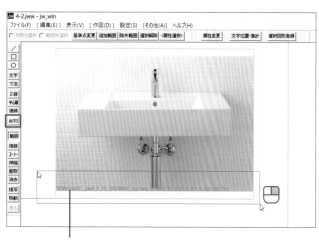

画像左下の画像表示命令文全体が入るように囲む

LESSON 3 ▶ 図面の一部を塗りつぶす

「多角形」コマンドの「ソリッド図形」では、図面上の指定範囲を、指定色で塗りつぶすことができます。Jw_cadでは、塗りつぶし部分を「ソリッド」と呼びます。ここでは、「04」フォルダー収録の教材図面「4-3」を開き、壁部分をグレーで、トイレ周りを水色で塗りつぶしましょう。

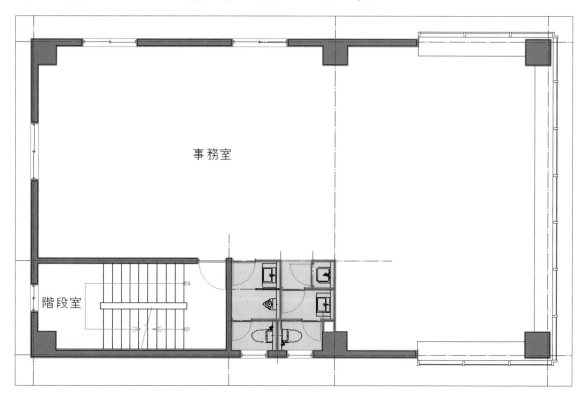

STEP 1　壁を塗りつぶす準備をする

◉塗りつぶす範囲が閉じた連続線で囲まれている場合、その外形線を🖰するだけで塗りつぶせます。教材図面「4-3」を開き、「2：仕上」レイヤに作図されている仕上げを外形線とする範囲を塗りつぶすため、閉じた連続線に整えましょう。

1　仕上線を🖰↓ AM6時 属性取得 し、「2：仕上」レイヤを書込レイヤにする。

2　レイヤバー「All」ボタンを🖰し、書込レイヤ以外を非表示レイヤにする。

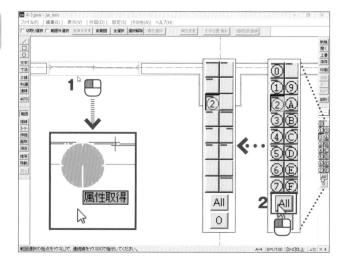

3 開口の左上から🖱→ AM3 時 包絡

4 包絡範囲枠で右図のように左上の開口
部分を囲み、終点位置から🖱← AM9 時
中間消去 。

➡ 結果の図のように中間消去される。

5 他の開口部分（5 カ所）も、同様に処理を
する。

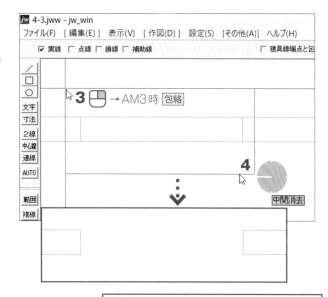

6 書込線を「線色 3・補助線種」にする。

7 「／」コマンドを選択し、コントロールバー
「水平・垂直」にチェックを付ける。

8 右図の 3 カ所に端点を結ぶ線を作図し、
塗りつぶし対象を閉じた連続線にする。

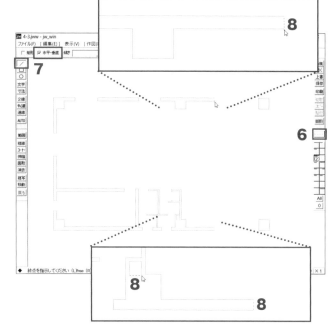

HINT

塗りつぶす壁の範囲を閉じた連続線にするために STEP 1 の操作を行いました。壁の塗りつぶしが完了したら、「包絡」コマンドで右図のように開口を囲むこ
とで、左右の仕上線が連結され、STEP 1 を行う前の状態に簡単に戻せます。

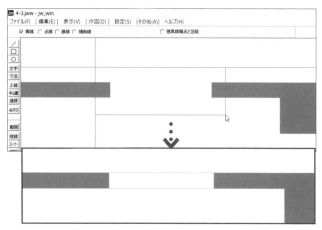

STEP 2　壁をグレーで塗りつぶす

◉「9」レイヤを書込レイヤにし、壁をグレーで塗りつぶしましょう。

1 「9」レイヤを書込レイヤにする。

2 メニューバー［作図］−「多角形」を選択する。

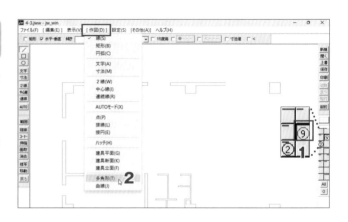

3 コントロールバー「任意」ボタンを🖱。

4 コントロールバー「ソリッド図形」にチェックを付ける。

5 コントロールバー「任意色」にチェックを付ける。

> **POINT 4**のチェックを付けると、塗りつぶし機能になります。**5**のチェックを付けない場合は、書込線色で塗りつぶします。任意色で塗りつぶしたソリッドは、モノクロ印刷時にも塗りつぶした色で印刷されます。

6 コントロールバー「任意□」ボタンを🖱。

7 「色の設定」ダイアログで「グレー」を🖱。

8 「OK」ボタンを🖱。

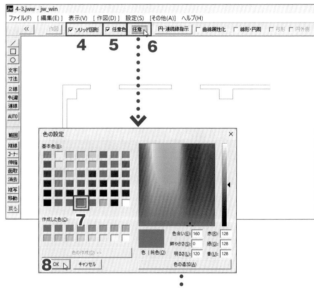

9 コントロールバー「曲線属性化」にチェックを付ける。

> **POINT** 「ソリッド図形」では、指定範囲を三角形に分割して塗りつぶします。「曲線属性化」にチェックを付けることで、これらの分割されたソリッドをひとまとまりの要素として扱えます。

10 コントロールバー「円・連続線指示」ボタンを🖱。

> **POINT 10**の操作で、閉じた連続線を指示するモードに切り替えます。

11 壁の線を🖱。

> **POINT 11**で🖱すると、連続線に囲まれた範囲を塗りつぶし、連続線（ここでは仕上線）を消去します。

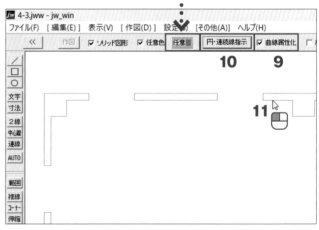

➡ 🖱した連続線に囲まれた範囲が塗りつぶされる。

12 順次、塗りつぶす壁の線を🖱（7カ所）。

> **POINT** 塗りつぶし範囲を示す外形線に関係ない線が交差していたり、複雑な形状であったりする場合は 4線以上の場合、線が交差した図形は 作図できません と表示され、塗りつぶせないことがあります。

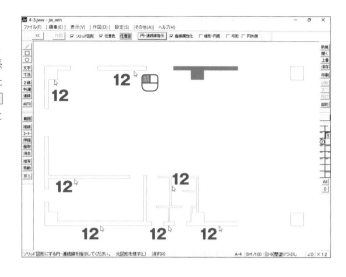

STEP 3 　中抜き部分を白で塗りつぶす

●壁と一緒に塗りつぶされたパイプスペース部分を白で塗りつぶしましょう。

1 コントロールバー「任意□」ボタンを🖱。

2 「色の設定」ダイアログで「白」を選択し、「OK」ボタンを🖱。

3 「A」レイヤを書込レイヤにする。

4 パイプスペースを示す長方形の上辺を🖱。

> **POINT** 中抜きを指定しての塗りつぶしはできないため、色を付けない部分は、後から「白」で塗りつぶします。白のソリッドが、グレーのソリッドに重なって隠れることのないように、グレーのソリッドよりも後ろの番号のレイヤを書込レイヤにして塗りつぶします。これは「基本設定」コマンドで開く「jw_win」ダイアログの「一般（1）」タブの「ソリッド描画順」の「レイヤ順」にチェックが付いていることが前提です（→次ページのHINT）。

➡ 結果の図のように、パイプスペース部分の長方形が白で塗りつぶされる。

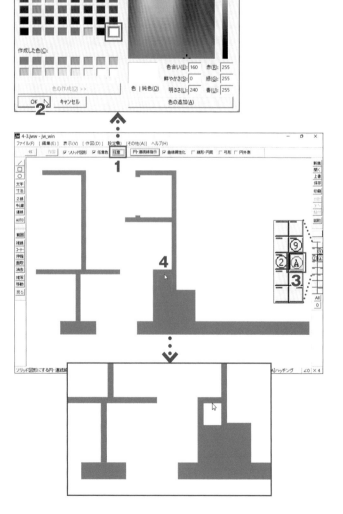

HINT

ここで、「基本設定」コマンドで開く「jw_win」ダイアログ「一般（1）」タブの設定を確認しておきましょう。

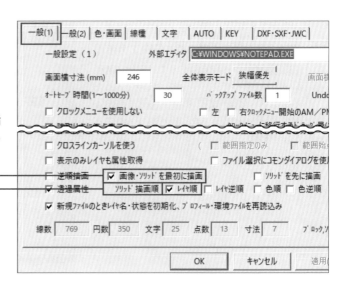

画像やソリッドに重なる線・文字を表示する指定。チェックを外すと、画像やソリッドに重なる線・文字が表示されない。

ソリッドどうしを重ねた場合の表示順序。
「レイヤ順」にチェックを付けると、番号が後ろのレイヤのソリッドが前面に表示されるため、STEP 3で塗りつぶした白のソリッドがグレーのソリッドの上に表示される。

STEP 4 トイレ周りを塗りつぶす準備をする

●トイレ周りを塗りつぶすための準備として、書込レイヤを「8」にして、建具を非表示にしましょう。

1 すべてのレイヤを編集可能にし、「8」レイヤを書込レイヤにする。

2 メニューバー［設定］−「レイヤ非表示化」を選択する。

> **POINT** 「レイヤ非表示化」は、🖱した要素が作図されているレイヤを非表示レイヤにします。ただし、🖱した要素のレイヤが書込レイヤの場合には、書込レイヤですと表示され、非表示にできません。

➡ 作図ウィンドウ左上にレイヤ非表示化と表示される。

3 右図の建具を🖱。

➡ 🖱した建具が作図されている「3：建具」レイヤが非表示になり、建具が作図ウィンドウから消える。

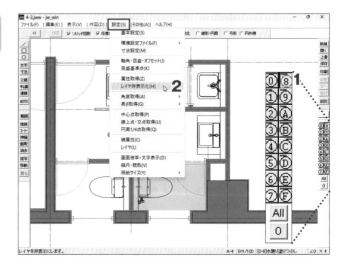

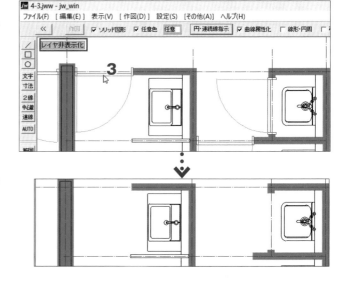

CHAPTER 4 その他の作図テクニック

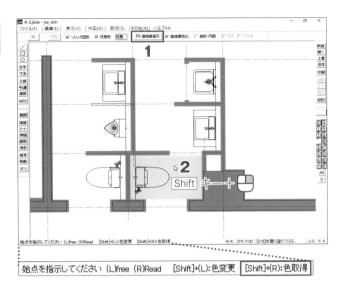

始点を指示してください (L)free (R)Read　　[Shift]+(L):色変更　[Shift]+(R):色取得

STEP 5　既存のソリッド色と同じ色で塗りつぶす

●外周点を指示することで、それらの点をつないだ内部を塗りつぶす方法を学習します。既存のソリッド色と同じ色で男子トイレの範囲を塗りつぶしましょう。

1 コントロールバー「円・連続線指示」ボタンを🖱。

> ➡ 外周点を指示して塗りつぶすモードに切り替わり、ステータスバーには「始点を指示してください…」と表示される。

2 右図のソリッドを Shift キーを押したまま🖱。

> **POINT** 既存のソリッドを、Shift キーを押したまま🖱することで、その色をコントロールバー「任意□」に取得します。
>
> ➡ コントロールバーの「任意□」の色が**2**のソリッド色になる。

3 始点として、男子トイレの右上角を🖱。

4 次の点として、右図の仕上線を🖱← AM9時 線上点・交点。

> **POINT** 点指示時に線・円・弧を←🖱AM9時 線上点・交点 し、次に他の線・円・弧を🖱することで、交差していない2つの線・円・弧の仮想交点（両者を延長してできる交点）を指示できます。**4**の操作の代わりに、メニューバー[設定]－「線上点・交点取得」を選択し、**4**の線を🖱しても結果は同じです。この機能は、選択コマンドに限らず、他のコマンドの点指示時にも共通して利用できます。

5 右図の仕上線を🖱。

> ➡ **4**の線と**5**の線の仮想交点が2点目に確定する。

2のソリッドの色になる

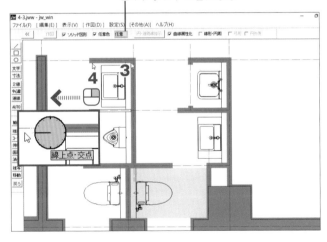

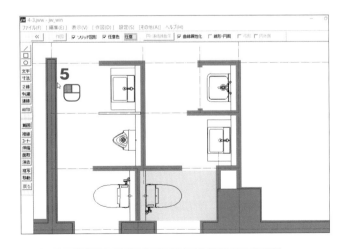

■■線上点指示■■ (L)free (R)Read　　≪≪交点≫≫(L)他の線・円

LESSON 3　図面の一部を塗りつぶす

6 次の点として、左下角を🖰。

7 次の点として、右下角を🖰。

8 ～ 11 番号順に、次の点を🖰。

12 コントロールバー「作図」ボタンを🖰。

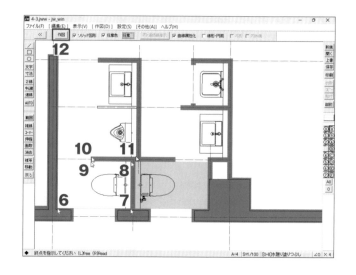

➡ 点**3** ～ **11**に囲まれた範囲がコントロールバー「任意□」の色で塗りつぶされる。

POINT ソリッドに重なる線や文字が隠れてしまった場合は、拡大操作を行い、画面を再表示してください。

13 女子トイレも同様にして塗りつぶす。

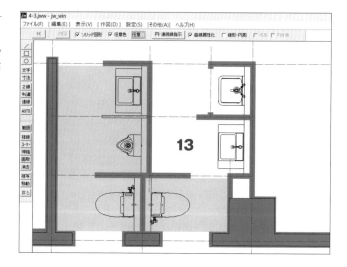

長方形の範囲であれば、「□」コマンドのコントロールバー「ソリッド」にチェックを付け、「寸法」ボックスを「(無指定)」にして、長方形の対角2点を🖰することで塗りつぶせます。

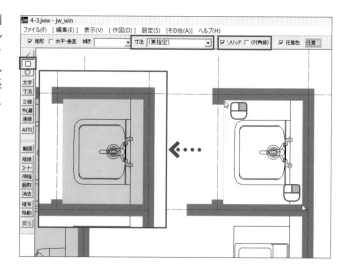

<table>
<tr><td>STEP
6</td><td>既存のソリッドの色を
変更する</td></tr>
</table>

●STEP 5で塗りつぶした水色を、もう少し濃い青色に変更しましょう。

1 コントロールバー「任意□」ボタンを🖱。

2 「色の設定」ダイアログの「色相スクリーン」上で🖱し、作成する色の色調を選択する。

3 明度スライダ上で🖱し、色の明度を下げて濃い青色に調整する。

> **POINT** 2〜3の操作を繰り返して調整することで、指定する色を作成します。作成した色のRGB値は「赤（R）」「緑（G）」「青（B）」ボックスに表示されます。これらのボックスの数値を変更することでも色を調整できます。

4 色調と明度を調整し、「色｜純色」欄の色が決まったら、「OK」ボタンを🖱。

> → コントロールバー「任意□」の色が、「色の設定」ダイアログで作成した色になる。

> **POINT** 独自に作成した色は、Jw_cadを終了するまで「色の設定」ダイアログに残ります。Jw_cad終了後に再びその色を使う場合は、図面上のその色のソリッドから色を取得（→p.281）してください。

5 変更対象のソリッドを、Shiftキーを押したまま🖱。

> **POINT** Shiftキーを押したまま既存のソリッドを🖱することで、そのソリッドの色をコントロールバー「任意□」の色に変更できます。

> → 結果の図のように、🖱したソリッドがコントロールバーの「任意□」の色に変更され、画面左上には 属性変更 のメッセージが表示される。

6 他のソリッドの色も **5** と同様にして変更する。

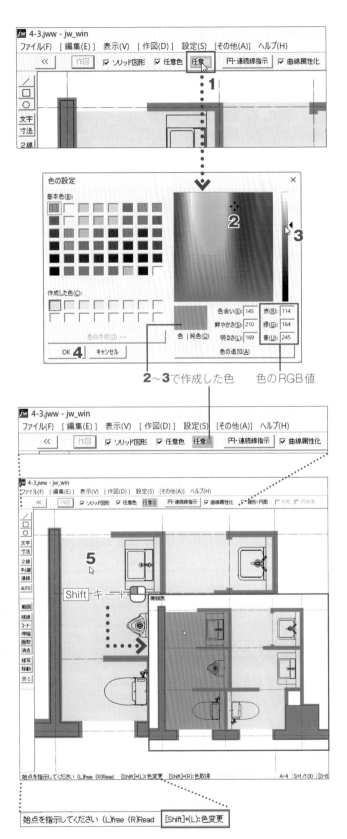

2〜3で作成した色　　色のRGB値

LESSON 3　図面の一部を塗りつぶす

始点を指示してください (L)free (R)Read　[Shift]+(L):色変更

始点を指示してください (L)free (R)Read　[Shift]+(L):色変更

LESSON 4 ▶ ハッチングの作図

ハッチングは、「ハッチ」コマンドでハッチングする範囲（ハッチ範囲）とハッチングの種類、その間隔、角度などを指定することで作図します。「04」フォルダーに収録されている教材図面「4−4」を開いて、下図のようにハッチング作図をしてみましょう。

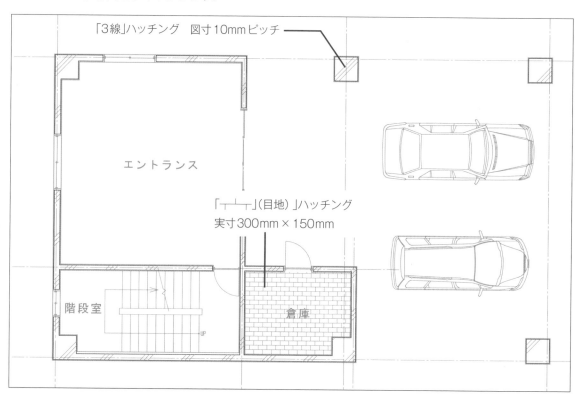

「3線」ハッチング　図寸10mmピッチ

エントランス

「┬─┬」（目地）」ハッチング
実寸300mm × 150mm

階段室

UP

倉庫

CHAPTER 4　その他の作図テクニック

STEP 1　躯体にコンクリートハッチングを作図する

◉「8」レイヤを書込レイヤにし、「1：躯体」レイヤに作図されている躯体に、線色1の実線で3本線ハッチングを作図しましょう。

1 躯体線を属性取得し、躯体のレイヤを書込レイヤにする。

2 レイヤバー「All」ボタンを🖱し、書込レイヤ以外を非表示レイヤにする。

3 「8」レイヤを🖱し、書込レイヤにする。

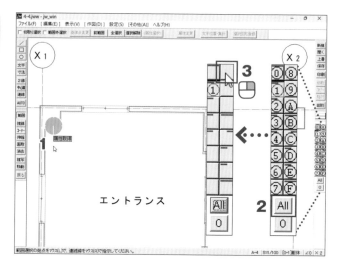

4 書込線を「線色1・実線」にする。

5 メニューバー［作図］－「ハッチ」を選択する。

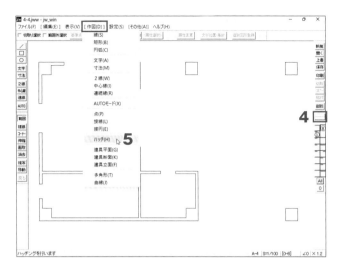

6 ハッチ範囲となる躯体線（閉じた連続線）を🖱。

> **POINT** はじめにハッチングの範囲を指定します。対象が閉じた連続線の場合、そのうちの1本の線を🖱することで閉じた連続線全体が選択されます。

始めの線・弧をマウス(L)で、閉鎖連続線・円をマウス(R)で指示してください。【0】

➡ 🖱した線に連続する線が選択色になり、コントロールバー「実行」ボタンが利用できるようになる。

7 他のハッチ範囲となる躯体線（いずれも閉じた連続線。6カ所）を順次🖱。

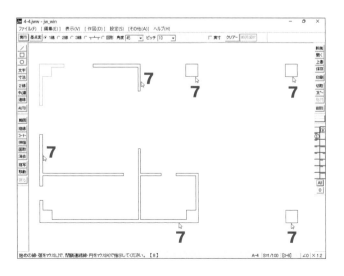

LESSON 4 ハッチングの作図

8 コントロールバーのハッチ種類「3線」を🖱。

9 「角度」は「45°」、「ピッチ」は「10」、「線間隔」は「1」を指定する。

> **POINT** 「ピッチ」「線間隔」の数値は、図寸（実際に印刷される寸法）で指定します。コントロールバーの「実寸」にチェックを付けると、実寸での指定ができます。

10 コントロールバー「実行」ボタンを🖱。

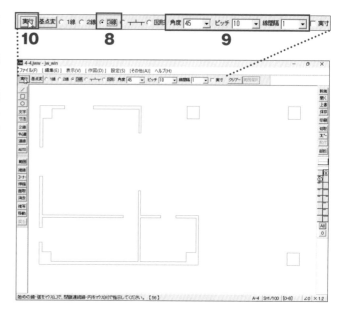

➡ 選択色のハッチ範囲に3線ハッチが書込線で作図される。作図後もハッチ範囲は選択色のままである。

11 コントロールバー「クリアー」ボタンを🖱。

➡ ハッチ範囲が解除され、元の色に戻る。

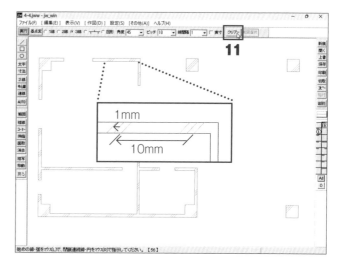

「ハッチ」コマンドで作図したハッチングの線は、1本ごとに独立した線要素のため、ハッチング全体をひとまとまりとして扱う性質はありません。

ただし、「ハッチ属性」と呼ぶ属性が付随しているため、「範囲」コマンドで対象を選択（**1**）後、コントロールバー「<属性選択>」ボタンを🖱し（**2**）、表示されるダイアログの「ハッチ属性指定」「【指定属性選択】」にチェックを付けて「OK」ボタンを🖱する（**3**）ことで、選択した要素の中からハッチング線だけを選択して消去、レイヤ変更、線色・線種変更などを行えます。

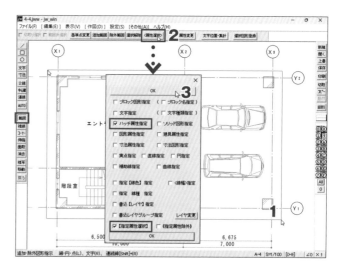

**倉庫に目地ハッチングを
作図する**

●倉庫の床に、実寸300mm×150mmの目地
ハッチを作図しましょう。

1 「9」レイヤを書込レイヤにし、「2：仕上」
レイヤ以外を非表示にする。

2 ハッチ範囲の開始線を🖱。

➡ 開始線が波線表示される。

3 開始線の次の線を🖱。

POINT ハッチ範囲が閉じた連続線で囲まれて
いない場合は、ハッチ範囲の外形線を1本ずつ
🖱することでハッチ範囲を指定します。

➡ 🖱した線が選択色になる。

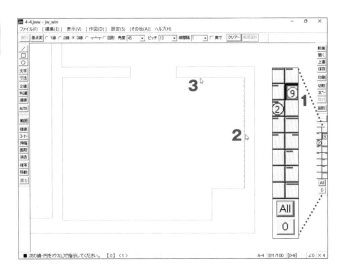

4 次の線を🖱。

POINT 右の図のように線が連続していない場
合、次に🖱する線は**3**と同一線上の線ではなく、
3の延長上で交差する**4**の線を指示します。同
一線上の線を🖱した場合は 計算できません と表
示され、次の線として選択されません。

➡ **3**の線から🖱した**4**の線まで選択色の線が延長さ
れ、**4**の線が選択色になる。

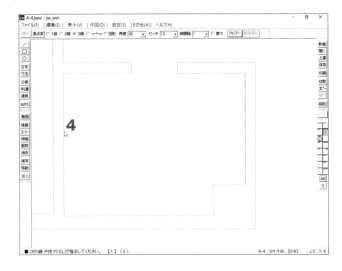

5 次の線を🖱。

6 次の線を🖱。

7 次の線を🖱。

8 開始線を🖱。

ハッチ範囲を示す選択色の線が、**4**の線まで延長される

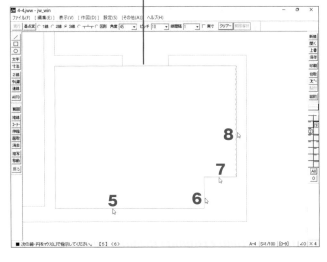

LESSON 4　ハッチングの作図

➡ ハッチ範囲が確定し、コントロールバー「実行」ボタンが利用できるようになる。

9 コントロールバー「╥┴╥」（目地）を選択し、「角度」が「0」であることを確認する。

10 コントロールバー「実寸」にチェックを付ける。

> **POINT** コントロールバー「実寸」にチェックを付けると、ピッチ等を実寸で指定できます。

11 「縦ピッチ」を「150」に、「横ピッチ」を「300」にする。

12 コントロールバー「実行」ボタンを🖱。

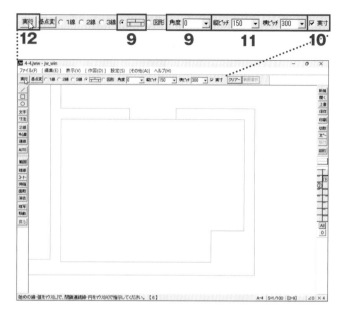

➡ 右図のようにハッチングが作図される。

◉タイル目地の位置がずれているので、作図されたハッチングを取り消し、タイル目地の始まりを左下角に指定してハッチングしなおしましょう。

13 「戻る」コマンドを🖱。

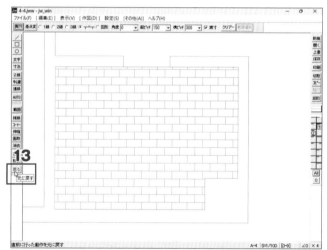

➡ 直前のハッチング作図が取り消され、ハッチ範囲は選択色のままである。

14 コントロールバー「基点変」ボタンを🖱。

> **POINT** 「基点変」では、ハッチングの基準となる点（ハッチング線が通る点）を指定します。この場合（「╥┴╥」目地）、指示した点に300mm×150mmの長方形の左下角を合わせ、ハッチングを作図します。

15 基準点としてハッチ範囲の左下角を🖱。

➡ **15**の角に基準点を示す〇が仮表示される。

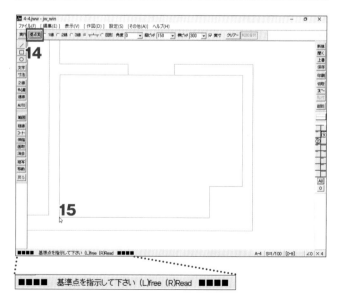

16 コントロールバー「実行」ボタンを🖲。

→ **15**の点を基準に、右図のように目地ハッチングが
作図される。

17 コントロールバー「クリアー」ボタンを
🖲。

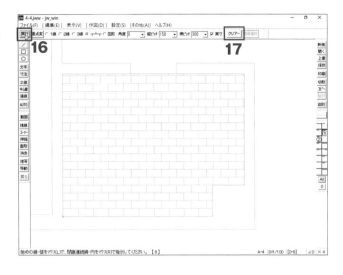

記入してある文字にハッチ
ングの線が重なって、読み
づらくなることがあります。
そのような場合は、「基本設
定」コマンドで開く「jw_
win」ダイアログの「文字」
タブで、「文字列範囲を背景色で描画」にチェッ
クを付けましょう。これにより、図面上の文字列
の背景を白抜き表示します。

白抜きする範囲の大きさは、「範囲増寸法（−1～
10mm)」ボックスに「−1」～「10」の数値を
入力することで調整できます。

文字列の背景を白抜きする指定　白抜き範囲の大きさを調整

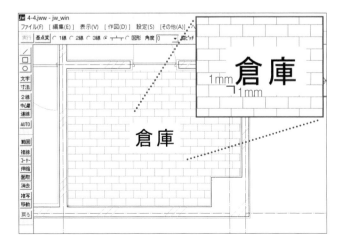

LESSON 5 ▶ 同じ用紙に 縮尺の異なる図を作図

同じ用紙に縮尺の異なる図を作図するには、レイヤグループを利用する必要があります。
「04」フォルダーに収録の教材図面「4-5」（平面図S=1/100）を開き、レイヤグループを利用して、あらか
じめ作図してある円の中に建具の部分詳細図（S=1/5）を作図しましょう。

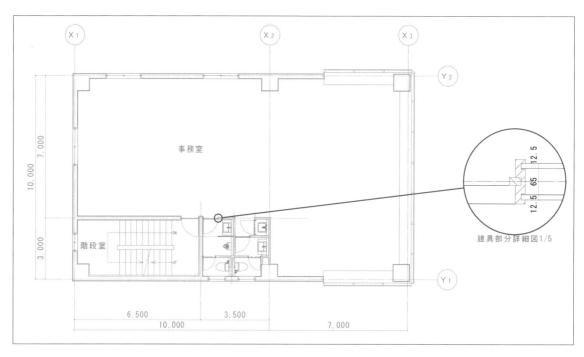

建具部分詳細図1/5

重要なPOINT

16枚のレイヤ を束ねたものが レイヤグループ

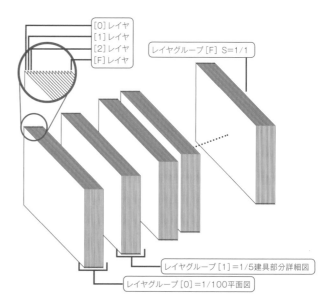

[0]レイヤ
[1]レイヤ
[2]レイヤ
[F]レイヤ

レイヤグループ[F] S=1/1

レイヤグループ[1]＝1/5建具部分詳細図

レイヤグループ[0]＝1/100平面図

レイヤの使い分けについては、CHAPTER 2で学
習しましたが、そのレイヤ16枚を束ねたものを「レ
イヤグループ」と呼びます。全部で16セットのレ
イヤグループが用意されており、レイヤグループ
ごとに縮尺を設定できます。
16枚のレイヤで足りる図面であれば、レイヤグ
ループを使う必要はありませんが、1枚の用紙に縮
尺の異なる図をレイアウトする場合には、レイヤ
グループの利用が必須です。

STEP 1 レイヤグループバーを表示する

●教材図面「4-5」を開き、レイヤグループバーを表示しましょう。

1 レイヤバー下の現在の書込グループ番号「0」ボタンを🖰。

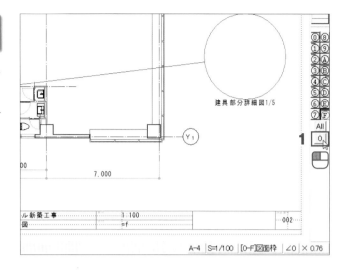

➡ レイヤグループバーが表示される。

> **POINT** レイヤバーの書込グループボタンを🖰することで、レイヤグループバーの表示⇔非表示を切り替えできます。レイヤグループバーで赤い□付きで凹表示されているのが書込レイヤグループです。レイヤグループバーでは、16セットのレイヤグループの状態をコントロールします。操作は、レイヤバーと同じで、書込レイヤグループの指定は🖰、他レイヤグループの状態変更は🖰で行います。

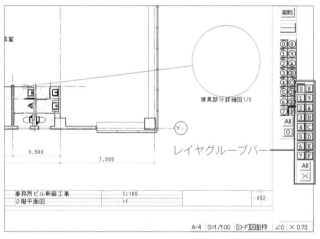

レイヤグループバー

STEP 2 レイヤグループ一覧ウィンドウで操作する

●レイヤグループ一覧ウィンドウを開き、書込レイヤグループの指定やレイヤグループの状態の変更、レイヤグループ名の設定を行いましょう。

1 レイヤグループバーの書込レイヤグループ「0」を🖰。

> **POINT** 書込レイヤグループボタンを🖰することで、レイヤグループ一覧ウィンドウが開きます。操作は、レイヤ一覧ウィンドウと同じで、書込レイヤグループの指定は🖰、他レイヤグループの状態変更は🖰で行います。

2 「1」レイヤグループの枠内で🖰。

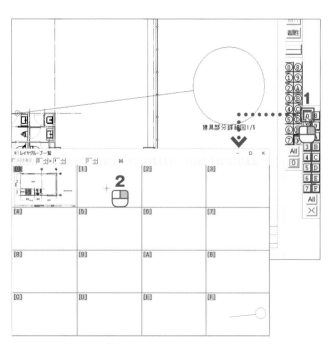

➡ 「1」レイヤグループが書込レイヤグループになる。

編集可能レイヤグループは[ ]の付いた番号が表示される

書込レイヤグループは濃いグレーで表示される

3 「0」レイヤグループの枠内で🖱。

> **POINT** レイヤグループ番号以外の位置で🖱してください。書込レイヤグループ以外のレイヤグループは🖱するたびに、非表示⇒表示のみ ⇒ 編集可能に状態が切り替わります。

➡ 非表示レイヤグループになる。

非表示レイヤグループの番号は表示されない

4 「0」レイヤグループの枠内で🖱。

➡ 表示のみレイヤグループになる。

表示のみレイヤグループは番号のみが表示される

5 「0」レイヤグループの番号部分を🖱。

> **POINT** レイヤグループ名の設定・変更は、レイヤ名の設定・変更と同様に、レイヤグループ番号を🖱して行います。

➡ 「レイヤグループ名設定」ダイアログが開く。

6 レイヤグループ名として「2階平面図」を入力し、「OK」ボタンを🖱。

➡ レイヤグループ名が「2階平面図」に設定される。

7 同様にして、「1」レイヤグループのレイヤグループ番号を🖱し、レイヤグループ名「建具部分詳細図」を設定する。

8 レイヤグループ一覧ウィンドウ右上の⊠（閉じる）を🖱し、ウィンドウを閉じる。

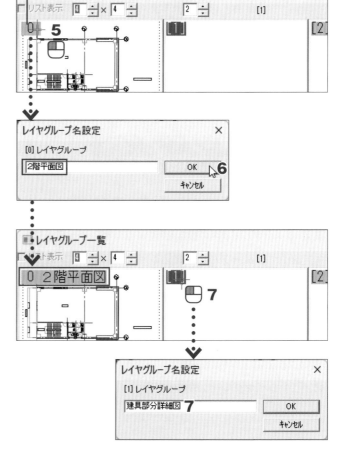

CHAPTER 4 その他の作図テクニック

書込レイヤグループ「1」の縮尺を変更し、各レイヤ名を設定する

●これから建具部分詳細図を作図する「1」レイヤグループの縮尺を1/5に変更し、レイヤ名を設定しましょう。

1 「縮尺」ボタンを🖰。

2 「縮尺・読取　設定」ダイアログの「分母」ボックスを「5」に変更する。

3 「OK」ボタンを🖰。

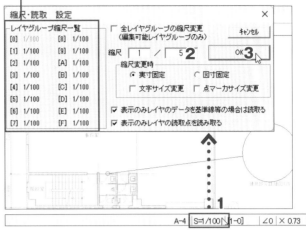

4 レイヤバーの書込レイヤ「0」を🖰し、レイヤ一覧ウィンドウを開く。

5 各レイヤ名を以下のように設定し、レイヤ一覧ウィンドウを閉じる。

　　0：壁芯

　　2：間仕切

　　3：建具

　　D：寸法

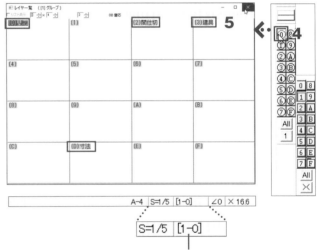

S=1/5 [1-0]

「書込レイヤ」ボタンの[1-0]は、現在の書込レイヤが「1」レイヤグループの「0」レイヤであることを示す

部分詳細図の壁芯と額縁を作図する

●あらかじめ作図されている円の中に、壁芯と額縁の外形を作図しましょう。

1 「0：壁芯」レイヤに「線色6・一点鎖2」で右図のように、水平線と垂直線を作図する。

2 「3：建具」レイヤに「線色3・実線」で、25mm×110mmの長方形を右図の位置に作図する。

3 30mm×20mmの長方形を右図の位置に作図する。

4 垂直線を消去する。

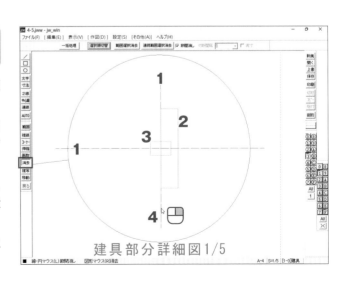

建具部分詳細図1/5

5 「消去」「複線」「コーナー」コマンドを利用し、額縁を右図のように整形する。

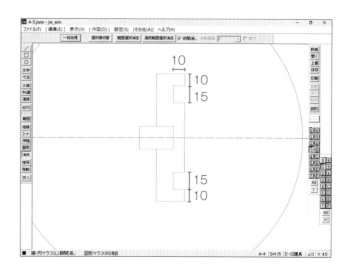

◉下地、仕上げを作図しましょう。

1 書込レイヤを「2：間仕切」、書込線を「線色2・実線」にし、「2線」コマンドで、壁芯から間隔32.5mmで下地を右図のように作図する。

2 書込線を「線色4・実線」とし、下地から間隔12.5mmで仕上げを作図する。

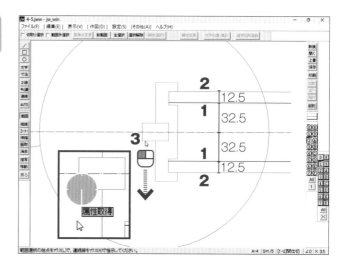

◉ハッチングを作図しましょう。

3 額縁の線を🖱️↓ AM6時 属性取得 。

➡ 書込レイヤ「3：建具」、書込線「線色3・実線」になる。

4 レイヤバー「All」ボタンを🖱️し、書込レイヤ「3：建具」以外を非表示にする。

5 「ハッチ」コマンドを選択し、ハッチ種類「1線」、角度「45」、ピッチ「3」で、額縁にハッチングを作図する。

「ハッチ」コマンド→p.284

6 角度を「-45」にして、戸当りにハッチングを作図する。

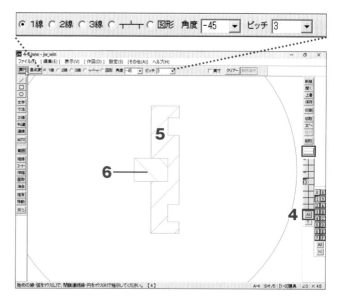

CHAPTER 4 その他の作図テクニック

STEP 6 部分詳細図の扉を作図して円からはみ出す線を消去する

●扉を作図し、円からはみ出した線を消去しましょう。

1 レイヤバーの「All」ボタンを🖱。

➡ すべてのレイヤが編集可能になる。

2 書込線を「線色2・実線」とし、「／」コマンドで、右図のように扉を作図する。

3 「消去」コマンドを選択し、コントロールバー「節間消し」にチェックを付ける。

4 仕上、下地、壁芯、扉を円の外側で🖱し、円からはみ出した部分(8カ所)を消去する。

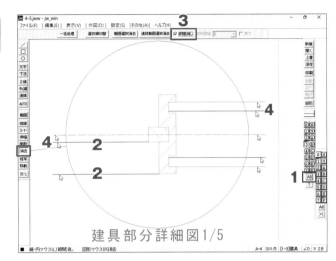

建具部分詳細図1/5

STEP 7 部分詳細図に寸法を記入する

●部分詳細図に寸法を記入しましょう。

1 書込レイヤを「D：寸法」とし、「寸法」コマンドを選択して、右図のように寸法を記入する。

2 上書き保存する。

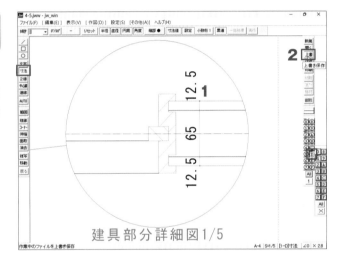

建具部分詳細図1/5

HINT

1枚の用紙（1図面ファイル）に縮尺の異なる図をレイアウトした図面に手を加える際は、はじめに編集対象の図を「属性取得」し、その図が作図されているレイヤグループを書込レイヤグループにすることを習慣づけましょう。

編集対象とは異なる縮尺の書込レイヤグループのままでは、正しい寸法での作図・編集はできません。

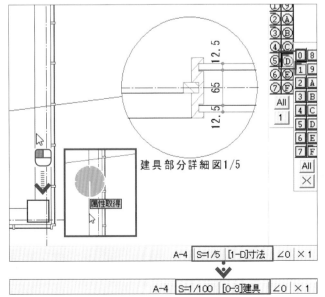

建具部分詳細図1/5

LESSON 5 同じ用紙に縮尺の異なる図を作図

LESSON 6　同間隔の振り分けの壁を一括作図

CHAPTER 2のLESSON 3のSTEP 8〜9（→p.155〜）では、「2線」コマンドを使って、外75mm、内125mmの振り分けの壁を作図しましたが、同間隔の振り分けであれば、「複線」コマンドで一括作図することが可能です。ここでは、910モジュールの「目盛」を利用して部屋の壁芯を作図し、75mm振分の壁を一括作図しましょう。

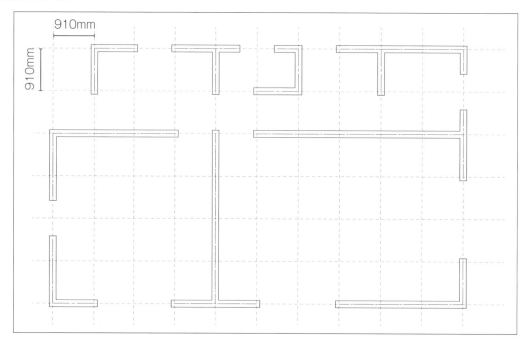

STEP 1　目盛を設定する

◉教材図面「4-6」を開き、910mm間隔の目盛を設定しましょう。

1　ステータスバーの「軸角」ボタンを🖱。

2　「軸角・目盛・オフセット　設定」ダイアログの「実寸」を🖱し、チェックを付ける。

3　「目盛間隔」ボックスを🖱し、「910」を入力する。

4　「1/2」を🖱。

> ➡ ダイアログが閉じ、作図ウィンドウに等間隔の点（目盛点）が表示される。

> ❓ 目盛が表示されない→p.327 Q46

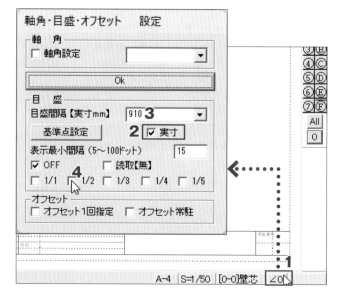

CHAPTER 4　その他の作図テクニック

POINT 目盛を設定することで、🖱で読み取りはできて印刷はされない点が、指定間隔で作図ウィンドウに表示されます。これを「目盛」と呼びます。目盛の間隔は標準では文字サイズと同じ図寸で指定しますが、ダイアログの「実寸」にチェックを付けることで実寸指定になります。**4**でダイアログの「1/1」を🖱すると「目盛間隔」ボックスで指定の910mm間隔の目盛のみが、「1/2」をすると910mm間隔の目盛に加え910mmを2等分する目盛（小さい水色の点）が表示されます。ここでは、910mmの目盛（黒い点）を「1目盛」、その半分の目盛（水色の点）を「1/2目盛」と呼びます。

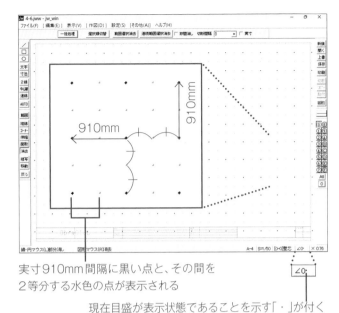

実寸910mm間隔に黒い点と、その間を
2等分する水色の点が表示される

現在目盛が表示状態であることを示す「・」が付く

STEP 2 部屋の外形線を作図する

◉「0：壁芯」レイヤに線色6・一点鎖2で、部屋の壁芯となる外形線を作図しましょう。

1 書込レイヤ「0：壁芯」、書込線「線色6・一点鎖2」にする。

2 「□」コマンドを選択し、コントロールバー「寸法」を「（無指定）」にする。

3 長方形の角として目盛点を🖱。

4 長方形の対角として、右と下に4目盛（910mm×4）の目盛点を🖱。

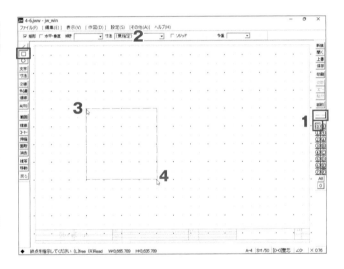

➡ **3**と**4**を対角とする正方形が作図される。

5 右図のように、他の部屋の外形線も同様の手順（**3**〜**4**）で作図する。

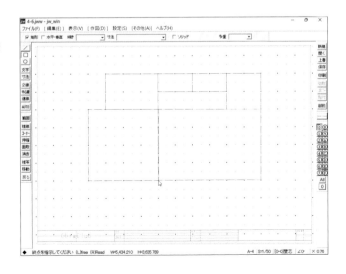

LESSON 6 同間隔の振り分けの壁を一括作図

3 連結整理後に 開口部分の線を消去する

●重ねて作図された長方形の各辺を1本に整理したうえで、開口部分の線を部分消ししましょう。

1 作図した図全体を連結整理する。

参考：連結整理→p.89

2 「消去」コマンドを選択する。

3 部分消し対象の線を🖰。

4 消し始めの点として、目盛点を🖰。

5 消し終わりの点として、目盛点を🖱。

6 同様の手順（**3 ～ 5**）で、他の開口部分（12カ所）の線も右図のように消去する。

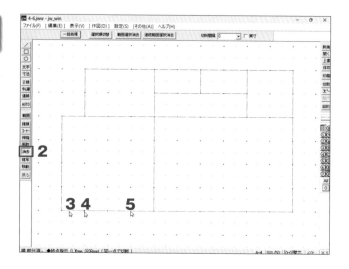

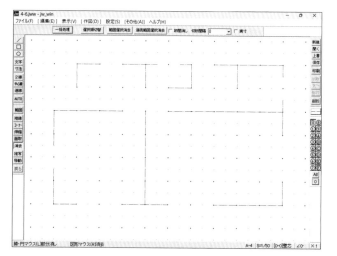

この段階で、再度「軸角・目盛・オフセット　設定」ダイアログを開き、「1/3」を🖰すると、作図ウィンドウの水色の目盛が910mmを3等分した1/3目盛の表示に切り替わります。部分消しする範囲に合わせ、目盛を切り替えて使ってください。

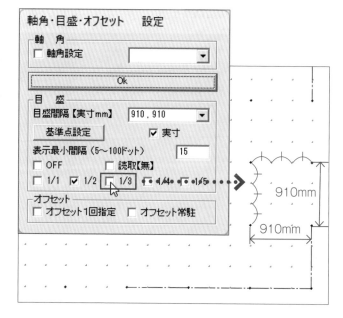

CHAPTER 4　その他の作図テクニック

STEP 4 壁を一括作図する

●「1：壁」レイヤに線色2・実線で、壁芯から75mm振り分けの壁を一括作図しましょう。

1 書込レイヤを「1:壁」、書込線を「線色2・実線」にする。

2 「範囲」コマンドを選択する。

3 選択範囲枠で壁芯全体を囲み、終点を🖱。

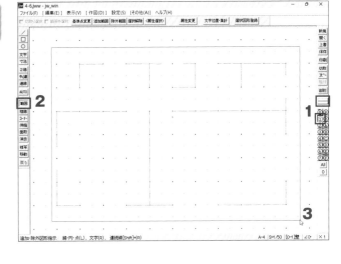

4 「複線」コマンドを選択する。

→ **3**で選択したすべての線要素が、複線の基準線になる。

5 コントロールバー「複線間隔」ボックスに「75」を入力する。

6 コントロールバー「留線出」ボックスに「75」を入力する。

7 コントロールバー「留線付両側複線」ボタンを🖱。

POINT コントロールバーの「両側複線」「留線付両側複線」ボタンを🖱することで、基準線の両側に複線を一括作図します。**7**の操作の代わりに作図ウィンドウで作図方向を🖱した場合は、基準線の片側（🖱時に仮表示されている側）に複線が一括作図されます。

→ 右図のように、基準線から75mm両側に連続した複線と、基準線の端部から75mm外側に留線が、それぞれ一括作図される。

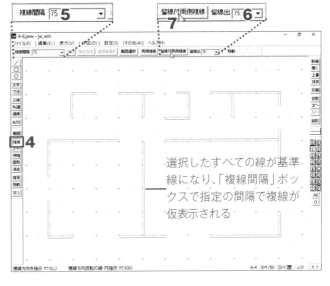

選択したすべての線が基準線になり、「複線間隔」ボックスで指定の間隔で複線が仮表示される

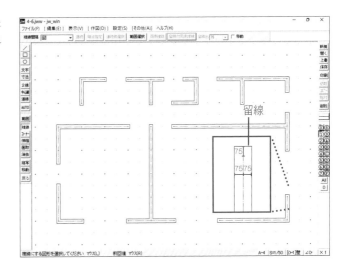

留線

LESSON 7 三斜による敷地図と面積表の作図

「jww8_D」フォルダー内の「04」フォルダーから教材図面「4-7」を開き、以下の三斜による敷地図と面積表を作図しましょう。

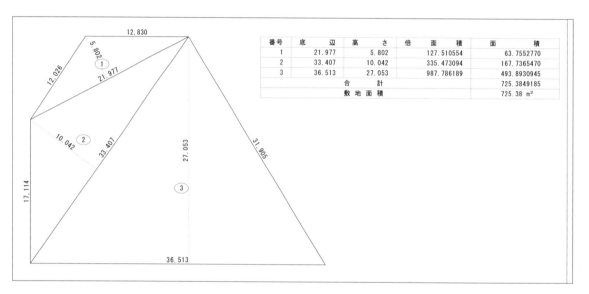

番号	底　辺	高　さ	倍　面　積	面　積
1	21.977	5.802	127.510554	63.7552770
2	33.407	10.042	335.473094	167.7365470
3	36.513	27.053	987.786189	493.8930945
	合　　　計			725.3849185
	敷　地　面　積			725.38　㎡

STEP 1 敷地の三角形を作図する

◉教材図面「4-7」を開き、はじめに三角形③を作図しましょう。

1 書込線を「線色2・実線」、書込レイヤを「0」にする。

2 「／」コマンドを選択し、コントロールバー「水平・垂直」にチェックを付け、「寸法」ボックスに「36513」を入力する。

3 三角形③の底辺の始点位置を🖱。

4 長さ36513mmの水平線を仮表示した状態で、終点を🖱。

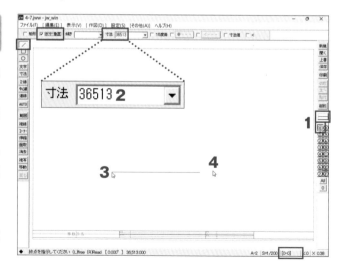

CHAPTER 4　その他の作図テクニック

300　やさしく学ぶ Jw_cad 8《デラックス版》

5 メニューバー［作図］－「多角形」を選択し、コントロールバー「2辺」を🖱。

6 コントロールバー「寸法」ボックスに「33407,31905」を入力する。

> **POINT** **6**では、三角形の2辺の長さ「**7**の始点から頂点までの距離, **8**の終点から頂点までの距離」を「 ,」（カンマ）で区切って入力します。次の**7**、**8**の始点・終点は「寸法」ボックスに入力した順に指示してください。

7 始点として、底辺の左端点を🖱。

8 終点として、底辺の右端点を🖱。

> ➡ マウスポインタの側に指定長さの2辺が仮表示される。

9 底辺の上側に2辺が仮表示された状態で作図方向を決める🖱。

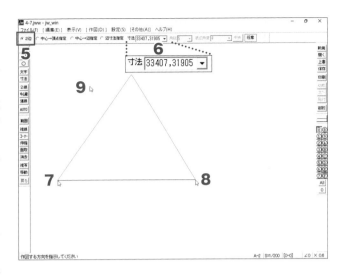

●三角形②と①も作図しましょう。

10 コントロールバー「寸法」ボックスに「17114,21977」を入力し、同様の手順（**7**～**9**）で、三角形②を作図する。

> ❓ 計算できません と表示され、2辺が作図されない
> →p.327 Q47

11 コントロールバー「寸法」ボックスに「12026,12830」を入力し、同様の手順（**7**～**9**）で、三角形③を作図する。

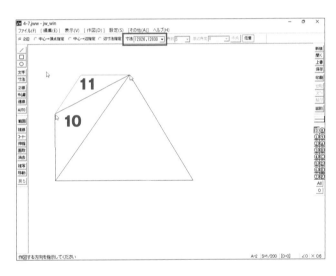

STEP 2 面積表を作成する

●敷地図への寸法記入と面積表の作成を、「外部変形」コマンドの「三斜面積計算」で行いましょう。

1 メニューバー［その他］－「外部変形」を選択する。

> ➡ 外部変形プログラムを選択するための「ファイル選択」ダイアログが開く。

2 フォルダーツリーで「jww」フォルダーが開いていることを確認し、右のファイル一覧から「JWW_SMPL.BAT」（三斜面積計算）を🖱🖱で選択する。

➡ 作図ウィンドウ左上に【三斜計算】三角形を選択（三角形の辺 200 まで）と表示される。

POINT 「JWW_SMPL.BAT」(三斜面積計算)は、はじめに敷地を構成する三角形を範囲選択します。ただし、三角形を構成する線以外の要素を選択した場合や、三角形の辺が 200 本を超える場合は、正しく動作しません。

3 選択範囲の始点として、右図の位置で🖱。

4 表示される選択範囲枠で敷地図（3 つの三角形）を囲み、終点を🖱。

➡ 選択範囲枠に全体が入る要素が選択色になる。

5 コントロールバー「選択確定」ボタンを🖱。

➡ コントロールバーに「数値書き込み位置指示(L) free (R) Read」と表示され、ステータスバーの操作メッセージは「点を指示してください (L) free (R) Read」になる。

6 数値書込み位置（面積表左上位置）として右図の位置を🖱。

➡ コントロールバーに「初期番号指定」ボックスが表示される。

7 コントロールバー「初期番号指定」ボックスに、三角形に記入する最初の番号を入力する。ここでは①から番号を記入するため、何も入力せずに Enter キーを押す。

POINT Enter キーを押す代わりに作図ウィンドウで🖱しても結果は同じです。

➡ コントロールバーが「レイヤ指定」ボックスの表示になる。

8 コントロールバー「レイヤ指定」ボックスに、寸法値、記号、面積表の作図レイヤとして、「8」を入力し、Enter キーを押す。

POINT 現在の書込レイヤに作図する場合は、数値を入力せずに Enter キーを押します。

➡ コントロールバーが「小数点以下有効桁数」ボックスの表示になる。

9 コントロールバー「小数点以下有効桁数」ボックスに、記入寸法の小数点以下有効桁として「3」を入力し、Enter キーを押す。

➡ コントロールバーが「コマンド入力」ボックスの表示になる。

10 コントロールバー「コマンド入力」ボックスのカーソル位置に、「/m4」と半角スペースを入力し、右図のように「/m4 /L8 /K3」が表示された状態で Enter キーを押す。

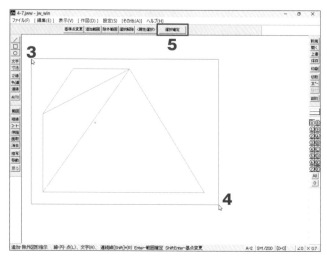

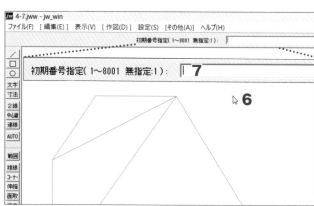

レイヤ指定(0～F 無指定:書込レイヤ): 8 **8**

小数点以下有効桁数(0～3 無指定:2): 3 **9**

コマンド入力 > /m4 /L8 /K3 **10**

POINT 「コマンド入力」ボックスに半角スペースを空け、オプション指定文字を入力することで、次の指定ができます。

/m*　文字種を指定。*には 1～10（文字種）を入力

/t*　頂点に実点を作図。*には 1～8（実点の線色）を入力

/e*　頂点に円を作図。*には円半径（図寸）を入力

/h*　三角形の辺を新たに作図。*には 1～8（作図する辺の線色）を入力

/s　敷地面積の小数点以下 3 桁を切り捨てて作図

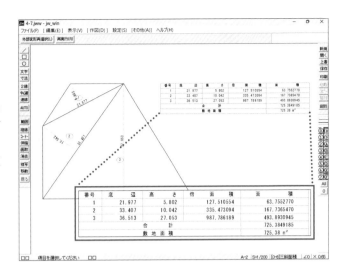

❓ 黒いウィンドウが開いたまま残る→p.327 Q49

➡ 外部変形プログラムが実行され、指定の「8」レイヤが書込レイヤになり、右図のように記号・寸法・面積表が作図される。「8」レイヤには、自動的にレイヤ名「三斜面積」が設定される。

❓ 三角形以外の線が (*) あります と表示され、一部の三角形の高さ、底辺、面積が作図されない→p.327 Q48

POINT 逆向きに自動記入された寸法値は、反転移動で修正します（→p.239 STEP 5）。

番号	底　辺	高　さ	倍　面　積	面　積
1	21. 977	5. 802	127. 510554	63. 7552770
2	33. 407	10. 042	335. 473094	167. 7365470
3	36. 513	27. 053	987. 786189	493. 8930945
			合　　計	725. 3849185
			敷 地 面 積	725. 38 ㎡

STEP 3 斜辺の寸法を記入する

●前項の操作で、三角形の底辺と高さの寸法が自動記入されます。さらに、寸法が自動記入されていない斜辺の寸法を記入しましょう。

1 「寸法」コマンドを選択する。

2 コントロールバー「寸法値」ボタンを🖱。

POINT 「寸法値」では、2点間の寸法値の記入や寸法値の移動・変更を行います。2点間の寸法値を記入するには、1点目を🖱で指示します。

3 寸法の始点として、左下の角を🖱。

4 寸法の終点として、次の角を🖱。

➡ **3**－**4**間の寸法が「寸法設定」で指定の文字種で記入される。

POINT 寸法値は、始点→終点の指示順方向の左側に記入されます。次の点を🖱することで、続けて**4**から次の点までの寸法値を記入します。また、寸法値の記入を終了するには、コントロールバー「リセット」ボタンを🖱します。

5 次の角を🖱。

6 順次、次の角（2カ所）を🖱して斜辺の寸法を記入する。

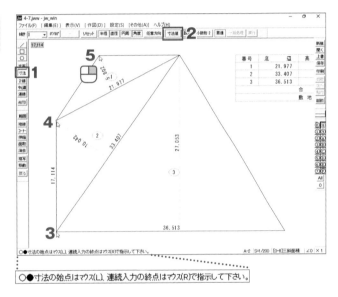

◯●寸法の始点はマウス(L)、連続入力の終点はマウス(R)で指示して下さい。

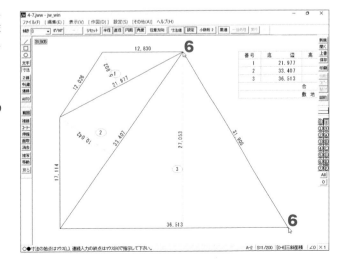

LESSON 8
ひとまとまりの要素の種類と分解

複数の要素がひとまとまりとなった「ブロック」「曲線属性」「グループ」「寸法図形」（ここでは総称して「複合要素」と呼ぶ）、それぞれの特性と分解方法について解説します。教材図面「4-8」内には、以下の複合要素があります。

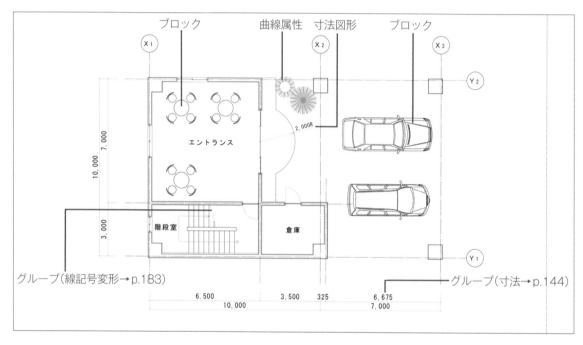

ブロック　　曲線属性　寸法図形　　ブロック

グループ（線記号変形→p.183）　　　　　　　　　　　　　　　　　　　グループ（寸法→p.144）

STEP 1　複合要素の見分け方

●どの複合要素も、「消去」コマンドでその一部を🖱すると複合要素全体が消去されます。
「コーナー」コマンドで🖱したときにマウスポインタ近辺に表示されるメッセージで、複合要素の種類を確認できます。

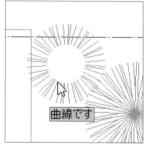

グループの要素は編集可能なため、メッセージは表示されず、🖱した要素だけが選択色になる

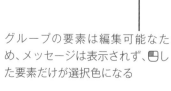

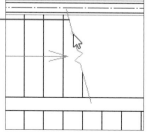

●ブロックは、複数の要素をひとまとまりとして、名前（ブロック名）と基準点情報を定義したもので、以下のような性質を持ちます。

1要素として扱われ、編集対象にならない

ブロックの一部分を「伸縮」「コーナー」「面取」「パラメトリック変形」コマンドなどで編集したり、消去したり、線色・線種を変更したりといったことはいっさいできません。

ブロックの数を集計できる

ブロック名ごとに、図面内のブロック数を集計できます。

ブロックは多重構造にできる（右図参照）

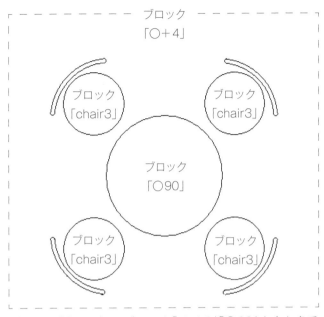

ブロック「○＋4」は、ブロック「chair3」「○90」を含む多重ブロックである

開いた図面にどのような名称のブロックがあるのかは、メニューバー［表示］－「ブロックツリー」を🖱して開く「ブロックツリー」ダイアログで確認できます。

「ブロックツリー」ダイアログには、図面内のブロックがフォルダーアイコンでツリー表示されます。先頭に＋マークが付いているのは、その内部にさらにブロックを持つ多重ブロックで、＋マークを🖱すると、その内部のブロックが右図のように多重表示されます。また、ブロック名を🖱すると、図面上でそのブロックが一時的に選択色表示になります。

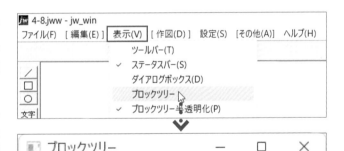

先頭に＋マークのあるブロックは
多重ブロック

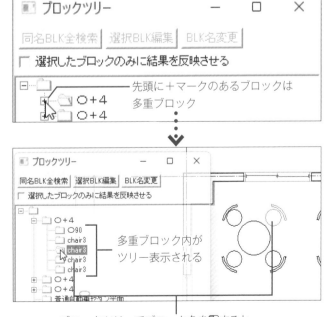

多重ブロック内が
ツリー表示される

ブロックツリーでブロック名を🖱すると、
図面上の該当ブロックが選択色で表示される

ブロックの分解

◉丸テーブルと椅子4脚をひとまとまりとしたブロックを分解しましょう。

1 「範囲」コマンドを選択する。

2 分解対象のブロックを🖱。

> **POINT** ブロックなどの複合要素は、🖱（連続線選択）で選択できます。図面内の複数のブロックを分解する場合は、**2**でそれらを範囲選択します。

3 メニューバー［編集］－「ブロック解除」を🖱。

> ➡ **2**で選択したブロックが、丸テーブルと4脚の椅子のブロックに分解される。

> **POINT** 1回の解除操作で分解されるのは最上層のブロックだけです。すべてのブロックを分解するには、ブロックがなくなるまでブロックの解除操作（**1**～**3**）を繰り返し行う必要があります。

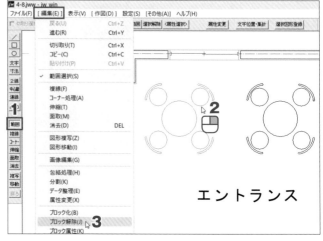

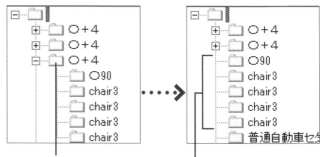

最上層のブロック「○＋4」が解除され、ブロック「○90」と4つの「chair3」に分解される

曲線属性の特性

◉曲線属性は、複数の要素をひとまとまりとしたもので、「曲線」コマンドで作図した曲線、「日影図」コマンドで作図した日影図、「曲線属性化」を指定して塗りつぶしたソリッドなどに付加されます。また、連続していない任意の要素に曲線属性を付加することもできます（→p.99）。

1要素として扱われ、編集に制限がある
曲線属性の要素は、「パラメトリック変形」コマンドでの変形や線色・線種の変更ができます。「伸縮」「コーナー」「面取」コマンドでの編集はできませんが、直線部分に限り「消去」コマンドの部分消しができます。部分消しした線は曲線属性から除外されます。

曲線属性要素の分解
曲線属性の分解方法は、グループの解除（→p.201）と同じです。

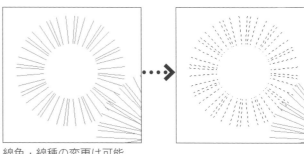

線色・線種の変更は可能

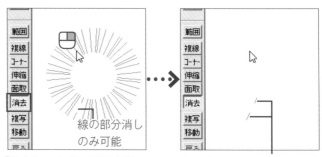

「消去」コマンドで図形を🖱　　部分消しした線は曲線属性から除外されるため、消去されずに残る

CHAPTER 4 その他の作図テクニック

STEP 5 グループの特性

◉「線記号変形」コマンド、「寸法」コマンドで「グループ化」指示をして作図した線記号と寸法部は、ひとまとまりのグループになります。

1要素として扱われ、編集も可能
曲線属性と同じく、「パラメトリック変形」コマンドでの変形や線色・線種の変更ができます。さらに「伸縮」「コーナー」「面取」「消去」コマンドでの編集も行えます。編集された部分はグループから除外されます。

グループの分解
グループの分解方法は、p.201 STEP 5を参照してください。

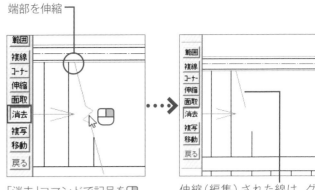

端部を伸縮

「消去」コマンドで記号を🖱

伸縮（編集）された線は、グループから除外されるため、消去されずに残る

STEP 6 寸法図形の分解

◉寸法図形の性質についてはp.121を参照してください。ここでは、半径寸法の寸法図形を、寸法線と文字要素に分解する例で、寸法図形の分解方法を解説します。

1 メニューバー［その他］－「寸法図形解除」を選択する。

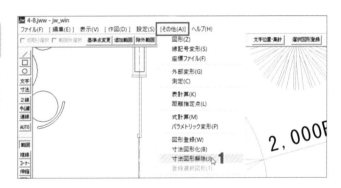

2 寸法図形解除の寸法線（または寸法値）を🖱。

➡ 画面左上に 寸法図形解除 と表示され、選択した寸法図形が解除されて線要素と文字要素（寸法値）に分解される。

POINT コントロールバー「範囲選択」ボタンを🖱し、解除対象を範囲選択することで、複数の寸法図形をまとめて解除できます。

線要素と文字要素に分解される

LESSON 8 ひとまとまりの要素の種類と分解

使用頻度の高いコマンドを
ツールバーに配置する

ユーザーバーを利用することで、必要なコマンドを好きな順序でツールバーに配置できます。ツールバーに配置することで、階層の深いコマンドも1回の🖱️で選択できます。ここでは、下図のようにツールバーを配置する例で、ユーザーバーの設定方法を学習しましょう。

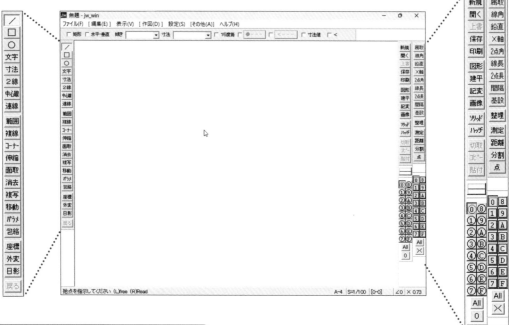

STEP
1

ユーザーバーを設定

◉ツールバーを設定しましょう。

1　メニューバー［表示］-「ツールバー」を選択する。

2　「ツールバーの表示」ダイアログの「ユーザーバー設定」ボタンを🖱️。

3　「ユーザー（4）」ボックスの数値を、次ページの図のように変更する。

> **POINT**「ユーザー設定ツールバー」ダイアログの「ユーザー（1）」～「ユーザー（6）」ボックスそれぞれに配置するコマンドを設定できます。ダイアログ下部のコマンド番号一覧を参照し、各ボックスに配置するコマンドの番号を配置順に、間を半角スペースで区切って入力します。コマンド番号の代わりに「0」を入力すると、隣のコマンドとの間にスペースができます。

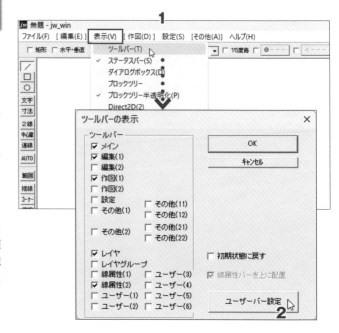

変更後の「ユーザー（4）」ツールバー

ユーザー(4)

／ □ ○ 文字 寸法 2線 中心線 連線 範囲 複線 コーナー 伸縮 面取 消去 複写 移動 パラメ 包絡 座標 外変 日影 戻る

数字と数字の間は半角スペース入力　　0を入力するとコマンド間にスペースが空く

ユーザー(4)　1 2 3 4 5 6 7 8 0 20 21 22 23 24 25 26 27 66 30 0 60 61 71 0 28 **3**

ユーザー設定ツールバー　　　　　　　　　　　　　　　×

ユーザー(1)　28 29 18 73 74 78　　　　　　　　　OK　　**5**

ユーザー(2)　1 2 3　　　　　　　　　　　　　　　キャンセル

ユーザー(3)　10 11 12 0 13 0 14 15 16 0 17 19 0 30 31 32 33 0 34 35 36 37 38 0 57 58 5　　□ (3)初期化

ユーザー(4)　1 2 3 4 5 6 7 8 0 20 21 22 23 24 25 26 27 66 30 0 60 61 71 0 28　　□ (4)初期化

ユーザー(5)　48 49 50 51 52 53 54 55 56 0 32 0 62 64 31 10　　　　　　□ (5)初期化

ユーザー(6)　39 40 41 42 43 0 57 14 59 74 0 18 13 0 44 45 46　　　　　　□ (6)初期化

以下のコード番号をスペースで区切って入力(0:セパレータ)

1:線　　2:矩形　　3:円弧　　4:文字　　5:寸法　　6:2線　　7:中心線　　8:連続線　　9:AUTO　　10:点
11:接線　12:接円　13:ハッチ　14:建平　15:建断　16:建立　17:多角形　18:ソリッド　19:曲線　20:範囲
21:複線　22:コーナー　23:伸縮　24:面取　25:消去　26:複写　27:移動　28:戻る　29:進む　30:包絡
31:分割　32:整理　33:属変　34:Blk化　35:Blk解　36:Blk属　37:Blk編　38:Blk終　39:新規　40:開く
41:上書　42:保存　43:印刷　44:切取　45:コピー　46:貼付　47:線属性　48:属性取得　49:線角度　50:鉛直角
51:X軸角　52:2点角　53:線長　54:2点長　55:間隔　56:基本設定　57:図形　58:図登録　59:線記変　60:座標
61:外変　62:測定　63:表計算　64:距離点　65:式計算　66:パラメ　67:寸図化　68:寸図解　69:選択図　70:2.5D
71:日影図　72:天空図　73:タグジャンプ　74:画像編集　75:中心点　76:線上点　77:円周1/4点　78:SPEED

ユーザー(5)　48 49 50 51 52 53 54 55 56 0 32 0 62 64 31 10 **4**

変更後の「ユーザー（5）」ツールバー

ユーザー(5)

属取 線角 鉛直 X軸 2点角 線長 2点長 間隔 基設 整理 測定 距離 分割 点

ユーザー(6)　39 40 41 42 43 0 57 14 59 74 0 18 13 0 44 45 46 **4**

変更後の「ユーザー（6）」ツールバー

ユーザー(6)

新規 開く 上書 保存 印刷 図形 建平 記変 画像 ソリッド ハッチ 切取 コピー 貼付

4　同様にして、「ユーザー（5）」「ユーザー（6）」ボックスの数値を上図のように変更する。

5　「OK」ボタンを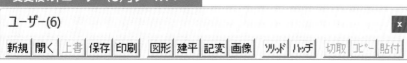。

6 「ツールバーの表示」ダイアログで「レイヤ」「レイヤグループ」「線属性 (2)」「ユーザー (4)」「ユーザー (5)」「ユーザー (6)」にチェックを付け、それ以外のチェックを外す。

7 「OK」ボタンを🖰。

→ チェックを付けたツールバーのみが作図ウィンドウの左右に表示される。

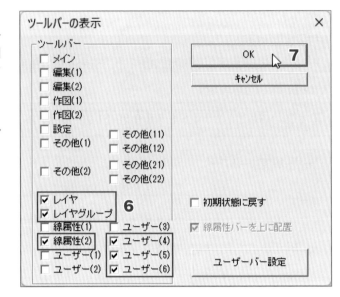

8 右のツールバーが右図のように4列になった場合は、ツールバーの上辺を🖰→（ドラッグ）し、右隣の空白のツールバーの上端まで移動してボタンをはなす。

> **POINT** ツールバーの外形枠にマウスポインタを合わせてドラッグし、移動先でボタンをはなすことで、その位置に移動できます。ツールバーが作図ウィンドウにはみ出ている場合は、そのタイトルバーを作図ウィンドウの左右や上下までドラッグし、ボタンをはなすことでその位置に移動できます。

チェックを付けたツールバーのみが画面に表示される

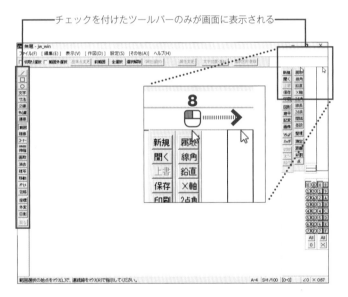

9 もう一方のツールバーも同様に移動する。

> **POINT** 元のツールバー配置に戻すには、p.15のSTEP 2の**3**からの操作を行ってください。

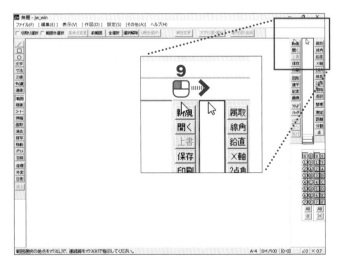

CHAPTER 4　その他の作図テクニック

CHAPTER 5
Q&A

本書の解説どおりにならない場合の原因と対処方法

p.9 **Q01**

CD−ROMのウィンドウの
開き方がわからない。

ANSWER Windowsに標準搭載されているエクスプローラーを起動し、表示
される「DVD（またはCD）」ドライブを🖱️🖱️することで、CD−ROMのウィン
ドウを開きます。

1 「スタート」ボタンを🖱️し、表示されるメニューの「エクスプローラー」を
🖱️。

2 エクスプローラーのフォルダーツリーで「PC」を🖱️。

3 右のウィンドウに表示される「DVD（またはCD）」ドライブを🖱️🖱️。

1の代わりにタスクバーのエクスプローラーを🖱️してもよい

---

p.9 **Q02**

「続行するには管理者のユー
ザー名とパスワードを入力
してください」というメッ
セージの「ユーザーアカウン
ト制御」ウィンドウが開く。

ANSWER 管理者権限のない
ユーザーとしてWindowsにログ
インしているため、このメッセー
ジが表示されます。管理者権限が
ないとJw_cadをインストール
できません。
インストールを行うには、表示さ
れる管理者ユーザー名の下の「パ
スワード」ボックスに、その管理
者のパスワードを入力し、「はい」
ボタンを🖱️してください。

---

p.20 **Q03**

ステータスバーが表示され
ない。

ANSWER Jw_cadを最大化（→p.14）したうえで、メニューバー［表示］を
🖱️し、表示されるメニューの「ステータスバー」にチェックが付いているかを確
認してください。チェックがない場合は、🖱️してチェックを付けてください

チェックがない場合は
ステータスバーは表示さ
れない

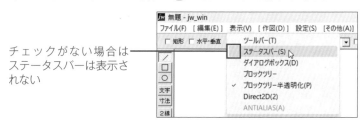

p.21 **Q04**

「／」コマンドで始点を🖱後、仮線が表示されない。または時計の文字盤のような絵が表示され、「／」コマンドとは違う状態になってしまう。

ANSWER 始点を🖱後、マウスボタンから指をはなさずにマウスポインタを移動したことが原因です。マウスボタンを押したままマウスポインタを移動すると、別の操作を意味するドラッグになります。ドラッグでは、他のコマンドを選択するためのクロックメニューが表示され、マウスボタンをはなすことで他のコマンドが選択されます。他のコマンドが選択された場合は、「／」コマンドを🖱して選択しなおしてください。

また、p.17「STEP 3　Jw_cadの基本的な設定をする」の**2**の設定を行ってください。ドラッグしてもクロックメニューは表示されなくなります。

---

p.21 **Q05**

「／」コマンドで、始点を🖱後、仮表示の線が上下左右にしか動かない。

ANSWER 「／」コマンドのコントロールバー「水平・垂直」にチェックが付いていることが原因です。

「水平・垂直」を🖱し、チェックを外してください。

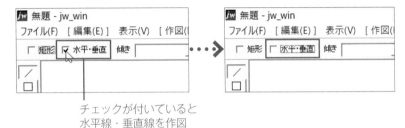

チェックが付いていると
水平線・垂直線を作図

---

p.22 **Q06**

点指示時に🖱すると、点があ りません と表示される。

点がありません

ANSWER 🖱した付近に読み取りできる点がないため、このメッセージが表示されます。

読み取りする点に正確にマウスポインタの先端を合わせ、再度🖱してください。🖱で読み取り可能な点については、p.29の「重要なPOINT」でご確認ください。

また、グレーで表示されている線・円・弧・点（表示のみレイヤに作図されている要素）の端点、交点を🖱したときにこのメッセージが表示される場合には、p.322のQ32を参照してください。

---

p.23/28 **Q07**

点指示時に🖱するところを誤って🖱した。

ANSWER 「戻る」コマンド（→p27 STEP 7）を🖱してください。直前の操作（誤った🖱）が取り消され、再度、点指示をする状態になるので、🖱で指示しなおしてください。

---

p.26 **Q08**

「消去」コマンドで、指示した線が消去されずに色が変わる。

ANSWER 🖱で線を指示すべきところを、🖱で指示したことが原因です。🖱は線を部分的に消す指示になります（→p.34）。

「戻る」コマンド（→p.27 STEP 7）を🖱し、誤った🖱指示を取り消したうえで、消去対象を🖱しなおしてください。

p.36/46 Q09

「複線」コマンドで基準線を🖱すべきところを、誤って🖱した。

ANSWER 基準線を🖱すると、コントロールバー「複線間隔」ボックスが空白になり、入力ポインタが点滅した数値入力状態になります。ここでキーボードから複線間隔を再度入力してください。

対象を🖱すると、「複線間隔」ボックスが空白になる

複線間隔を入力

---

p.37 Q10

「複線」コマンドで基準線を🖱しても、平行線が仮表示されない。

ANSWER 以下のことを確認してください。

[確認1] コントロールバー「複線間隔」ボックスに正しい間隔が入力されているか?
➡ 正しい数値が入力されている→[確認2]へ
➡ 空白になっている→基準線を🖱した可能性があります。
「複線間隔」ボックスに正しい数値を入力してください。
キーボードの右にある数字キー(テンキー)を押しても数値が入力されない場合は、NumLockキーを押し、テンキーでの数字入力を有効(ナンバーロック)にするか、またはキーボードの上段の数字キーから入力してください。

数字キー

NumLockキー

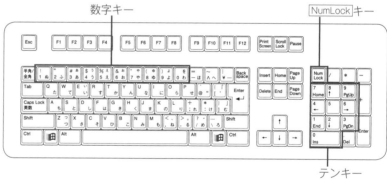

テンキー

[確認2] 画面を拡大表示しているために、仮表示の平行線が画面に表示されない可能性があります。🖱↗全体(→p.41)で、用紙全体を表示してください。
➡ 全体表示をしても仮表示されない→[確認3]へ

[確認3] メニューバー[設定]−「基本設定」を選択し、「jw_win」ダイアログの「一般(2)」タブの「m単位入力」のチェックを確認してください。チェックが付いていると、mm単位ではなく、m単位での指定になります。このチェックを外し、「OK」ボタンを🖱してください。

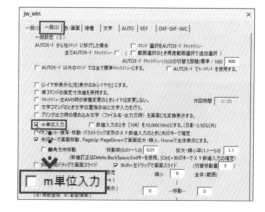

m単位入力

echo

echo

/tmp

echo

x

x

x

x

x

314 やさしく学ぶ Jw_cad 8《デラックス版》

p.40　**Q11**

円弧の部分消しで、残したい部分が消え、消したい部分の円弧が残った。

ANSWER 部分消しの始点と終点の指示順序に原因があります。円・弧の部分消しの始点→終点指示は、左回りで指示します。

「戻る」コマンドを🖱️で、部分消し操作を取り消し、円の部分消しの始点→終点指示が左回りになるよう、やりなおしてください。

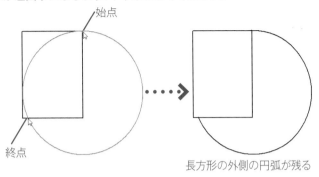

始点

終点

長方形の外側の円弧が残る

---

p.41/48　**Q12**

🖱️↖で拡大操作を行うが、拡大範囲枠が表示されずに図が移動する。または作図ウィンドウから図が消える。

ANSWER 図が移動するのは、🖱️↖にならずに🖱️（両ボタンクリック）したことが原因です。🖱️は、移動と表示され、🖱️した位置が作図ウィンドウの中心になるように表示画面を移動します。図が消えたのは、何も作図されていない範囲を🖱️↖で拡大表示したためです。

作図ウィンドウの適当な位置から🖱️↗ 全体（→p.41 STEP 14）し、用紙全体表示にしたうえで、再度拡大操作を行ってください。

---

p.41　**Q13**

拡大表示しても、円弧の端点が水平線からはみ出して表示される。

ANSWER 拡大率によって、はみ出して表示される場合があります。

さらに円弧の端点の周りを拡大表示してみてください。何度拡大表示をしてもはみ出して表示される場合は、以下の2点を確認してください。

［確認1］ メニューバー［表示］を🖱️し、「Direct2D」にチェックが付いている場合は、🖱️してチェックを外してください（→p.15）。ご使用のパソコン環境により、「Direct2D」のチェックが付いていることが原因で、画面が正しく表示されないことがあります。

［確認2］ メニューバー［設定］－「基本設定」を選択し、「jw_win」ダイアログ「色・画面」タブの「端点の形状」を確認してください。「四角」や「平」の場合は、▼を🖱️し、リストから「丸」を🖱️して、「丸」に変更してください。

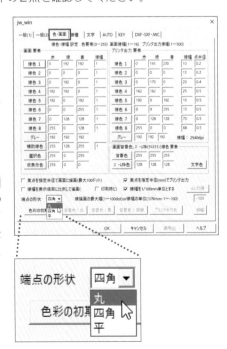

端点の形状　四角 ▼

丸
四角
平

色彩の初

Q
09
〜
13

「jww8_D」フォルダーが見つからない。

ANSWER 「jww8_D」フォルダーは、付録CD-ROM（またはダウンロード・展開した「jww8_dx」フォルダー）から教材データをコピーしていないと表示されません。p.11を参照し、教材データをコピーしてください。

教材データがコピー済みの場合は、フォルダーツリーのスクロールバーを一番上まで🖱↑し、Cドライブ（フォルダーのアイコンだがドライブを示す）を🖱🖱してください。Cドライブ下にドライブ内のすべてのフォルダーがツリー表示され、その中に「jww8_D」フォルダーも表示されます。

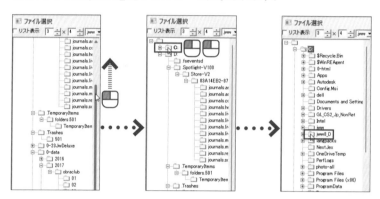

「ファイル選択」ダイアログの代わりにWindowsのコモンダイアログを使いたい。

ANSWER 以下の設定を行うことで、「開く」「保存」コマンドで開くJw_cad独自の「ファイル選択」ダイアログが、Windows標準の「開く」「名前を付けて保存」ダイアログ（下図下）になります。

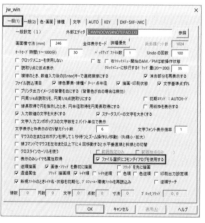

メニューバー［設定］－「基本設定」を選択し、「jw_win」ダイアログの「一般（1）」タブの「ファイル選択にコモンダイアログを使用する」にチェックを付けて「OK」ボタンを🖱

ファイルの表示状態は、「その他のオプション」で切り替えできる

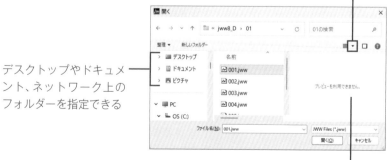

デスクトップやドキュメント、ネットワーク上のフォルダーを指定できる

プレビューウィンドウ表示にしても図面ファイルのプレビューは不可

p.45/85　Q16

図面や図形のファイル名、線記号変形の記号名の表示が小さくて見づらい。

ANSWER　「ファイル選択」ダイアログでのファイル名や線記号変形の記号名の表示サイズは、「文字サイズ」ボックスで調整できます。「文字サイズ」ボックスの▲を🖱し、現在より大きい数値にしてください。

数値は−3〜0〜3に変更可

ファイル名の表示サイズが大きくなる

---

p.45　Q17

保存したはずの図面「001」が見つからない。

ANSWER　保存したフォルダーとは違うフォルダーを左側のフォルダーツリーで開いていませんか？　「ファイル選択」ダイアログのフォルダーツリーでは、前回、図面を保存または開いたフォルダーが開きます。「001」を保存後、他のフォルダーから図面を開くなどの操作をした場合、そのフォルダーが開いています。

フォルダーツリーで「jww8_D」フォルダーを🖱🖱し、その下の「01」フォルダーを選択してください。「jww8_D」フォルダーが見つからない場合は、前ページのQ14を参照してください。

また、メニューバー［ファイル］を🖱し、表示されるメニューのファイルの履歴（→p.45　POINT）に「001」がある場合は、それを🖱して開くことができます。

---

p.49　Q18

「伸縮」コマンドで、基準線として🖱🖱した線の表示色が変わらず、線上に赤い○が表示される。

ANSWER　🖱と🖱の間にマウスポインタが動いたため、🖱🖱ではなく、🖱を2回行ったと見なされたことが原因です。「伸縮」コマンドでの🖱は、🖱位置で線を2つに切断します。左図の画面に表示された赤い○は切断位置を一時的に表示しています。🖱を2回行ったため、2カ所で線が切断されています。

「戻る」コマンドを2回🖱し、切断前に戻したうえで、改めて基準線を🖱🖱しましょう。

また、このように切断した線は、「データ整理」コマンドの「連結整理」（→p.89）でまとめて1本に連結できます。

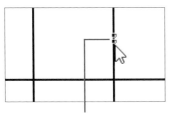

赤い○の位置（2カ所）で線が切断されている

p.52 **Q19**

「伸縮」コマンドで、反対側が
伸縮されて残った。

ANSWER 伸縮線を指示(🖱)した位置に原因があります。
伸縮対象線の指示は、次に指示する伸縮点に対して線を残す側で🖱します。
「戻る」コマンドで伸縮前に戻し、p.51 STEP 7を参照し、伸縮点より残す側
で伸縮線を🖱してください。

---

p.54 **Q20**

「印刷」コマンドで、表示さ
れる印刷枠の片側に図面が
寄っている。印刷枠の中央に
図面が入るようにしたい。

ANSWER 「印刷」コマンドのコントロールバー「範囲変更」ボタンを🖱し、印
刷枠を移動することで、用紙のほぼ中央に図面が位置するように印刷できま
す。

1 🖱＼ 縮小 (→p.139 STEP 2)で、作図ウィンドウを縮小表示し、「印刷」
コマンドのコントロールバー「範囲変更」ボタンを🖱。

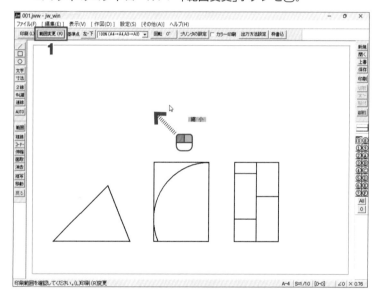

2 印刷枠がマウスポインタについて動くようになる。印刷枠のほぼ中央に
図面が位置するように印刷枠を動かして位置を決める🖱。

コントロールバー基準点「左・下」
ボタンを🖱で、印刷枠に対するマ
ウスポインタの位置(基準点)を
中・下⇒右・下⇒左・中⇒中・中
⇒…と、9カ所に変更できる

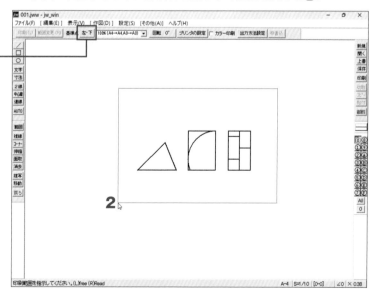

p.56/96 **Q21**

図面を印刷したが、鎖線や点
線のピッチが細かすぎる、ま
たは粗すぎる。

ANSWER 基本設定のダイアログの「線種」タブで、その鎖線・点線の線種の
印刷ピッチの数値を変更することで対処します。一点鎖2のピッチを粗く（長
く）設定する例で、解説します。

1 印刷する図面を開き、メニューバー［設定］－「基本設定」を選択する。

2 「jw_win」ダイアログの「線種」タブを🖱し、「プリンタ出力」欄の「線種6」
（一点鎖2）のピッチ（初期値「10」）を現在の数値よりも大きい数値（下図
では「20」）に変更し、「OK」ボタンを🖱。

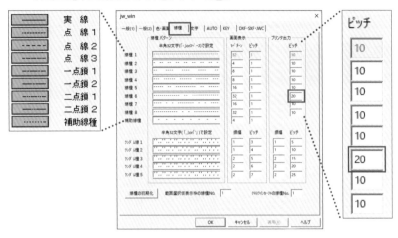

図面を上書き保存することで、変更した線種ピッチの設定も保存される

---

p.66 **Q22**

「コーナー」コマンドで直線
と円弧の角がうまく作れな
い。

ANSWER 円弧を🖱する位置に原因があります。「コーナー」コマンドで、交差
していない円弧と線（または円弧）の角を作る場合、円弧を🖱した位置に近い端
点側を延長して角が作られます。
「戻る」コマンドで取り消し、角を作る端点に近い位置で円弧を🖱してください。

✕ 円弧の半分より上側で🖱　　　　　　〇 円弧の半分より下側で🖱

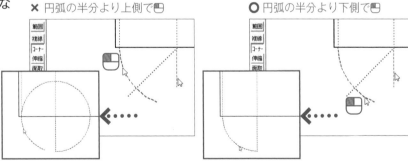

---

p.80/164 **Q23**

「複線」コマンドで、作図方向
を誤って🖱し、1つ前の複線
と連結されない。

ANSWER 誤った操作を「戻る」コマンドで取り消さず、複線の作図を完了
した後、「コーナー」コマンドを選択して角を作ってください。誤った操作を
「戻る」コマンドで取り消すと、再度指示する次の複線は1本目の複線と見なさ
れ、🖱（前複線と連結）で1つ前の複線と角を作って連結することはできません。

Q
19
〜
23

p.80/164 **Q24**

「複線」コマンドで、作図方向指示時に🖰しても1つ前の複線と連結されない。

ANSWER 作図方向指示時の🖰（前複線と連結）は、複線を連続して作図する場合にのみ有効です。1つ前の作図方向指示時に🖰し、計算できません とメッセージが表示された場合（基準線が前複線と平行線の場合、連結できないためこのメッセージが表示される）や、「戻る」コマンドや Esc キーで作図操作を取り消した場合、次の複線は1本目の複線と見なされるため、作図方向指示時の🖰（前複線と連結）は利用できません。
複線の作図完了後、「コーナー」コマンドで角を作成してください。

---

p.73 **Q25**

線と線の間隔を測定したい。

ANSWER 線と線、線と点の間隔を測定するには、「間隔取得」コマンドを利用します。

1 メニューバー［設定］−「長さ取得」−「間隔取得」を選択する。

2 基準になる線を🖰。

3 測定対象の線を🖰（点の場合は🖰）。

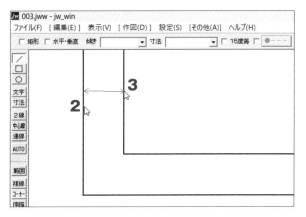

作図ウィンドウ左上に **2**−**3** の間隔が表示される

選択コマンドのコントロールバー「寸法」ボックスに **2**−**3** の間隔が取得される

---

p.90 **Q26**

データ整理の結果、表示される数字が本書と異なる。

ANSWER 誤って線を切断した個所や二重に作図した個所があった場合、本書より多い数が表示されますが、データ整理後の結果は同じです。表示される数が本書より少ない場合、ソファの長方形作図時に🖰（Read）すべきところを🖰（free）し、長方形の辺が重なっていないことが考えられます。
ソファ部分を拡大し、確認しましょう。長方形の辺が重なっていなかった場合には、ソファを消去（範囲選択消去→p.69）して、作図しなおしましょう。

p.94 **Q27**

基準点を誤った状態で図形
登録した。

ANSWER 正しい基準点で再度、図形登録操作（p.91 の **2～7**）を行い、「ファイル選択」ダイアログの図形一覧で誤って登録した図形を🖱️🖱️で選択します。「ファイル選択」ダイアログが閉じ、「ファイルはすでに存在しています。上書きしますか？」のメッセージウィンドウが開くので「OK」ボタンを🖱️してください。正しい基準点の図形が上書き登録されます。

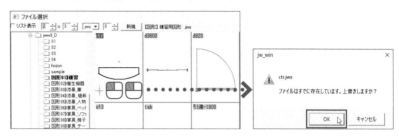

---

p.107 **Q28**

「属性変更」で、文字の大きさ
が変わらずに、近くの点線が
実線に変わる。

ANSWER 文字を🖱️したため、文字ではなく、その付近の線要素の属性が変更されたことが原因です。
文字要素は🖱️で指示してください。🖱️では、線・円・弧・実点要素を指示します。

変更するデータを指示してください。　線・円・実点(L)	文字(R)

「属性変更」コマンドの操作メッセージ

---

p.110 **Q29**

記入される寸法線の色や寸
法値の大きさが本書と違う。

ANSWER この寸法は、自主作図課題①（→ p.57）の保存時の「寸法設定」ダイアログの設定で記入されます。
Jw_cadのインストールから本書の解説どおりに行っている（本書にない操作は行っていない）場合には、本書と同じ線色、寸法値の大きさで記入されます。途中、他の図面を開いたりしていると、本書と異なる線色、大きさで記入される場合があります。その場合でも問題はありませんので、そのまま進めてください。

---

p.116/117 **Q30**

「寸法」の引出線タイプ
「＝(1)」で、基準点を🖱️🖱️し
てもガイドラインが下側（右
側）に表示される。

ANSWER 1度目の🖱️と2度目の🖱️の間にマウスポインタが動くと、🖱️と見なされ、ガイドラインが下側（または右側）で確定されます。
コントロールバー「リセット」ボタンを🖱️し、基準点指示をやりなおしてください。

Q
24
～
30

p.120 **Q31**

寸法線端部の点が印刷され
ない。

ANSWER 印刷した図面の寸法線両端部の実点が、小さすぎて印刷されてい
ないように見える場合があります。
以下の方法で実点の印刷サイズ（半径）を指定したうえで、印刷してください。

1 メニューバー［設定］－
「基本設定」を選択し、
「jw_win」ダイアログの
「色・画面」タブの「実点
を指定半径（mm）でプ
リンタ出力」にチェック
を付ける。

2 印刷する実点の線色
（「002」の場合は線色1
と6）の「点半径」ボック
スにmm単位で点の半
径（右図では0.5）を指定
し、「OK」ボタンを🖱。

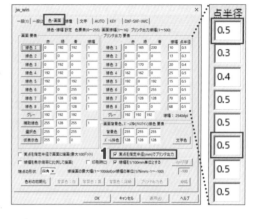

---

p.127/128 **Q32**

点がありません と表示され、表
示のみレイヤの点を読み取
れない。または「複線」コマン
ドで、図形がありません と表示
され、表示のみレイヤの線を
基準線にできない。

ANSWER 表示のみレイヤの要素の点や線の読み取りは、「縮尺・読取　設
定」ダイアログで設定できます。ステータスバー「縮尺」ボタンを🖱し、「縮尺・
読取　設定」ダイアログの「表示のみレイヤのデータを基準線等の場合は読取
る」と「表示のみレイヤの読取点を読み取る」にチェックを付けてください。

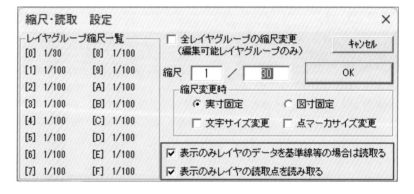

---

p.150 **Q33**

「線記号変形」コマンドの
「ファイル選択」ダイアログ
のフォルダーツリーに「【線
記号変形X】通名X1～X15」
がない。

ANSWER 「【線記号変形X】通名X1～X15」は、付録CD-ROM（またはダウ
ンロード・展開した「jww8_dx」フォルダー）から教材データをコピーしてい
ないと表示されません。
p.11を参照し、教材データをコピーしてください。教材データをコピー済み
の場合は、「線記号変形」コマンドを選択し、「ファイル選択」ダイアログのフォ
ルダーツリーでCドライブの「jww8_D」フォルダーを🖱🖱してください。
「jww8_D」フォルダー下に表示されます。

p.162 ▶ Q34

包絡処理の結果が、本書の図と同じにならない。

ANSWER 包絡範囲枠での囲み方に原因があります。線の端部を包絡範囲枠に入れるか否かで、包絡処理結果が異なります。

p.134 STEP 11を参照し、本書と同じ包絡結果になるような囲み方をしてください。

---

p.168 ▶ Q35

🖱↓ AM6時 レイヤ非表示化 になる。または🖱↓した線が消えた。

ANSWER 🖱↓ AM6時 属性取得 が表示された時点でマウスポインタを上下に動かすことで、属性取得 ⇔ レイヤ非表示化 に切り替わります。レイヤ非表示化 が表示された時点でマウスのボタンをはなすと、🖱↓した要素の作図されているレイヤが非表示になります。
レイヤバーで非表示になったレイヤのボタンを2回🖱し、編集可能にしたうえで、🖱↓ AM6時 属性取得 をやりなおしてください。

---

p.176 ▶ Q36

「図形」コマンドで、作図ウィンドウ左上に ●書込レイヤに 作図 と表示されない。または ◆元レイヤに作図 と表示される。

ANSWER このメッセージはパソコンによって一時的に表示され、すぐ消える場合があります。使用にあたり支障はありません。そのまま使用してください。
◆元レイヤに作図 など他のメッセージが表示される場合は、以下の操作を行い、設定を変更してください。

1　コントロールバー「作図属性」ボタンを🖱。

2　「作図属性設定」ダイアログの「◆書込レイヤ、元線色、元線種」ボタンを🖱。

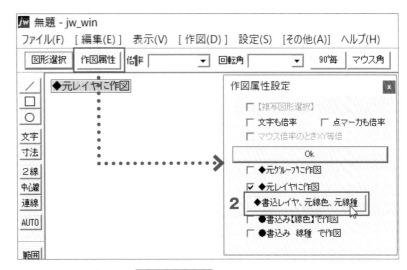

➡ ダイアログが閉じ、●書込レイヤに作図 と表示される。

p.189 **Q37**

「図形」コマンドで開く「ファイル選択」ダイアログの「図形03》添景_車」フォルダーに、「2-普通セダンp」「2-普通ワンボックスp」がない。

ANSWER 「ファイル選択」ダイアログの右側にスクロールバーがある場合は、画面に表示されていない図形があります。
スクロールバーを🖱↓することで、それらを表示してください。

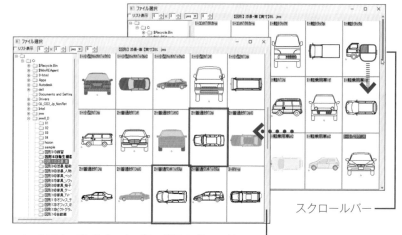

スクロールバー ─

スクロールバーを下まで移動すると、「2-普通セダンp」と ─
「2-普通ワンボックスp」が表示される

---

p.190/191 **Q38**

「移動」コマンドで範囲選択したとき、選択範囲枠内の文字が選択色にならない。または文字だけ移動されない。

ANSWER 選択範囲の終点指示を、🖱（文字を含まず）で行っていることが原因です。
Escキーを押して終点指示前に戻し、選択範囲の終点を🖱（文字を含む）してください。

選択範囲の終点を指示して下さい (L)文字を除く (R)文字を含む (LL)(RR)範囲枠交差線選択

終点指示時の操作メッセージ

---

p.191/202 **Q39**

「移動」コマンドや「複写」コマンドで作図ウィンドウ左上に ◇元レイヤ・線種 と表示されない。または ●書込 レイヤに作図 と表示される。

ANSWER このメッセージはパソコンによって一時的に表示され、すぐ消える場合があります。使用にあたり支障はありません。そのまま使用してください。
●書込レイヤに作図 など他のメッセージが表示される場合は、以下の操作を行い、設定を変更してください。

1 コントロールバー「作図属性」ボタンを🖱。

2 「作図属性設定」ダイアログの「◇元レイヤ・元線色・元線種」ボタンを🖱。

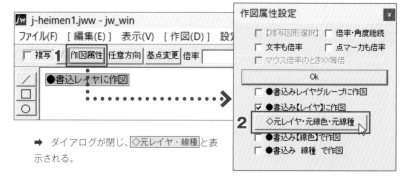

➡ ダイアログが閉じ、◇元レイヤ・線種 と表示される。

CHAPTER 5　Q&A

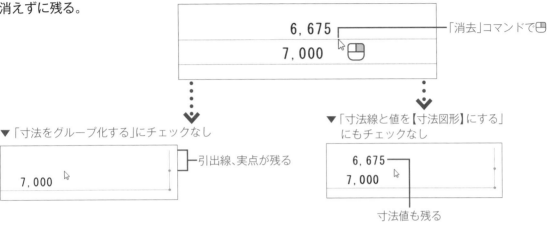

p.200 ▶ **Q40**

「消去」コマンドで寸法線を🖱️すると、引出線と実点が消えずに残る。または寸法値も消えずに残る。

ANSWER p.144のSTEP 7で「寸法設定」ダイアログの「寸法をグループ化する」にチェックを付けずに寸法を記入したことが原因です。さらに「寸法線と値を【寸法図形】にする…」のチェックも付けていない場合には、寸法値も消えずに残ります。

消えなかった引出線、実点、寸法値は、「消去」コマンドで個別に🖱️して消去してください。

6,675

7,000 🖱️ ──── 「消去」コマンドで🖱️

▼「寸法をグループ化する」にチェックなし

7,000 ──── 引出線、実点が残る

▼「寸法線と値を【寸法図形】にする」にもチェックなし

6,675
7,000

寸法値も残る

---

p.206 ▶ **Q41**

線を🖱️→ AM3時 中心点・A点 すると、操作メッセージが「2点間中心◆◆B点指示◆◆」になり、線の中点を読み取らない。

ANSWER 線ではなく、線の端点を🖱️→ AM3時 中心点・A点 したと見なされたことが原因です。短い線を🖱️→ AM3時 中心点・A点 した場合、🖱️した近くの点を読み取り、2点間中心のA点を指示したと見なされることがあります。そのため、2点間中心のB点指示の操作メッセージが表示されます。

「戻る」コマンドで操作を取り消し、十分に拡大表示したうえで、線を🖱️→ AM3時 中心点・A点 してください。

---

p.235 ▶ **Q42**

仮表示される敷地の形状が、本書とは異なる。

ANSWER Esc キーを押して読込操作を取り消し、以下を順に確認してください。

［確認1］ 作図ウィンドウ左上に表示される座標ファイル名（p.235の**2**で選択）は正しいか？

［確認2］ p.235の**5**でコントロールバー「YX座標読込」を選択したか？

［確認3］ 上記2点が正しい場合、p.234の**3~4**で入力した座標値に誤りがあります。コントロールバー「ファイル編集」ボタンを🖱️すると、「01.txt」が開くので、座標値を確認・修正して上書き保存したうえで、p.235の**5**からやりなおしてください。

確認1　　　確認2　　　　　　　　　　　確認3

Q
37
~
42

A2用紙に作図した図面を
A4用紙に印刷したい。

ANSWER 「印刷」コマンドの「プリンターの設定」ダイアログでA4用紙を指定したうえで、コントロールバー「印刷倍率」ボックスの▼を🖱し、プルダウンリストから「50%（A2→A4，A1→A3）」を選択してください。A2用紙に作図した図面が50%縮小されてA4用紙に印刷されます。

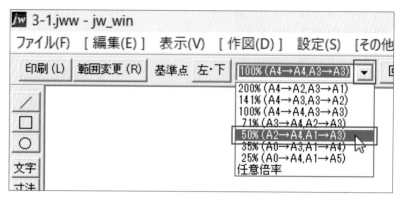

「日影図」コマンドの「確認」
ボタンを🖱しても、アイソメ
表示されない。

ANSWER 拡大表示をしている場合には、🖱↗ 全体 で用紙全体を表示してください。
また、表示のみレイヤの要素は、アイソメ表示されません。高さ定義した要素が作図されているレイヤを編集可能にしてください。

「日影図」コマンドで表示さ
れるアイソメ図の形状が、右
図のようにおかしい。

ANSWER 図Aは、平面図で切妻側の線を2本に分けずに1本で作図していることが原因です。線を2本に分けてください。
図Bは、アイソメ図で底面に落ちた斜線が表示される部分で、平面図上の線が切断されていることが原因です。「コーナー」コマンドで線を連結（→p.172）してください。

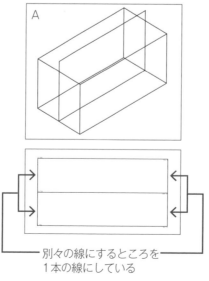

別々の線にするところを
1本の線にしている

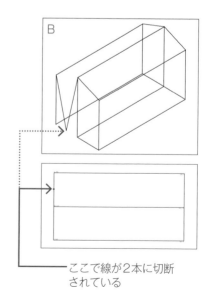

ここで線が2本に切断
されている

p.296 ▶ **Q46**

作図ウィンドウに目盛が表示されない。

ANSWER p.296の操作を再度行い、設定した目盛間隔が適切か、「実寸」のチェックが外れていないか、「OFF」にチェックが付いていないかを確認し、正しく設定してください。

以上を正しく設定しても表示されない場合、目盛の表示間隔に対して現在の作図ウィンドウの表示倍率が小さいことが原因です。以下の操作を行い、表示倍率を目盛表示可能な最小倍率にしてください。

1　ステータスバー「画面倍率」ボタンを🖰。

2　「画面倍率・文字表示 設定」ダイアログの「目盛 表示最小倍率」ボタンを🖰。

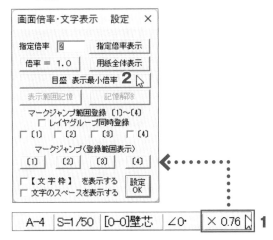

---

p.301 ▶ **Q47**

「多角形」コマンドの「2辺」で 計算できません と表示され、2辺が作図されない。

ANSWER 指示した始点－終点間の長さ（三角形の底辺に相当）よりも、コントロールバー「寸法」ボックスに入力した2辺の長さの和が小さく、三角形として成立しないことが原因です。

「寸法」ボックスに入力した数値を確認、訂正し、やりなおしてください。

---

p.303 ▶ **Q48**

「外部変形」の三斜計算で 三角形以外の線が(')あります と表示され、一部の三角形の高さ・底辺寸法や面積表が作図されない。

ANSWER 作図されない部分は三角形として成り立っていません。頂点部分で線が離れているか、辺が切断されているなどの可能性があります。

拡大表示をして頂点部分で線が離れていないか、交差してとび出していないかを確認する、または「データ整理」コマンドで「連結整理」（→p.89）を行うなどして対処してください。

Q
43
〜
49

---

p.238/303 ▶ **Q49**

「外部変形」コマンドで黒いウィンドウが開いたまま残る。

ANSWER ウィンドウ右上の区(閉じる)を🖰して閉じてください。

付録データのダウンロードについて

▶ 付録データのダウンロード前に必ずお読みください

本書付録CD-ROMに収録されているJw_cad Version 8.25a、教材データ、およびオリジナルCAD素材データなどの付録データをインターネットからダウンロードできます。

● Webブラウザ(Microsoft Edge、Google Chrome、Firefoxなど)を起動し、以下のURLのWebページにアクセスしてください。

https://www.xknowledge.co.jp/support/9784767832272

● 図のような本書の「サポート＆ダウンロード」ページが表示されたら、記載されている注意事項を必ずお読みになり、ご了承いただいたうえで、付録データをダウンロードしてください。ご了承いただけない場合は、ご使用になれません。

● 付録データのダウンロード、展開(解凍)方法は次ページを参照してください。

● 教材データはZIP形式で圧縮されています。ダウンロード後は展開して、デスクトップなどわかりやすい場所に移動してご使用ください。

● 教材データは、Jw_cad 8が動作する環境で使用できます。

● 教材データに含まれるファイルやプログラムなどを利用したことによるいかなる損害に対しても、データ提供者(開発元・販売元など)、著作権者、ならびに株式会社エクスナレッジでは、一切の責任を負いかねます。

● 動作条件を満たしていても、ご使用のコンピュータの環境によっては動作しない場合や、インストールできない場合があります。あらかじめご了承ください。

▶ 本書オリジナル「CAD素材データ」について

本書付録CD-ROMに収録されたデータ、インターネットからダウンロードしたデータには、900点以上の本書オリジナル「CAD素材データ」(図形ファイル)が含まれています。添景となる人物や乗り物、植栽、家具、動物、ピクトグラムなどのCADデータが収録されており、本書購入者は図面やプレゼン資料などに無料で自由に使用できます。

● 「CAD素材データ」は、Jw_cadの図形ファイルであるJWS(*.jws)形式です。図形ファイルの読み込み方法・手順は、p.84〜85「STEP 8　図形を読み込み、作図する」を参照してください。

● 「CAD素材データ」は、p.9〜11でコピーした「jww8_D」フォルダー内の「図形03》添景_車」フォルダから「図形24》添景他」フォルダまでとなります。

● 「CAD素材データ」の内容については、p.330〜338「付録の図形ファイル(CAD素材データ)一覧」を参照してください。

付録データのダウンロードについて

▶ 付録データのダウンロードと展開方法

● 付録データをエクスナレッジのWebサイトからダウンロードします。

1 Webブラウザを起動し、前ページで指定のURLのWebページにアクセスする。

2 「jww8_dx.zip」を🖱️して、ダウンロードする。

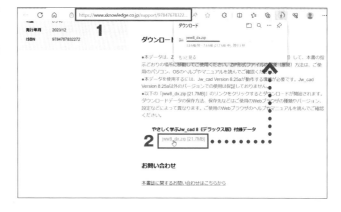

● ダウンロードした教材「jww8_dx.zip」はZIP形式で圧縮されています。以降の操作で、デスクトップに展開します。

3 エクスプローラーで「ダウンロード」を開く。

> **POINT** ダウンロードしたファイルの保存先は使用するWebブラウザの設定などによって異なる場合があります。使用しているWebブラウザの保存先の設定をご確認ください。

4 「jww8_dx.zip」を🖱️🖱️。

> **POINT** 「アプリを選択して.zipファイルを開く」ウィンドウが表示された場合は「エクスプローラー」を🖱️🖱️で選択してください。
>
> ➡ ZIPファイル内のフォルダーが表示される。

5 「jww8_dx」フォルダーを「デスクトップ」までドラッグする。

以降、デスクトップの「jww8_dx」フォルダーを付録CD-ROMに見立てて、p.9～11のJw_cadのインストールや教材データのコピーを行ってください。
Jw_cadのインストール、教材データのコピーおよび「iftwic21.zip」のセット（→p.269）が完了したら、デスクトップの「jww8_dx」フォルダーは削除してかまいません。

▶ 付録の図形ファイル（CAD素材データ）一覧

📁 図形01 練習

CHAPTER 1 の LESSON 5（→ p.74）で使用する図形 3 点を収録。

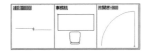

📁 図形02 衛生機器

CHAPTER 2 の LESSON 4（→ p.194）で使用する衛生機器（LIXIL 提供）の JWK 図形 16 点を収録。「ファイル選択」ダイアログの「ファイルの種類」を「.jwk」にすることで一覧表示される。JWK 図形の利用方法は、p.225　STEP 26 を参照。

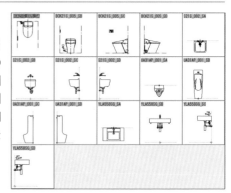

📁 図形03 添景_車

自動車などの実寸法の平面、正面、側面図形 58 点を収録。

図形は 1 要素として扱えるようにブロック（→ p.305）になっている。図形名末尾の「f」は正面、「p」は平面、「s」は側面を示す。

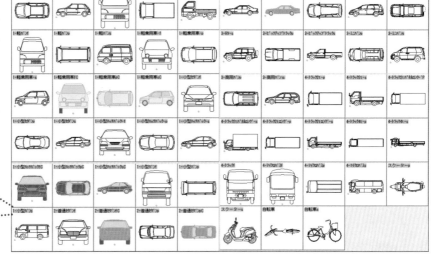

📁 図形04 添景_植栽

植栽の実寸法の平面、立面図形（カラー版・モノクロ版）27 点を収録。

図形は 1 要素として扱えるようにブロック（→ p.305）になっている。

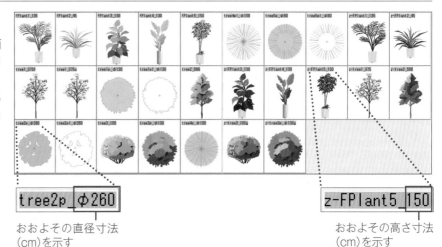

tree2p_φ260 — おおよその直径寸法（cm）を示す

z-FPlant5_150 — おおよその高さ寸法（cm）を示す

📁 図形05》添景_人物

人物、犬、猫の実寸法の姿
図形（カラー版、モノクロ版）
58 点を収録。
図形は 1 要素として扱えるよ
うにブロック（→ p.305）に
なっている。

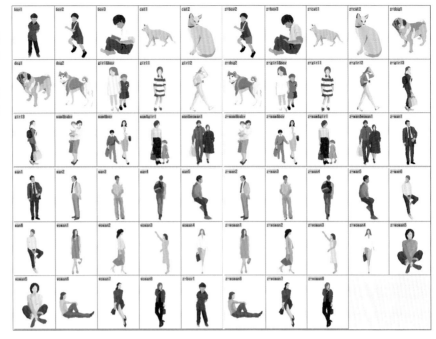

📁 図形06》家具_ベッド

ベッドの実寸法の平面、正
面、側面図形 30 点を収録。
図形は 1 要素として扱える
ようにブロック（→ p.305）
になっている。図形名中の
「−」前の「f」は正面、「p」
は平面、「s」は側面を示す。

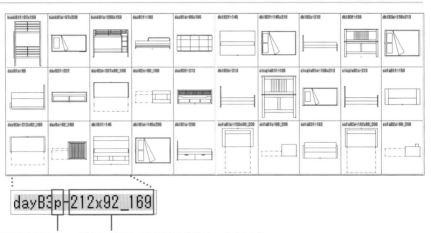

dayB3p−212x92_169

「p」は平面図を示す　　横幅×奥行_延長時の奥行（cm）を示す

📁 図形07》家具_ソファ

ソファの実寸法の平面、正
面、側面、背面図形 29 点
を収録。
図形は 1 要素として扱える
ようにブロック（→ p.305）
になっている。図形名末尾
の「b」は背面、「f」は正面、
「p」は平面、「s」は側面を
示す。

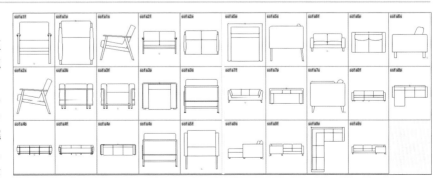

付録の図形ファイル一覧

📁 図形08》家具_椅子

椅子の実寸法の平面、正面、側面、背面図形39点を収録。図形は1要素として扱えるようにブロック（→ p.305）になっている。図形名末尾の「b」は背面、「f」は正面、「p」は平面、「s」は側面を示す。

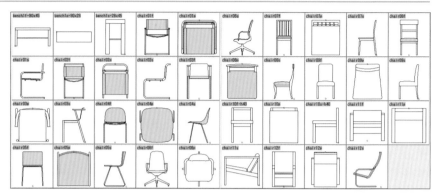

📁 図形09》家具_テーブル

テーブル、机の実寸法の平面、正面、側面図形63点を収録。

図形は1要素として扱えるようにブロック（→ p.305）になっている。図形名中の「＿」前の「f」は正面、「p」は平面、「s」は側面を示す。

幅80cm、高さ75cmを示す
「f」は正面を示す

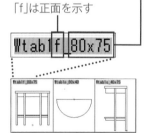

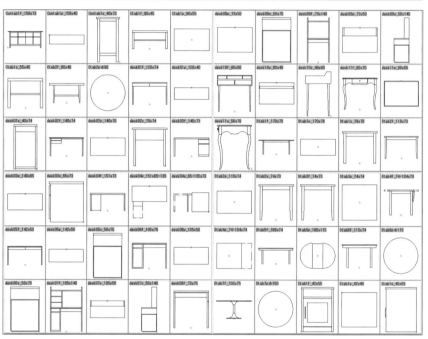

📁 図形10》家具_TV・TV台・ラック

液晶テレビの実寸法の平面、正面、側面図形9点、テレビ台、ラックの実寸法の平面、正面、側面図形18点を収録。

図形は1要素として扱えるようにブロック（→ p.305）になっている。図形名中の「＿」前の「f」は正面、「p」は平面、「s」は側面を示す。

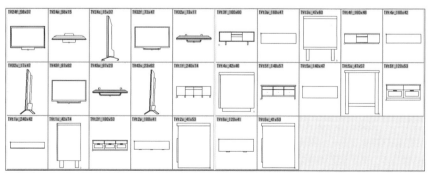

📋 図形11 オフィス_テーブル・椅子・机

オフィス用デスクの実寸法の平面図形49点、テーブル、椅子の実寸法の平面図形21点を収録。

図形は1要素として扱えるようにブロック（→ p.305）になっており、机、テーブルの右下には外形サイズを補助文字（印刷されない文字）で記入してある。

奥行75cm、幅120cmを示す

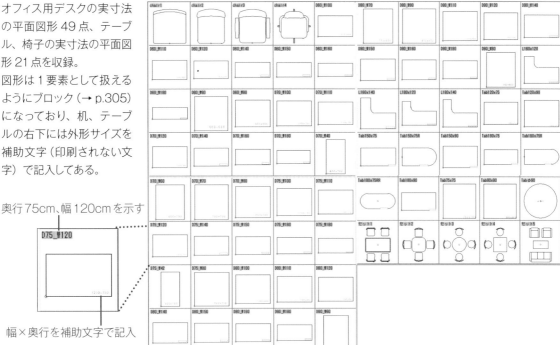

幅×奥行を補助文字で記入

📋 図形12 オフィス_収納・機器他

オフィス用のキャビネット、ロッカーの実寸法の平面図形18点、オフィス用パーテーション、パソコン、電話機、FAX、プリンター、複合機などの実寸法の平面図形26点を収録。

図形は1要素として扱えるようにブロック（→ p.305）になっており、キャビネット、ロッカーの右上には外形サイズを補助文字（印刷されない文字）で記入してある。

幅140cmを示す

奥行50cm、幅176cmを示す

外形寸法を補助文字で記入

「P」はパーテーションを示す

📁 図形13》ピクトグラム

S＝1/1 での利用を前提と
したピクトグラム図形 60 点
を収録。
図形は 1 要素として扱える
ようにブロック（→ p.305）
になっている。

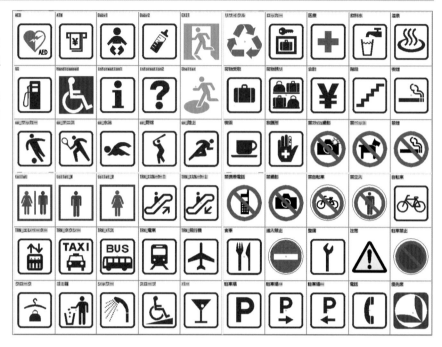

📁 図形14》自動車

自動車の実寸法の平面、正
面、側面図形 52 点を収録。
図形は 1 要素として扱える
ようにブロック（→ p.305）
になっている。
図形名末尾の「PL」は平面、
「EL」は正面、側面を示す。

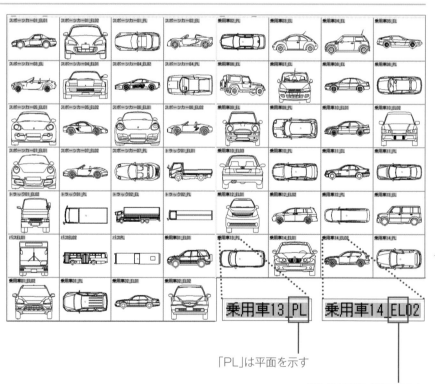

「PL」は平面を示す

「EL」は正面、側面を示す

📁 図形15》乗り物2輪

バイク、自転車、車椅子などの実寸法の平面、正面、側面図形27点を収録。
図形は1要素として扱えるようにブロック（→ p.305）になっている。図形名末尾の「PL」は平面、「EL」は正面、側面を示す。

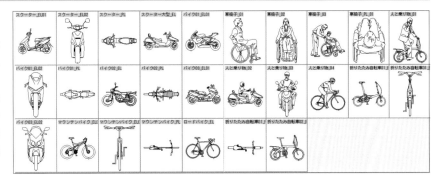

📁 図形16》人物PL

人物の平面図形12点を収録。
図形は1要素として扱えるようにブロック（→ p.305）になっている。

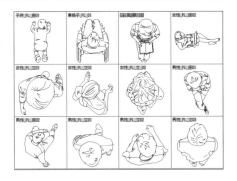

📁 図形17》人物EL座寝

座っている人物、横たわっている人物の姿図形35点を収録。
図形は1要素として扱えるようにブロック（→ p.305）になっている。

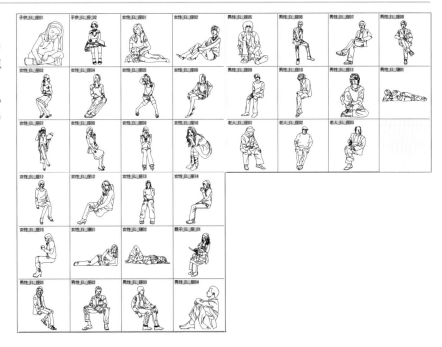

付録の図形ファイル一覧

📁 図形18》人物EL

さまざまなシチュエーションでの立っている人物の姿図形89点を収録。
図形は1要素として扱えるようにブロック（→ p.305）になっている。

📁 図形19》動物

犬、猫など動物の姿図形32点を収録。
図形は1要素として扱えるようにブロック（→ p.305）になっている。

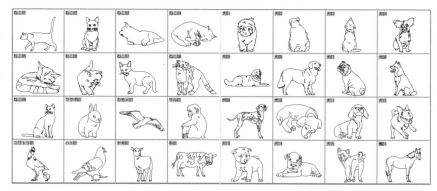

📁 図形20》樹木PL

直径約1mの植栽平面図形
19点を収録。

図形は1要素として扱える
ようにブロック（→ p.305）
になっている。コントロール
バー「倍率」ボックスに倍
率を入力することで、適宜、
大きさを調整して使用する。

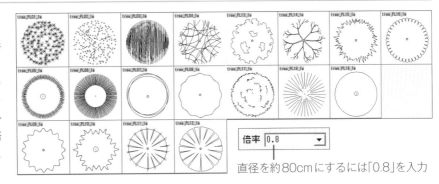

倍率 0.8 ▼

直径を約80cmにするには「0.8」を入力

📁 図形21》樹木EL

高さ約2mの樹木、高さ約
1mの低木の姿図形58点
を収録。

図形は1要素として扱える
ようにブロック（→ p.305）
になっている。コントロール
バー「倍率」ボックスに倍
率を入力することで、適宜、
大きさを調整して使用する。

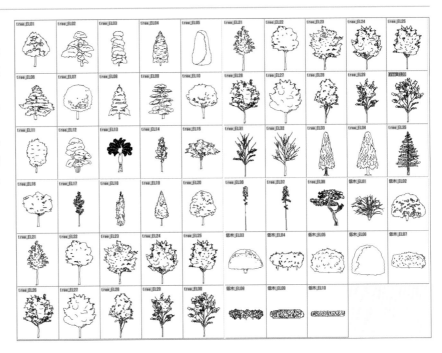

倍率 2.5 ▼

高さ約5mの樹木にす
るには「2.5」（5÷2）を
入力

HINT

例えば、高さ2mの樹木を
4.5mにしたい場合、「4.5
÷2は…」と計算しなく
ても、「倍率」ボックスに
「4.5/2」とその計算式を入
力すれば、「4.5÷2」の解
が入力されます。

また、横（X）倍率と縦（Y）倍率を「,」（カンマ）
で区切って入力することで、異なる倍率を指定で
きます。横幅は変えずに、高さだけを4.5mにす
る場合は、「1,4.5/2」と入力します。

▼ 高さ2mの樹木を高さ4.5mにする

倍率 4.5/2 ▼

計算式では除算記号「÷」を「/」で代用する

▼ 高さ2mの樹木の幅を変えずに高さを4.5mにする

倍率 1,4.5/2 ▼

幅（X）と高さ（Y）を「,」で区切って入力

幅（X）は変えないため「1」を入力

📁 図形22》観葉植物

観葉植物の姿図形 18 点を
収録。
図形は 1 要素として扱える
ようにブロック (→ p.305)
になっている。

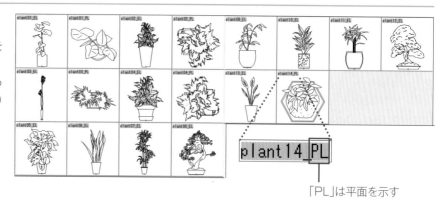

「PL」は平面を示す

📁 図形23》照明器具

照明器具の実寸法の姿図形
26 点を収録。
図形は 1 要素として扱える
ようにブロック (→ p.305)
になっている。

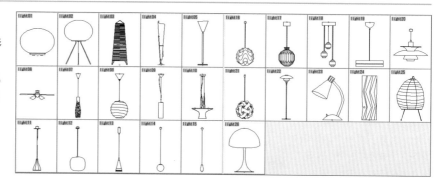

📁 図形24》添景他

ベンチ、遊具、街灯、庭石
などの姿図形 20 点を収録。
図形は 1 要素として扱える
ようにブロック (→ p.305)
になっている。

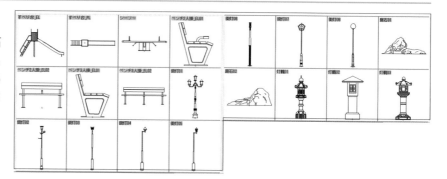

INDEX

送付先 FAX 番号 ▶ 03-3403-0582　メールアドレス ▶ info@xknowledge.co.jp

Web 問合せフォーム ▶ https://www.xknowledge.co.jp/contact/book/9784767832272

FAX質問シート

やさしく学ぶ Jw_cad 8 《デラックス版》

p.2の「本書をご購入・ご利用になる前に必ずお読みください」と以下を必ずお読みになり、ご了承いただいた場合のみご質問をお送りください。

● 「本書の手順通り操作したが記入されているような結果にならない」といった本書記事に直接関係のある質問のみご回答いたします。「このようなことがしたい」「このようなときはどうすればよいか」など特定のユーザー向けの操作方法や問題解決方法については受け付けておりません。

● メールまたは Web 問合せフォーム、本質問シートを用いた FAX にてお送りいただいた質問のみ受け付けております。電話によるご質問はお受けできません。

● 本質問シートはコピーしてお使いください。また、必要事項に記入漏れがある場合はご回答できない場合がございます。

● メールの場合は、書名と本質問シートの項目を必ずご入力のうえ、送信してください。

● ご質問の内容によってはご回答できない場合や日数を要する場合がございます。

● パソコンや OS そのもの、ご使用の機器や環境についての操作方法・トラブルなどの質問は受け付けておりません。

ふりがな

氏　　名　　　　　　　　　　　　　年齢　　　　　歳　　　性別　　男　・　女

回答送付先（FAX またはメールのいずれかに○印を付け、FAX 番号またはメールアドレスをご記入ください）

FAX　・　メール

※送付先ははっきりとわかりやすくご記入ください。判読できない場合はご回答いたしかねます。電話による回答はいたしておりません。

ご質問の内容　　※ 例）203 ページの手順 5 までは操作できるが、手順 8 の結果が別紙画面のようになって解決しない。

【 本書　　　　　　ページ　～　　　　　　ページ 】

ご使用の Jw_cad のバージョン　　※ 例）Jw_cad 8.25a （　　　　　　　　　　　　　　　　）

ご使用の OS のバージョン（以下の中から該当するものに○印を付けてください）

　　Windows 11　　　　10　　　　その他（　　　　　　　　　　　　　　　　　　　）

● 著者

Obra Club(オブラ クラブ)

設計業務におけるパソコンの有効利用をテーマとしたクラブ。
会員を対象にJw_cadに関するサポートや情報提供などを行っている。
http：//www.obraclub.com/

《主な著書》

『はじめて学ぶJw_cad 8』『Jw_cadの「コレがしたい！」「アレができない！」をスッキリ解決する本』『やさしく学ぶSketchUp』『やさしく学ぶJw_cad 8』『Jw_cad電気設備設計入門』『Jw_cad空調給排水設備図面入門』『Jw_cadで神速に図面をかくための100のテクニック』『Jw_cad 8を仕事でフル活用するための88の方法(メソッド)』『CADを使って機械や木工や製品の図面をかきたい人のためのJw_cad 8製図入門』『建築だけじゃない！　だれでもかんたんに図がかける！　いますぐできる！　フリーソフトJw_cad 8』『Jw_cad 8逆引きハンドブック』『Jw_cad 8のトリセツ』『1(イチ)から図面は描かないけれどJw_cadを使う必要に迫られたときに役立つ本。』(いずれもエクスナレッジ刊)

やさしく学ぶ Jw_cad 8 《デラックス版》

2023年12月26日　初版第1刷発行

著　者　Obra Club

発行者　三輪 浩之

発行所　株式会社エクスナレッジ

　　　　〒106-0032　東京都港区六本木7-2-26

　　　　https://www.xknowledge.co.jp/

● 問合せ先

編　集　前ページのFAX質問シートを参照してください。

販　売　TEL 03-3403-1321／ FAX 03-3403-1829／ info@xknowledge.co.jp